O sono e a morte

A. J. Kazinski

O sono e a morte

Tradução de
Cristina Cupertino

TORÐSILHAS

Copyright © 2012 JP/Politikens Forlagshus København

Copyright da tradução © 2013 Tordesilhas

Publicado mediante acordo com Leonhardt & Høier Literary Agency A/S, Copenhague.

Todos os direitos reservados. Nenhuma parte desta edição pode ser utilizada ou reproduzida – em qualquer meio ou forma, seja mecânico ou eletrônico –, nem apropriada ou estocada em sistema de banco de dados, sem a expressa autorização da editora.

O texto deste livro foi fixado conforme o acordo ortográfico vigente no Brasil desde 1º de janeiro de 2009.

EDIÇÃO UTILIZADA PARA ESTA TRADUÇÃO A. J. Kazinski, *Le sommeil et la mort*, Paris, JC Lattès, 2013

PREPARAÇÃO Fátima Couto

REVISÃO Vera Caputo, Milena Obrigon e Thais Rimkus

CAPA Stoltzedesign sobre *A Noite e seus filhos, o Sono e a Morte*, relevo de Bertel Thorvaldsen, 1815.

IMAGEM DA PÁGINA 459 *O Dia, Aurora com o Gênio da luz*, relevo de Bertel Thorvaldsen, 1815.

1ª edição, 2014

CIP-Brasil. Catalogação na publicação

Sindicato Nacional dos Editores de Livros, RJ

K32s

Kazinski, A. J.

   O sono e a morte / A. J. Kazinski; tradução Cristina Cupertino. – 1. ed. – São Paulo: Tordesilhas, 2014.

   il.

   Tradução de: Le sommeil et la mort, do original Søvnen og døden

   ISBN 978-85-64406-90-2

   1. Mistério – Ficção. 2. Ficção dinamarquesa. I. Cupertino, Cristina. II. Título.

14-09213

CDD: 839.813

CDU: 821.113.4

2014

Tordesilhas é um selo da Alaúde Editorial Ltda.

Rua Hildebrando Thomaz de Carvalho, 60

04012-120 – São Paulo – SP

www.tordesilhaslivros.com.br

Parte I

O LIVRO DO SANGUE

Tu, pois, filho do homem, porventura julgarás, julgarás a cidade sanguinária?
Faze-lhe conhecer, pois, todas as suas abominações.
E dize: Assim diz o Senhor Deus:
Ai da cidade que derrama o sangue no meio de si para que o seu dia chegue.

Ezequiel 22:2,3

1

Morta. Ela estava morta. Fora empurrada para o além. E não tinha a menor intenção de voltar de lá. Para ela estava fora de questão fazer meia-volta. No entanto, ele viria logo procurá-la contra a sua vontade, ela sabia disso. Iria puxá-la pelo tempo e pelo espaço. Ela receberia no peito duzentos e vinte volts e sentiria novamente o inferno que se tornara o seu corpo. Ele tentaria de tudo para conduzi-la à vida. Seria melhor ela tentar estabelecer contato? Para que ele lhe desse enfim a paz. E que ela lhe permitisse encontrar a paz.

Ela ouviu um grito. Atrás de si? Era ela que gritava? Viu o fio prateado que serpenteava alegremente até o infinito, mas que de lá não deixava de religar igualmente sua alma ao revestimento terrestre que a envolvia. Como um cordão umbilical. Uma ligação que ela devia romper. Precisava lutar; isso era, a partir daquele momento, ponto pacífico no seu espírito. Principalmente ele não devia pegá-la, fazê-la voltar a viver à força, pois nesse caso ele a torturaria novamente, depois a mataria mais uma vez e outra ainda. Ela precisava atingir a luz. Fugir. Sentiu então que ele a puxava. Ele tinha começado a reanimá-la. Ela olhou o filamento prateado: ele se estendia como um elástico.

Me deixe entrar. Eu lhe peço.

Uma luz viva começou a irradiar-se, e uma voz respondeu: "É você que se agarra à vida. Não podemos fazer nada quanto a isso". Não. A voz se enganava. Ela estava pronta. Não era ela. Ela desejava prosseguir no seu caminho, recusava-se a se juntar ao seu corpo martirizado.

É ele. Não sou eu. Vocês precisam me ajudar.

De repente ela foi puxada para trás, como um peixe que mordeu o anzol. O mundo sumiu diante dela, e o filete esplêndido que cingia a Terra foi a última coisa que ela viu antes de tudo desaparecer nas trevas.

Depois ela sentiu uma dor incomensurável.

– Você está me ouvindo?

A voz era familiar. Seu pai? Não, ele nunca a teria feito sofrer daquele modo. E no entanto... Ela acordou.

– Está me ouvindo?

Sua voz era calma, agradável, atenciosa, uma voz totalmente oposta aos seus atos.

– Vou lhe dar um pouco de suco. Tente abrir a boca.

Suco de framboesa, como o que lhe tinham servido no hospital quando ela fora operada da fratura no tornozelo.

– Está difícil – resmungou ela.

– Dói quando você bebe?

– Dói.

– Seus músculos foram submetidos a uma prova difícil quando eu a reanimei. Vai passar. Eu coloquei alguns analgésicos no suco para atenuar a dor. Tente beber mais um pouco.

Ela bebeu. O líquido espesso abriu caminho pelo seu esôfago. Enfim ela pôde abrir os olhos. Reconheceu o seu apartamento. Sua cama. Seu ventilador de teto, que estava imóvel. Ela nunca vira seu apartamento desse ângulo, do chão sobre o qual estava estendida, com os pés e as mãos atados. Impossível mexer os braços e as pernas. Ela estava entre a vida e a morte, nesse espaço que os católicos chamam de purgatório, mas que na verdade não tem absolutamente nada de aterrorizador nem de terrível.

Ele se levantou; com um gesto impaciente, depôs um livro na cômoda e começou a andar de um lado para outro na sala de estar. Teria ele lido tranquilamente enquanto ela estava morta? Era um livro dela, intitulado *Fédon*, a sua bíblia. Fédon foi aluno de Sócrates. Como outros, fizera companhia a ele na cela, nos últimos instantes da sua vida. Antes que o filósofo bebesse veneno. Foi durante as suas últimas horas que Sócrates teve a prova da imortalidade da alma. Se não tivesse lido essa obra, se ela não estivesse obcecada pelas reflexões de Sócrates sobre a imortalidade da alma, nada disso teria acontecido. Sua curiosidade tinha sido fatal.

– Consegue falar?

– Consigo.

– Você entrou em contato com ela?

Seria talvez mais sensato ela inventar alguma coisa? Dizer o que ele queria ouvir para fazê-lo desistir e convencê-lo a lhe dar uma injeção letal?

– Sim. Entrei em contato com ela. Por um breve instante – murmurou ela.

– Verdade? Não minta para mim, isso é muito importante.

Os olhos dela se encheram de lágrimas.

– Não. Quer dizer... talvez. Eu não sei.

Ela quis secar os olhos, mas as suas mãos continuavam atadas. Delicadamente. Ele tinha recoberto a corda com uma fita para evitar que os pulsos ficassem machucados. Ele garantira que ela não ficaria com nenhuma marca.

– Não estou vendo nada.

Ele enxugou os seus olhos.

– Você pode soltar a minha cabeça? Estou me sentindo muito mal.

– Não. Você precisa voltar. Vamos continuar até que a coisa funcione. Você não percebe como isso é importante?

– Você não tem esse direito – disse ela, mas seus protestos foram vencidos pelo choro.

– É a última vez. Eu prometo.

Ela distinguiu um leve perfume de canela no seu hálito. De canela e de chá. Teria ele tomado chá lendo *Fédon* enquanto ela estava morta? Como um general inglês num campo de batalha: insensível e estoico diante do banho de sangue. Tranquilizando-se com a ideia de que não era tão grave matá-la repetidas vezes. Porque o próprio Sócrates tinha provado que o ser humano tem alma.

Ela limpou a garganta.

– Isso não funciona como você pensa.

– Eu sei que isso é possível. E quero que você lembre, aliás, que a ideia foi sua...

Bateram na porta.

Ela teria ouvido direito? Encarou-o. Seu olhar era angustiado, vacilante. Bateram novamente. Dessa vez não havia a menor dúvida: havia alguém à porta. Ela quis gritar. Se pelo menos conseguisse... Mas ele lhe tampara a boca com a mão. Passaram-se alguns segundos. Então fez-se silêncio novamente.

– Deve ser algum colega – murmurou ela. – Devem estar se perguntando por que eu...

Ela se calou por causa da dor. Era como se as palavras ocupassem um espaço excessivo na sua garganta. Ela o olhou e adivinhou o que lhe ia pela cabeça: quando será que vão arrombar a porta?

Ele já estava lá há um ou dois dias, pensou ela. Um dia e meio. Cerca de trinta e seis horas. Há trinta e seis horas ela era mantida prisioneira no seu próprio apartamento. Ele tinha pressa. Isso era evidente. Ela o viu levantar-se e rodeá-la, depois olhar o relógio e consultar o celular. Tinha recebido duas mensagens.

– Não tenho tempo – resmungou ele enquanto ia se isolar na cozinha com o telefone.

Nesse momento ela observou que o nó da corda às suas costas estava desfeito. Conseguiu torcer a mão esquerda. Seu pulso fino se libertou da fita de veludo. Enquanto isso ela o ouvia falar na cozinha:

– Não, você agiu certo. Mas posso lembrar a você mais uma vez que vou voltar para casa?

Para a casa dele?, pensou ela. Esse diabo tinha lar? Ela se esforçou para ordenar os pensamentos, mas as substâncias que ele lhe havia administrado ao longo das últimas trinta e seis horas tinham perturbado o seu cérebro. Com a mão esquerda, conseguiu desfazer o nó da fita que segurava o outro pulso. Depois, tateando, encontrou o parafuso que mantinha a sua cabeça presa. Continuava a ouvi-lo:

– Isso não é grave. Não, garanto. Verdade.

Sua voz era muito suave. Ao distribuir as vozes entre os homens, Deus deveria ter levado em conta o grau de maldade de cada alma. Se tivesse sido assim ela não estaria ali. Teria reconhecido o assobio do demônio desde o primeiro encontro. Pois ela o conhecia. Talvez, até, ela nunca tivesse depositado tanta confiança em alguém. Ela lhe confiara os seus segredos mais profundos. Abrira-se com ele. Mas isso não o tinha impedido de torturá-la.

– Passo aí amanhã de manhã – murmurou ele.

Ela havia soltado o primeiro parafuso, e o material que segurava a sua cabeça caíra no chão. Foi mais fácil tirar o segundo.

– Você acha que seria bom?

Ela não teria tempo. As lágrimas afloraram a seus olhos ao pensamento de que ele ia matá-la de novo. E se ela gritasse? Isso provavelmente não mudaria nada. Além do mais, ela receava não ter mais voz, e ele se precipitaria para calá-la.

– Você pode esperar um minuto? – disse ele ao telefone.

Ela ouviu seus passos. Passou novamente as mãos nas costas e observou o teto. Com o canto do olho o viu examinar o ambiente e olhar na sua direção. Depois ele voltou à cozinha e fechou de novo a porta atrás de si. *Agora*. Com as duas mãos, ela girou simultaneamente os dois parafusos atrás da cabeça. Os dois últimos, no nível do queixo, não tinham importância.

– Você prefere que eu vá agora?

Ele não tinha intenção de preservar a vida dela, ela sabia disso. Ela não tinha medo de morrer, mas isso não era razão para sofrer a execução sem se defender. Seu corpo queria lutar.

– Posso ligar mais tarde?

Agora a cabeça dela estava livre, faltavam apenas os tornozelos. Ele tinha desligado o telefone. Ela não tinha mais tempo. Queria lutar. Gritar e brigar. Seus tornozelos estavam presos por simples pulseiras de velcro, como as utilizadas nos hospitais psiquiátricos, que produziram um som característico quando ela as despregou.

Ela o ouviu andar na cozinha e se apressou em soltar o outro tornozelo antes de se levantar. Na pressa, chocou-se contra um objeto quando se dirigia à porta. Um livro? O objeto deslizou no chão e foi terminar sua corrida no quarto. No mesmo instante a porta da cozinha abriu. Ele estava olhando para ela. Perplexo. Não esperava aquilo de modo algum.

– Não há razão para que isso acabe mal.

Ela notou uma ponta de nervosismo na sua voz. No momento em que ele voltou o olhar para a sua maleta preta, onde estavam as seringas e os produtos anestesiantes, ela se precipitou pelo corredor. Ele tentou impedi-la de passar, mas ela o golpeou.

– Não!

Enquanto a segurava pelo pulso ele olhou para a maleta, girando a cabeça. Ah, não, você não pode fazer nada sem as suas seringas, pensou ela. Então ele a largou. Ela aproveitou e correu para a porta. Ele tinha tomado o cuidado de pôr a corrente de segurança, e ela se atrapalhou na hora de retirá-la.

– Socorro! – gritou ela, mas a sua voz estava fraca.

Na sala de estar, a poucos metros de distância, ela o viu preparar com destreza profissional uma seringa. Ele se voltou no momento em que, tendo enfim conseguido soltar a corrente, ela abria a porta. Antes que ela tivesse tido tempo de sair do apartamento, ele a agarrou e a segurou pela nuca. Ela tentou pedir socorro, mas a manzorra do homem travou seu maxilar e ela sentiu uma agulha se enterrar na sua carne, em algum lugar entre a garganta e o ombro. Doeu muito. E talvez tenha sido essa dor que deu ao seu corpo o vigor necessário para uma última rebelião. Ela levou para trás os dois braços e bateu no que devia ser a cabeça dele. De qualquer forma ele relaxou a pressão da mão na sua nuca. Então ela abriu a porta, desceu a escada e bateu no apartamento do vizinho do andar de baixo.

– Socorro!

Ela esperou. Ele estava nos seus calcanhares. Sem sequer se voltar, ela desceu, saltando os degraus. Era mais rápida que ele, sabia disso, mas a substância anestesiante e alucinógena que ele injetara no seu corpo já começava a fazer efeito. O barulho de passos pesados ressoando nos degraus logo atrás dela lhe deu força para puxar a porta da entrada e se precipitar na calçada. Foi somente então que ela teve consciência de estar nua. Sem nem mesmo a roupa íntima.

Um segundo de hesitação deu a ele a ocasião para recuperar o atraso. Ele já quase a alcançara, e ela ouviu sua voz muito próxima:

– Eu não vou lhe fazer mal. Você não pode ir assim.

Ela voltou a correr, mas ele a segurou pelos cabelos e a fez tropeçar. Ela urrou, se desprendeu dele e tomou distância. Para onde ele tinha ido? Ela lançou um olhar na direção dos caminhões estacionados. Alguém gritou numa língua estrangeira. Ela retomou a corrida, mas suas pernas já estavam pesadas. Não podia absolutamente desabar, desistir; isso seria fatal. Pois então ele a pegaria de novo, a levaria de volta para o apartamento, fingiria para os transeuntes que tudo estava bem, que ele tomaria conta dela.

– Oi, beleza. Não esqueceu alguma coisa?

Ela ouviu risadas. Sabia que ele estava por ali, em algum lugar atrás dela, esperando que ela sucumbisse ao anestésico. Ele era o tipo de homem que inspirava confiança. Ela mesma confiara nele. Que sujeito simpático!, tinha pensado quando o encontrara pela primeira vez. Ele conseguira fazê-la engolir sabe-se lá que mentira.

– Que mico, moça! Tá chapada? Vai pra casa pôr uma roupa.

Ela precisava acelerar o passo. Ao chegar ao cruzamento, confundiu a luz vermelha com as luzes de um avião que ia aterrissar. Não. Aquilo não era real. Ela sabia. Nas outras vezes o anestésico havia provocado alucinações: o chão tinha se liquefeito sob seus pés e o teto começara a ondular. Ela teve que pedir para desligar o ventilador.

– Você vai acabar caindo. Me deixe ajudá-la – murmurou ele.

Ela se voltou. Um eco ao longe. Carros que paravam na rua. Talvez por causa do calor, pensou ela. Nada pode se movimentar nesse calor. Ela lançou um soco na direção dele e depois atravessou a rua correndo. O trem avançou diretamente para ela. Não, afastou-se bem na hora. Dali ela tinha uma vista contínua que ia até o infinito, até Tåstrup. Num clarão de lucidez ela entendeu o que estava acontecendo. Não demoraria a perder a consciência. Tudo estava envolto numa bruma espessa. Já não podia confiar nos seus sentidos.

– A balaustrada – murmurou ela, caindo de joelhos.

"Dybbøl", ela ainda teve tempo de ler num cartaz antes que suas mãos agarrassem o metal frio. Ela olhou rapidamente por cima do ombro.

Me deixem em paz!

Já havia pessoas em torno. Eram muitas, ou talvez a mesma pessoa multiplicada.

– Me deixe em paz! – urrou ela.

Um trem passou abaixo dela, ao longo da plataforma. Isso, pensou ela. Também eu devo prosseguir no meu caminho. No espaço de um instante o metal da balaustrada agiu como um antídoto, neutralizando momentaneamente a irrealidade que a cercava. Metal contra pele. Preto sobre branco.

– Enferrujado – rosnou ela, subindo na balaustrada. Quando o seu trem chegaria? – Sai da frente! – gritou ela para um homem que se aproximava.

Era aquele de quem ela havia fugido? O diabo. Tanto fazia. Logo ela saltaria para debaixo das rodas de um trem. O trem da eternidade.

2

Bairro de Islands Brygge – 23h35

O que é um assassinato? No fundo, o que nós sabemos sobre a vida? E sobre a morte?

Eram essas as perguntas que Hannah Lund se fazia no momento em que saía para o seu terraço, pouco antes da meia-noite. Ela não conseguia conciliar o sono. Fechou cautelosamente a janela de vidro. Não queria acordar Niels. Mesmo sabendo que isso já acontecera. Mesmo que ele já tivesse compreendido que algo não ia bem. Niels observava tudo: o seu humor, todos os sinais ínfimos que inconscientemente ela emitia. Era por essa razão que ele tinha se tornado negociador na polícia de Copenhague, e até um dos melhores no seu campo, aquele que enviam primeiro quando uma pessoa desesperada ameaça cometer o irreparável. Por isso ele era o companheiro ideal. Também ela estava desesperada.

Luzes coloridas, vermelhas e verdes, se refletiam nas águas escuras do outro lado do porto. Por que somente vermelho e verde?, perguntou-se Hannah, acendendo outro cigarro. Ela gostaria de pular dentro do seu caiaque e remar na noite – até aquelas luzes. Para participar da festa. O melhor remédio contra a insônia e contra todas as perguntas estúpidas para as quais não há resposta, que invadem nosso espírito quando o corpo se recusa a se entregar ao sono, é quebrar hábitos. Era essencial não se alterar com as horas obscuras, não se tornar inimigo do sono. A questão era empregar o tempo com ocupações úteis. Era preciso trabalhar mentalmente as suas angústias, ela havia lido isso. Tudo bem. As minhas angústias, pensou ela, achando que podiam ser contadas nos dedos de uma das mãos. Bom, estou grávida e meu marido não sabe. Porque tenho intenção de abortar.

De matar o feto. De cometer um assassinato. Não acredito que possa pôr no mundo uma criança normal. O único filho que tive foi considerado defeituoso. Doente, psicótico, acabou se suicidando. Era dotado de uma inteligência extraordinária, que se revelou uma maldição tanto quanto uma bênção. O mesmo aconteceu comigo.

Na infância, Hannah tinha sido a vergonha dos seus pais. Eles teriam preferido que ela fosse como as outras crianças e fizeram o possível para forçá-la a mudar. "Para deixar de bancar a inteligente", como dizia seu pai. Assim, para enfim se sentir em casa, foi preciso que ela ingressasse no Instituto Niels Bohr numa idade excepcionalmente precoce. Ali, entre intelectuais desajeitados incapazes de notar que tinham resto de comida pendurado no canto da boca, que tinham vestido a camisa do avesso ou que estavam com sapatos desemparelhados, ela sentiu que encontrado o seu lugar. Era algo que os outros não podiam compreender. Que o mundo comum pudesse desaparecer totalmente. Que o que constituía o seu universo fossem as equações, os produtos, os números que giravam no seu cérebro a uma velocidade tão vertiginosa que às vezes acontecia de ela não perceber que o capacete continuava na cabeça apesar de já ter estacionado a bicicleta em casa há mais de três horas.

Será que isso é um problema ou são vários?, perguntou-se, olhando para o seu reflexo no vidro da janela. A mulher mais bonita que eu já vi, repetia-lhe Niels sem parar quando se estendia sobre ela e a olhava nos olhos. Naquele exato momento ela não via absolutamente nenhuma beleza. Apenas uma mulher a meio caminho entre os quarenta e os cinquenta anos, de cabelos castanho-escuros não muito longos. As sardas que cobriam seu rosto quando criança pareciam ter desaparecido com água e sabão. Só no verão ficavam ligeiramente visíveis. Ela prosseguiu o seu exame noturno: formas bonitas; alta, quase tanto quanto Niels. Magra, talvez até demais. Quando deveria ter engordado por causa da gravidez, pelo contrário, perdera peso. Preocupação, provavelmente. Apenas seus seios estavam levemente maiores. Ela aproximou do vidro a vela para enxergar os próprios olhos. Estavam angustiados. Estou me borrando de medo, pensou. Nem mesmo estou certa de que continuo a amá-lo. Niels. Será que sou capaz de amar? Talvez essa capacidade não seja transmitida a todos quando nascem.

Ela precisava de mais um Gauloise, e certamente de um *schnapps*. Queria passar em revista as suas angústias mais uma vez antes de voltar para a cama.

3

Bairro de Islands Brygge – 23h37

O telefone berrou na mesa da cozinha. Niels Bentzon olhou o relógio. Não podia ser outra coisa senão trabalho. Um desesperado qualquer tinha resolvido pôr fim aos seus dias, e contavam com ele para trazê-lo de volta à razão. Mas não naquela noite, pensou Niels. Eles teriam de chamar o segundo da lista de negociadores.

O telefone continuava berrando.

Embora Hannah estivesse no terraço, a menos de quatro metros de Niels, era como se todo um universo os separasse. Ele a observara enquanto ela contemplava sua imagem no vidro e pudera constatar que o reflexo a desagradava. Niels Bentzon fingiu estar dormindo quando ela entrou para procurar cigarros e a bomba de inseticida. Era evidente que ela se esforçava para ser discreta, mas ele a ouvira falando baixinho no terraço. Sozinha. Como na noite anterior. E como nas demais. Ele sabia igualmente que a situação só pioraria se ela percebesse que as suas insônias também tinham impacto sobre o sono dele. No entanto, era isso que acontecia.

Ultimamente Hannah estava fechada em si mesma. A decisão que eles tinham tomado, de viver juntos e se casar, teria sido prematura? Niels já se fizera essa pergunta muitas vezes. Teriam eles confundido um simples entusiasmo pueril com um amor autêntico? Teria sido esse o erro que tinham cometido?

Hannah fechou cuidadosamente a porta atrás de si e voltou para o terraço. Niels via a luz incandescente do cigarro dela cintilar intermitentemente. Como uma pulsação. A pulsação da noite. Se não soubesse que isso era impossível, ele acharia que ela estava grávida. Os seios dela tinham inchado nos últimos tempos. Ele percebera isso algumas semanas antes, quando ela o abraçara por trás na cozinha. Ela o havia afastado imediatamente quando ele quis fazer sexo. Pretextou uma enxaqueca. Sim, se ele não soubesse que ela não podia mais ter filhos, teria jurado que ela estava grávida.

Tentando ignorar o telefone diabólico, Niels examinou o espaço à sua volta. Por que o haviam comprado, uma vez que ele nunca se encantara com aquele apartamento de dois quartos? Claro, a vista do porto de Copenhague era bonita, mas ele não gostava do despojamento característico dos apartamentos modernos, com suas paredes e tetos brancos. Eles dão a impressão de estarmos num hospital, mas talvez os jovens apaixonados devessem selar a vida em comum por meio de uma compra absurda. Um carro velho demais, um apartamento pequeno demais, uma casa de campo arruinada. De repente ele pensou em Kathrine, sua ex-mulher. Seria dela que ele sentia falta, ou só de uma presença? Uma proximidade. Tudo o que se supõe haver num casal, mas que agora ele já não tinha com Hannah. Talvez eles tivessem se casado num momento de loucura. Sim, sim, droga. O amor não é a última desculpa que autoriza os comportamentos criminosos? Para tolerar uma pequena loucura? Não, Niels rejeitou essa ideia. Não, de qualquer forma nós acabamos sendo punidos. Não pela justiça, claro, mas sob a forma de noites insones, de angústias, de tardes passadas cismando, sentados no sofá. Quanto tempo já durava isso? Dois meses? Ele tentou contar. Um mês e meio? Talvez apenas um mês. Tinha a impressão de que já fazia um ano. Talvez fosse melhor ir morar em outro lugar. Encontrar um apartamentinho. Provavelmente ele teria condições, apesar da crise. Mas quando a crise assolava o seu pequeno país, Niels não ficava desempregado. Nem todos os seus colegas negociadores, policiais especialmente treinados para argumentar com os cidadãos desamparados que ameaçavam estourar os próprios miolos ou os de outras pessoas, ou até mesmo os de toda a população mundial. A quantidade desse tipo de gente disparava toda vez que a economia andava mal. Sim, havia muito trabalho a fazer, e no momento ninguém pensava em dispensá-lo. Assim, ele podia se mudar dali. Ainda era um homem sedutor, sabia disso. Mais alto que a média, ombros largos que se harmonizavam com o rosto anguloso. E, embora não estivesse em sua melhor forma, ainda conservava bons traços. Sobretudo, tinha o dom de se comunicar com as pessoas, inclusive com as mulheres. Onde ele poderia encontrar Kathrine? A Cidade do Cabo era um lugar agradável para viver. Talvez eles pudessem reatar o casamento. Retomar em boas bases. Pelo menos Kathrine nunca o havia punido com mutismo e repulsa. O que ela diria se no dia seguinte ele desembarcasse lá, no aeroporto internacional da Cidade do Cabo, com a mala na mão e um sorriso inseguro nos lábios? E quando estivesse na cama com ela, será que ele pensaria em Hannah? Sentiria a falta dela? Talvez ele tivesse despertado a ira de algum deus e este fosse o seu castigo. Ser condenado a desejar eternamente a mulher que não tinha.

Bobagens!

Ele se levantou. As coisas iam bem antes de Hannah se fechar em si mesma. Ele precisava encontrar a mala. Fazer uma reserva num hotel. Tomar ar. Dormir. Os sentimentos exacerbados e o calor do verão formavam um coquetel explosivo.

– Acordei você? – indagou Hannah quando ele saiu para o terraço e pegou um cigarro do maço que estava na mesa.

– Não.

– Tem certeza?

Ele esmagou um inseto que tinha pousado na sua mão. Em vez de olhar para Hannah, contemplou o sangue da picada no pulso.

– Alguma coisa errada? – inquietou-se ela.

– Hannah – começou ele, antes de fazer uma curta pausa para refletir uma última vez.

Sim, ele estava pronto.

– Isso não parece nada bom – pressentiu ela.

O telefone continuava tocando na cozinha. Niels virou-se. Ela segurou a sua mão.

– O que é que você ia dizer?

– Preciso atender. Só pode ser do trabalho – evadiu-se Niels, retirando a mão.

Na cozinha, a tela do telefone se iluminou e mostrou quatro letras no fundo azul: Leon.

– Bentzon.

– Bentzon, tenho um trabalho para você.

A voz de Leon tinha uma agressividade contida, quase ameaçadora, a que Niels nunca se habituara. Era assim que ele se dirigia a todo mundo. Como chefe da unidade especial da polícia de Copenhague, ele estava acostumado a dar ordens.

– O que é, Leon?

– Você vai para a guerra, Bentzon. Conto com você para ganhar a batalha de Dybbøl.

– Para a guerra?

– Isso mesmo. Uma drogada muito fodida, completamente fora do ar, está peladinha na Ponte de Dybbølsbro. Ela acha que consegue voar.

Niels hesitou. Trocou um olhar com Hannah.

– Tem alguém com ela?

Ao ouvir a própria voz, Niels se lembrou subitamente de que tinha bebido *schnapps* antes de ir dormir.

– Logo mais terá você, Bentzon. Se ela pular, pode danificar muito o trem. Eu não quero que isso aconteça. A Danske Statsbaner está irritada. A associação das estradas de ferro dinamarquesas já não tem recursos para pagar esse tipo de idiotice.

– Eu bebi no jantar, esta noite.

Leon ignorou esse comentário.

– Ponha o giroflex no teto do carro e vá para lá. Você tem três minutos. Enquanto isso, vou tentar distrair a moça.

23h42

Niels deu marcha a ré na rua, exatamente como havia feito depois do seu primeiro encontro com Hannah, com a sensação de que ela o observava. E de que ela não lhe estava dizendo tudo. Ela era astrofísica, e seus pensamentos corriam à velocidade da luz. Não, a metáfora era ruim: se Hannah fosse uma Ferrari, Niels seria um Trabant. "Que tal é ser casado com uma mulher cem vezes mais inteligente que você?", perguntara seu colega Damsbo para provocá-lo quando Niels comentou sobre Hannah e o casamento em segredo na prefeitura. "Você é muito insolente", ele respondera antes de acrescentar: "A inteligência é *sexy*, mas a sua mulher visivelmente não tem essa opinião, Damsbo".

Considerando agora, a reflexão do seu colega já não lhe parecia tão insolente. Hannah era uma charada envolta em mistério no centro de um enigma. Quem tinha dito isso? Churchill? Não, chega, Niels. Concentre-se na missão. Na Ponte de Dybbølsbro. Na mulher que ameaça se jogar no vazio. Era preciso falar com Leon para se informar sobre o passado dessa mulher e poder elaborar uma estratégia enquanto o colega se deslocava. Mas ele não podia deixar de pensar em Hannah, no seu modo de olhá-lo, nas suas transformações físicas. Alguma coisa não se encaixava. As lágrimas umedeceram seus olhos quando ele lembrou um dos momentos de felicidade na sua companhia: a primeira vez em que ela o levara para visitar o Instituto Niels

Bohr. Foi no início do namoro deles. Eles haviam acabado de passar um fim de semana quase inteiro na cama, e ela queria lhe apresentar o seu universo. Falara sobre a matéria escura e a energia escura, e mostrara o cachimbo de Niels Bohr. Depois se sentara na escrivaninha do velho cientista, e Niels trancara a porta. Quando ele a abraçou e apertou o corpo dela contra o seu, ela murmurou que a mecânica quântica fora desenvolvida em alguns centímetros quadrados.

Um ônibus freou de repente diante dele, e Niels conseguiu desviar no último momento. Ele esfregou o rosto e fez outra tentativa: a Ponte de Dybbølsbro. O que Leon havia dito? Uma drogada. Nua. Era tudo que ele sabia. Nada mais. Enquanto fazia a conversão diante do parque de atrações Tivoli, Niels se intrigou com a escolha daquele lugar para se suicidar. A Ponte de Dybbølsbro não era particularmente alta. Por outro lado, era suficiente para oferecer a certeza de que o salto constituiria uma viagem simples para o paraíso ou o inferno. Por que eram sempre questões de ordem técnica que chamavam a sua atenção? Por qual modo de suicídio eles tinham optado? Do alto de que torre tinham resolvido se atirar? Que remédios tinham ingerido? Tinham utilizado uma corda ou um fio elétrico para se dependurar na sala de jantar? Tinham bebido ácido nítrico ou posto o vestido de casamento antes de cortar as veias? Ao contrário dos seus colegas, Niels nunca se perguntava por que essas pessoas tinham chegado à conclusão de que não valia a pena viver. Talvez porque ele próprio já tivesse pensado em suicídio.

O rádio da polícia emitiu um sinal. Era Leon.

– Fala.

– O que é que você está fazendo, Bentzon?

– Dois minutos.

– Dois minutos? Mas até lá ela já terá pulado. Me dê um bom conselho.

– Um bom conselho?

– Alguma coisa que eu possa dizer a ela.

Niels refletiu. O que é que Leon poderia dizer a uma mulher que estava prestes a se despedir da vida? Boa viagem? Era preciso pelo menos que fosse verdade. Era a primeira coisa que ensinavam a quem ia ser negociador: a honestidade era a regra número um.

– Você está pensando ou tem alguma ideia? – indagou Leon pelo rádio.

– Você precisa lhe dizer o que pensa. Isso é o bê-a-bá.

– O que eu penso? Eu penso que ela devia se vestir, descer imediatamente e se comportar como uma pessoa normal.

A impaciência de Leon era lendária. Talvez se explicasse pela sua capacidade quase sobrenatural de chegar rapidamente ao local do crime. O que quer que acontecesse, qualquer que fosse o lugar, Leon era sempre o primeiro a se apresentar. Empunhando a pistola carregada e desejando secretamente que os acontecimentos evoluíssem de tal forma que recorrer à força se tornasse inevitável. Niels já ouvira várias vezes os policiais jovens falarem disso pelas costas dele. Com um misto de repulsa e fascínio que na verdade não era nada mais que medo e respeito. Eles consideravam Leon um guerreiro com quem sempre podiam contar. Ninguém gostava dele. Era impossível gostar dele. Mas Leon era feliz assim. Opunha-se firmemente a qualquer forma de sentimentalismo, que, segundo ele, era uma ameaça à sua virilidade. No entanto, diziam que sua mulher era uma esposa dedicada e seus filhos eram adoráveis; mas a vida é cheia de contradições desse tipo.

Niels furou um sinal vermelho na Praça Fisketorv, ultrapassou um táxi e depois virou em direção ao porto. Em pouco mais de um minuto estaria no local. A Ponte de Dybbølsbro ficava muito perto da Praça Fisketorv. Não era o tipo de bairro que se poderia qualificar de encantador. Mas talvez essas considerações não fossem prioritárias quando a pessoa se preparava para pôr fim à vida. A estética, a beleza do cenário. Era frequente os candidatos escolherem uma ponte para se suicidar. Como a Ponte do Grande Belt, a Ponte do Estreito de Øresund ou a Ponte de Vejle. Aliás, os negociadores e os psicólogos da polícia não hesitavam em brincar entre si sobre esse assunto, propondo por exemplo que a construção das pontes de grande envergadura passasse a ser financiada pela União Nacional dos Agentes Funerários, caso essa entidade existisse. E os negociadores se alegrariam toda vez que soubessem que os políticos haviam optado por um túnel em vez de uma ponte. Mas nesse campo o recorde mundial era detido pela Golden Gate, já que anualmente não menos de vinte e cinco indivíduos punham fim aos seus dias atirando-se na baía de San Francisco. A água que corre sob a ponte exerceria sobre eles tal poder de atração? Se eles imaginavam que ali tornavam a morte mais suave, estavam redondamente enganados, pois daquela altura a superfície do mar era dura como concreto. Talvez – quem sabe? – eles fossem mais atraídos pelo lado misterioso da água; a ideia de mergulhar num mar de sentimentos, de penetrar na superfície das ondas, até o reino dos mortos.

Depois de uma última reta, Niels freou bruscamente a alguns metros da ponte. Encontrou o espetáculo habitual: carros de polícia, ambulâncias, um cordão de isolamento e policiais que se esforçavam para manter a calma e conter a multidão de curiosos que se reunia infalivelmente toda vez que havia a possibilidade de uma desgraça. Eles sempre estavam lá. Sem exceção. Em qualquer lugar, a qualquer hora. Em várias ocasiões Niels tinha estado no limiar de perder a paciência com esses curiosos. Gostaria de gritar que seria melhor eles irem para casa e ficarem vendo televisão, bebendo uma cerveja e cumprindo seu dever conjugal; fazê-los entender que aquilo não era cinema e sim uma tragédia humana que estava prestes a se desenrolar diante dos seus olhos. Mas de que serviria falar assim? Isso não os impediria de voltar na próxima vez. Havia até quem não hesitasse em filmar com o celular ou a câmera.

Último detalhe antes de descer do carro: olhar-se no retrovisor. O policial precisa estar apresentável quando se prepara para socorrer um infeliz. Viu um olhar grave, seus olhos verdes; rugas inquietas que ele certamente não tinha um ano antes.

Niels saiu do carro para encontrar Leon. O tempo estava quente, e foi um Leon todo suado que gritou:

– Mandei parar o tráfego ferroviário. Mas não temos todo o tempo do mundo.

– O que é que se sabe sobre ela? – perguntou Niels entregando a chave do carro para o colega.

– Foi vista correndo pelada na rua Skelbækgade – informou Leon virando-se para a ponte.

Niels nada viu de imediato. Depois seguiu com os olhos o prolongamento do dedo indicador de Leon, que se esticava ao longo do torreão e ainda alguns metros na direção do céu.

– Como foi que ela chegou lá no alto? – perguntou Niels.

– Pergunte para ela.

– Sabem como ela se chama?

Leon balançou a cabeça.

– Niels, isso não tem importância. Trate de subir lá e resolver isso. Trouxeram uma escada para você. Faça o melhor que puder. Eu tenho uma equipe pronta para intervir caso haja algum problema. Daqui a três horas algumas centenas de milhares de pessoas vão precisar circular nas ruas da cidade.

Niels concordou. Uma equipe. Termo neutro para designar funcionários de limpeza, especialmente treinados para deixar tudo em ordem depois dos acidentes. Para juntar os pedaços de corpos espalhados. Fazer desaparecer o sangue e os restos de cérebro. Leon tinha virado a cabeça e olhava Niels nos olhos.

– Você bebeu, Bentzon?

Niels fez que sim com a cabeça.

– Três *schnapps*. E uma cerveja.

– Você cheira a álcool como um alambique.

– Eu lhe disse isso agora há pouco, ao telefone.

– Verdade?

– Se você prefere chamar outra pessoa, eu entendo perfeitamente.

– Isso levaria uma meia hora.

– O chefe é você. Quem decide é você.

– Vá correndo até lá para podermos resolver isso e voltar para casa. Hoje tem boxe no Eurosport.

Um dos técnicos estendeu para Niels um cilindro de plástico preto pouco maior que uma cápsula de remédio.

– Ponha isso no ouvido para que a gente possa falar com você – explicou ele.

– Para me dizer o quê?

O homem ignorou a pergunta de Niels e fixou um aparelho igualmente microscópico no colarinho da camisa molhada de suor.

– Nós também vamos ouvir você – esclareceu o técnico antes de se afastar.

Leon dirigiu a Niels um sorriso de incentivo. Estava alegre. Com uma alegria sincera, infantil.

– Eu não me sinto à vontade com esses dispositivos – protestou Niels.

Leon deu de ombros.

– Bem-vindo ao mundo moderno. Você vai ter de se acostumar.

Niels passou debaixo do cordão de isolamento e subiu na ponte, de onde, então, distinguiu claramente a jovem que se mantinha em equilíbrio no alto do torreão negro. Parecia uma estátua, pensou ele. Frágil. Um corpo de menina com um rosto de adulta. Pele sobre ossos. A mulher se reclinou.

– Bentzon?

Ele se voltou para Leon, que chegou bem perto dele para que nenhum dos colegas pudesse ouvi-lo murmurar:

– Vai dar certo. Até hoje você não perdeu nenhum caso. Não há razão para que nesta noite seja diferente.

Então ele lhe deu um sorriso mais sincero que o habitual e apertou-lhe discretamente o braço.

Talvez Leon estivesse alegre apenas por não ter de ele mesmo subir lá.

4

Estação de Dybbølsbro – 23h51

Não, ela não podia dormir agora. Se dormisse, ele a levaria e a mataria mais uma vez antes de fazê-la reviver novamente, puxando-a como um peixe que mordeu o anzol, primeiro na água, depois no ar; e em seguida ele a brandiria na ponta da sua linha. Ela se debateria e seria agitada em todas as direções, moribunda; depois acabaria voltando. Mais uma vez, mais uma vez. Eternamente.

A eternidade.

Essa palavra a revigorou. Ela se endireitou e se sentou, sem na verdade se lembrar de quem era. Nem de como havia chegado ali. Um sorriso involuntário surgiu na sua boca ao ver os espectadores. No espaço de um instante a grade fria do torreão se transformara num palco. Aquilo era real? Ela se levantou. Eles gritavam para ela. Ela sabia que os seus sentidos estavam alterados por causa do anestésico que ele lhe injetara. De repente ela o viu. Lá embaixo, entre os espectadores. O diabo. Ele sorria. Até acenou para ela. Ela recuou instintivamente. Para se distanciar dele e do terror que ele lhe inspirava.

– Vou subir para ficar com você – disse uma voz atrás dela.

Era ele ou outro qualquer? Como ele poderia estar em dois lugares ao mesmo tempo? Ela sabia muito bem: por causa do produto abominável que corria nas suas veias, ela era incapaz de diferenciar; você não pode se fiar na sua visão, disse ela para si mesma. Não pode confiar no que ouve. Você não deve dormir. Pelo amor de Deus. Fique acordada.

5

Estação de Dybbølsbro – 23h53

– Vou subir para ficar com você – disse Niels.

Ele ainda esperou alguns segundos. Inspirou profundamente e fez a reflexão costumeira: a situação em que ele estava prestes a se envolver era puramente particular. Ele não tinha nenhum direito de intervir naquela escolha. Pois aquela situação era, afinal de contas, banal: uma mulher que já se cansara da vida tinha resolvido pôr fim aos seus dias. Pois que fosse. Ela não era a primeira a desejar acabar com tudo. Mas a sociedade não podia aceitar isso. Essa não era a melhor solução. O suicídio não é um ato civilizado. Nós até legislamos sobre o caso. É proibido se suicidar. É assim. Podemos comer, amar, odiar, lutar uns contra os outros, fumar, destruir-nos aos poucos; de modo geral, podemos viver como bem nos aprouver, fazer o que quer que seja. Temos até o direito de deixar de amar nosso cônjuge, pensou Niels sentindo uma pontada de dor. Mas não temos o direito de morrer. Pelo menos não temos o direito de nos proporcionar a morte. A sociedade não pode permitir isso. E é nesse ponto que eu intervenho. Esse é o último recurso da civilização. Aquele a quem pedimos socorro quando nada conseguem os psicólogos, os psiquiatras, as agências de emprego, as clínicas de desintoxicação, os terapeutas de casais, tudo o que a sociedade emprega para evitar que seus cidadãos acabem na Ponte de Dybbølsbro numa noite quente de verão, com a intenção manifesta de pôr fim à vida; a quem chamamos quando a situação é tão desesperadora que o limite entre a vida e a morte não passa de uma questão de centímetros. Niels já completara quinze anos no departamento de homicídios, dos quais mais dc dez como negociador. Se ele conseguira tal longevidade nesse posto é porque tinha talento para falar com as pessoas. Porque sabia ouvir, ver e sentir. Até nas situações mais extremas, como resgates de sequestrados ou tentativas de suicídio, durante as quais lidava com pessoas com graves perturbações psíquicas.

– Vamos abrir espaço. Ela vai pular – gritou alguém no meio da multidão.

Niels balançou a cabeça. Não era o caso de se precipitar. Na realidade, era bem o inverso. Era preciso ganhar tempo. Fazer o outro entender que não havia pressa. Pelo contrário. Estando a situação naquele ponto, Niels se esforçava para convencer o desesperado de que uma longa vida o aguardava. Antes de chegar no campo de visão da mulher, ele fez uma pausa na sua subida.

– Eu me chamo Niels – gritou ele. – Sou policial. Não estou armado. Quero apenas falar com você. Só isso.

Ele apurou o ouvido, mas só ouviu o zum-zum vindo da rua lá embaixo. Um bêbado ou drogado gritou:

– Pula logo, sua besta!

Niels olhou rapidamente sobre o ombro. Escutou pelo aparelho que tinha no ouvido a voz de Leon, um murmúrio sufocado:

– Não dê atenção a esses imbecis, Bentzon. Continue.

Niels voltou a olhar para trás, para a multidão, e viu Leon pondo as algemas naquele tipo inconveniente, com um joelho metido entre as suas omoplatas. Não esqueça: seja sincero com ela, repetiu Niels para si mesmo.

– Não lhes dê ouvidos. Eles são bêbados ou idiotas – disse ele pisando cautelosamente no degrau seguinte.

Então ele a viu claramente. Sua primeira impressão: ela parecia segura de si. Emanava uma elegância que beirava a arrogância. Quase não tinha onde se firmar. Um passinho para lá ou para cá e ela cairia no vazio. No entanto, seu dorso estava ereto como uma tábua. Ela dava a impressão de calma. Ele observou por um instante o seu corpo nu. Seria uma drogada? Ela era magra, isso era visível. Mas não. Sua pele era muito delicada, quase uma seda. Ela era bem-cuidada e bonita. Ele chegou ao alto do torreão. Ela evitou olhar para baixo. Ele se sentia como se estivesse se segurando num trampolim de piscina.

– Eu me chamo Niels. Estou exatamente atrás de você.

Ela se virou e o examinou. O olhar dos dois se cruzou. Por tempo suficiente para que ela não se sentisse ignorada. Ela lutava contra o sono, contra o produto que corria nas suas veias. Provavelmente heroína, pensou Niels.

– Distraia a moça durante cinco minutos, Bentzon.

A voz de Leon crepitou na orelha esquerda de Niels. Perturbou-o tanto que ele pensou por um instante em se livrar do aparelhinho. Mas não: ela poderia interpretar esse gesto simples como uma ameaça. Ela saberia que ele não estava sozinho. Niels sentiu a camisa grudar nas costas.

– Quatro minutos, Bentzon, e eles estarão prontos para pegá-la – murmurou Leon.

Não lhe agradava nem um pouco o fato de Leon poder ouvi-lo. Durante todos aqueles anos em que Niels tinha negociado com sequestradores ou com candidatos ao suicídio, ele nunca havia perdido ninguém. Não dispunha de uma fórmula pronta, mas sabia o que funcionava e se adaptava a cada situação. Contudo, a voz de Leon no seu ouvido lhe dificultava a concentração.

Ela voltou a baixar os olhos para os trilhos, depois para a multidão de curiosos. Estaria procurando alguém ali?

– Você fala dinamarquês?

Ele mesmo se surpreendeu com aquela pergunta. Mas, apesar da tez clara, Niels via nela algo de estrangeira. De quase divina.

– Boa sacada, Bentzon. Tente falar com ela em inglês.

Niels teve vontade de pedir a Leon para calar a boca.

– *English? Do you understand? Where are you from? Poland? Russia? Ukraine?*

Ela havia feito com a cabeça um gesto negativo? Levemente, talvez. Mas parecia saber inglês.

– *Listen. Just tell me your name.* Seu nome. Você fala dinamarquês?

– Tente romeno, Bentzon. A capital é Bucareste – disse Leon.

Niels fechou os olhos e se esforçou para esquecer a voz que saía do aparelho.

– Pega ela! – gritou um idiota.

A mulher reagiu olhando em torno de si como se estivesse no meio da rua e não no alto de um torreão. Tinha medo de adormecer, observou Niels. Medo do que lhe aconteceria quando a droga vencesse suas últimas forças.

– Não dê ouvidos a eles – disse Niels. – Olhe para mim. Eu não tenho nada contra você. Sou policial. Quero conversar com você. Proteger você. *Protect*.

A voz de Leon ressoou no aparelho:

– Dois minutos, Bentzon.

Niels deu um passo na direção dela. Ela se acocorou, sempre lutando para manter abertos os olhos. Então gritou. Tinha medo dele, medo do sono. Medo do sono mais que da morte, pensou Niels.

– Eu sou policial. Agora você está em segurança. Vou protegê-la quando você dormir.

A mulher ergueu os olhos para ele, mas viu outra pessoa. Quem? Um ex--marido? Um carrasco? Niels continuou tentando.

– Oi! – ele elevou o tom para restabelecer o contato e dominar o ruído da multidão. – Como é que você se chama? Eu me chamo Niels. Niels – repetiu ele martelando o peito como um Livingstone que encontra um aborígene pela primeira vez.

Ela piscou os olhos; não resistiria por muito tempo. Chegou um passo mais perto do vazio enquanto com o olhar procurava alguém no meio da multidão. Por um instante Niels achou que já era tarde demais, mas ela parou no meio da plataforma, calmamente. Os trilhos estavam mais ou menos dez ou doze metros abaixo. Ele observou o rosto dela. Não era o de uma toxicômana.

– Por favor. Me deixe proteger você. Deixe que eu a segure.

Ela parecia estar perto dos trinta anos, mas seu aspecto era de mais velha. Tinha o rosto fino. Olhos escuros. Um olhar melancólico, inteligente. Traços delicados, maçãs do rosto altas, sobrancelhas que formavam um semicírculo perfeito. Não correspondia a nenhuma imagem que ele tinha na memória. Com mais de uma década de experiência como negociador, podia-se dizer que ele tinha visto de tudo: soldados que, voltando de missões em que havia um clima de guerra, entravam em parafuso e atiravam na mulher e nos filhos. Doentes mentais carentes de tratamento que confundiam os clientes pacíficos de um supermercado com os demônios que povoavam seus pesadelos. Desempregados de longa data que descarregavam suas frustrações agredindo os assistentes sociais encarregados do seu caso. Toxicômanos que vinham há tempo demasiado injetando nas veias uma quantidade enorme de porcarias. Mas desta vez era diferente – aquela moça não se parecia absolutamente com nada do que ele havia encontrado até então.

– Droga, Bentzon. Fale com ela – vociferou Leon no seu aparelhinho. – Ocupe a moça por mais um minuto.

– Você está cansada. Dá para perceber isso muito bem. Você quer dormir. Tem medo do que pode acontecer durante o sono? É isso? Não vai acontecer nada. Eu vou estar aqui. Vou ajudar você.

A mulher continuava muda. Niels repetiu as mesmas palavras em inglês enquanto as pálpebras dela lutavam contra o inevitável: o sono.

– Você está com medo? Me diga do quê. Alguém está seguindo você?

Ele olhou para a mão esquerda da moça. Uma tatuagem. Começava no pulso e se estendia pelas costas da mão. Um coração, talvez? Ou um nome?

– Posso me aproximar? *Closer?*

Nenhuma resposta. Ele observou os pés nus da moça. Seus calcanhares ultrapassavam a beirada da plataforma, como os de um mergulhador olímpico que se prepara para saltar de costas.

– Você quer saber alguma coisa sobre mim?

Mais um passinho, discretamente, enquanto falava.

– Sempre há uma boa razão para viver.

Por que ele tinha dito aquilo? Acima de tudo: nunca mentir, lembrou-se. Dizer apenas a verdade. Nada além da verdade. Ele baixou os olhos. Achava realmente aquilo? Ele mesmo já não tivera a impressão de ter esgotado todas as boas razões de viver? Sim, ele conhecia esse sentimento. Conhecia-o bem demais. Mas Niels não podia confessar nada disso naquele momento. A honestidade tinha limites. Quando ergueu de novo os olhos, ela o olhava atentamente.

– Fale comigo. Como é que você se chama? *Just tell me your name. That's all. Name?* Nome?

Niels se aproximou da beirada da plataforma, conservando a devida distância. Lá embaixo os bombeiros estavam prestes a se posicionar. Se pelo menos ele conseguisse captar a atenção dela por mais alguns segundos... Seus joelhos começaram a tremer, inseguros, como se começassem a ceder sob o seu peso. Ele ouviu a própria respiração e constatou que estava muito agitada e descontínua.

– Não se esqueça: se você saltar, eu serei a última pessoa que a verá com vida. Sou a sua carta de despedida. Existe alguém a quem você gostaria de dirigir uma última mensagem?

Ele estendeu a mão, mas ela reagiu mais uma vez rejeitando-o violentamente. Dirigiu-lhe desajeitadamente um tapa e o arranhou com suas unhas bem-cuidadas. Niels percebeu que a pele do seu braço se ferira, mas não sentiu nenhuma dor. O sangue começou a escorrer pelo braço até a mão, sob a pulseira do relógio, depois pingando na ponte. A mulher nua emitiu um grito prolongado.

– Bentzon! – gritou Leon. – Você quer que eu suba?

Ela observou os espectadores, não os que estavam na ponte, mas os que esperavam mais embaixo. Ela mirava especialmente um. Alguém que ela temia.

– É para mim que você deve olhar! Não para eles. Você não deve temer nada. Eu vou ajudá-la.

Ela se distanciou de Niels, ladeando o vazio. Com graça. Um passo atrás do outro. Centímetro após centímetro. Então se imobilizou. Olhou Niels nos olhos, capaz subitamente de abrir os dela. Como uma supernova que se ilumina antes do inevitável.

– Não – disse Niels. – Pare.

– Só vinte segundos, Bentzon.

Ela levantou uma perna, com leveza, e se manteve em equilíbrio apenas com a ponta do pé direito.

– Se você pular, eu pulo com você.

Ela disse uma palavra, apenas uma, que foi encoberta pelos gritos vindos da plataforma do trem. Então, no espaço de um breve instante, pareceu cheia de esperança. Como se estivesse novamente acreditando na vida. Depois se deixou balançar no vazio. Niels se arremessou. Por um momento esteve muito perto de cumprir a promessa que acabara de fazer: pular com ela, romper o ar com o seu corpo. Em vez disso, tentou segurar a mulher no seu voo, mas conseguiu apenas roçar com a ponta dos dedos a pele suave das suas costas. Se você pular, eu pulo com você. Ele a viu cair em queda livre. Viu o instante em que seu corpo estremeceu mecanicamente, quando suas costas e a nuca se chocaram contra os trilhos negros sem produzir nenhum ruído. Foi tudo que ele teve tempo de ver. Ele estava na beira da plataforma, e suas pernas balançavam no vazio. Quando voltou a olhar para baixo, viu uma poça de sangue se formar embaixo do pescoço quebrado. Ela estava com as pernas afastadas e estendidas. Um braço estendido acima da cabeça e o outro colado ao longo do corpo. Depois ele ouviu gritos vindos da ponte e da plataforma. Agarrou-se com as duas mãos na beirada da plataforma. Ele devia ter se soltado. Saltado com ela. Como prometera. Basta você se soltar, Niels, murmurou ele. Não há nada mais fácil. Vamos, salte, pensou ele logo antes de sentir o antebraço ser agarrado por uma mão forte.

6

Estação de Dybbølsbro – 23h57

Por um instante ele achou que tudo estava perdido. Quando o policial subiu para encontrá-la no torreão. E depois o milagre se produziu: ela havia pulado. Ele a vira. Ele a vira cair. A velha que estava ao seu lado na plataforma o agarrara. Como se fosse ela que estivesse caindo. Na outra mão ele tinha a maleta preta. Enquanto as pessoas gritavam, ele se lembrou do seu material. Tinha deixado suas coisas na casa dela. Então ele abriu passagem na multidão. Algumas pessoas choravam, e ele se esforçou para parecer tão perturbado, chocado e assustado quanto elas. Mas o seu corpo tremia de alívio. Ele se aproximou o mais que pôde. Os olhos dela estavam abertos e fixos nele. Então um médico passou por ele. Ninguém se apressava, nem mesmo os socorristas e o pessoal da ambulância. Ela estava morta. Seu crânio estava deslocado; o sangue fora absorvido pelo cascalho sobre o qual repousava a sua cabeça. No entanto, ele continuou se aproximando sempre que surgia uma oportunidade. Seria o caso de se sentir culpado? Analisou seus sentimentos e chegou à conclusão de que agora ela estava num mundo melhor. Ela mesma tinha dito isso.

– Cuidado!

Os policiais afastaram os curiosos. O homem que havia subido até o torreão para tentar dissuadi-la agora corria no meio da multidão, encarando uma a uma as pessoas. Parecia um maníaco. Por um breve instante ele cruzou seu olhar com o desse policial. Depois baixou os olhos e se afastou.

Ele sentiu-se aliviado e cansado. No entanto, era preciso ficar desperto. E conservar claras as ideias. Depois, recuperar seu material, antes que a polícia descobrisse quem ela era e fosse ao apartamento. Ritalina. Seu corpo estava precisando. Era um medicamento eficaz sobretudo quando injetado na veia, mas, como no momento usar uma seringa era impossível, ele engoliu dois comprimidos. Quarenta e oito horas? Pelo menos. Contudo, somente os seus olhos estavam cansados. Com o que ingerira de Ritalina e Modafinil um pouco mais cedo, mas já de noite, ele ficaria desperto. Eram substâncias frequentemente empregadas para tratar dos narcolépticos, estimulando o organismo e diminuindo a necessidade de sono. Pois ele não tinha tempo para dormir. Nos últimos dias ele se satisfizera com alguns cochilos no carro ou em casa, no sofá. Não demorariam a prendê-lo, ele sabia disso. A polícia dinamarquesa era eficaz, e quem pensava o contrário se enganava. Evidentemente, acabaria preso, mais cedo ou mais tarde. Isso era inelutável. Por isso ele não podia perder tempo descansando. Precisava continuar até obter uma resposta. Era tudo que importava. A resposta.

7

Estação de Dybbølsbro – 23h58

Niels tinha saltado os quatro últimos degraus da escadaria que levava à plataforma. Partindo do princípio de que sem dúvida quem a levara a se suicidar não se demoraria ali, a primeira coisa que fez foi observar as pessoas que estavam indo embora. Mas as únicas pessoas que subiam os degraus para deixar a estação eram mulheres. Contudo, ele tinha se convencido de que não poderia ser uma mulher. A vítima estava nua. Só um homem tiraria a sua roupa. Foi um Leon sem fôlego que agarrou Niels pelo braço.

– Bentzon, droga, o que foi que aconteceu? Por que é que você disse...

Niels o interrompeu.

– A moça o viu.

– A moça o viu? Mas de quem você está falando?

Niels prosseguiu, chocando-se contra o homem que estava à sua frente, examinando os rostos com que cruzava.

– Bentzon!

Do outro lado dos trilhos, duas jovens gritavam sem parar. Por que não voltavam para casa, se não suportavam ver sangue?, perguntou-se Niels. Ele as encarou, uma e depois a outra, até sentir a mão de Leon no seu ombro.

– Acabou, Niels. Ela pulou.

– Ela estava sendo perseguida.

– Venha comigo. Vamos tentar identificá-la...

Niels o interrompeu:

– Não, Leon. Preste atenção. Ela tinha medo de dormir. Tinha medo de perder a consciência. Estava aterrorizada pensando no que ele faria se ela dormisse.

– Niels...

– Agora ouça: ela preferiu morrer a dormir. Para escapar dele. Ele está aqui, em algum lugar entre as pessoas.

Leon olhou em torno deles. Havia ali pelo menos cem pessoas. Metade eram homens.

– O que você pretende fazer?

– Vamos prender todos.

Leon balançou a cabeça.

– Claro, é o único meio de...

– Não precisam mais da gente aqui, Niels. Venha.

Niels sentiu a cólera tomar conta. Quis esmurrar a cara de Leon. Em vez disso, pôs-se a examinar o rosto dos curiosos que se comprimiam contra o cordão de isolamento. Muitos deles o observavam. Jovens meio bêbados que voltavam do centro. Alguns homens de negócios que tinham descido até a plataforma à procura de uma prostituta. Seria o homem um deles? Ou seria a desconfiança doentia que ele tinha em relação a homens maduros vestidos de terno que voltava a se manifestar naquele momento?

– Vamos.

Leon o afastou com o braço. Niels desistiu de resistir e o seguiu como um menino bonzinho. De passagem, teve tempo de rever a cabeça da mulher. O sangue havia colorido de vermelho o cascalho em volta do crânio despedaçado. O sangue dela. O fluido vital que havia escoado do seu corpo – através dos seixos e dos trilhos escurecidos pela ferrugem – e agora se enterrava no chão seco da cidade. Niels começou a encarar os curiosos de novo. Todos. Sua impressão era de que tinham sido eles. Eles que a tinham empurrado para o vazio. A cidade fizera isso. Seus olhos se encheram de lágrimas. Ninguém devia vê-lo chorar, por isso ele baixou o olhar. Até mesmo quando eles voltaram a subir na ponte, onde alguns cidadãos ainda se mantinham atrás da faixa bicolor. Uma jovem mãe de família estava brigando com um policial porque eles não tinham fechado suficientemente a área. Sua filhinha estava em estado de choque, e ela exigia que trouxessem um psicólogo para o local. Era essa a realidade de Leon. Sua missão era proteger a população e virar as costas para tudo. Niels gostaria de gritar para a mãe: O que é que a senhora está fazendo aqui com a sua filha numa hora dessas?

Ao voltar para o carro, ele ergueu os olhos. Leon fazia um balanço da situação com a equipe, reunida à sua volta. Ele ouviu as palavras "sinais de picadas" e "drogada", e então Leon voltou a se afastar da massa e o arrastou para o lado.

– Você entendeu: uma toxicômana em plena crise paranoica. Nem o próprio Gandhi teria conseguido fazê-la mudar de ideia.

– Não foi suicídio.

– Niels? Eu sei que é difícil.

– Ela estava com medo de alguém. Mais que da morte.

– Como num delírio sinistro. Não é a primeira vez que a gente vê isso – disse Leon, inspirando profundamente. Ele estava começando a perder a paciência. – Niels, ela pulou diante de umas cem testemunhas. É difícil concluir outra coisa que não suicídio. – Ele hesitou. – Você falou mesmo que ia pular com ela?

Niels ergueu os olhos para Leon. Sentia-se minúsculo.

– Não sei. Estava com dificuldade para me concentrar com a sua voz no meu ouvido.

– O que é que você está querendo dizer?

– Nada.

Um policial os interrompeu e murmurou alguma coisa para Leon, que em seguida se dirigiu a Niels:

– Bentzon. Você realmente fala bem. É por isso que é tão bom no seu trabalho. Não é verdade? Nós não falamos. Essa falação nos cansa. Somos uns idiotas. Não falamos; agimos.

Leon sorriu e, por um segundo, Niels teve a impressão de que ele nunca havia sido tão inteligente, cheio de sabedoria e compaixão.

– Vou mandar um dos meus homens acompanhar você até a sua casa – arrematou Leon.

Dito isso, ele desapareceu. Tinha milhares de ordens a dar numa noite como aquela. Uma noite em que Niels estava em plena queda. Em queda livre depois de ter feito uma promessa a uma mulher que já não estava neste mundo. Os técnicos tinham estendido um lençol sobre o corpo dela. Ainda havia gente chorando. Niels contemplou as pessoas reunidas na plataforma. Ali, em algum lugar, escondia-se aquele que a tinha levado a cometer o irreparável. Niels tinha visto o terror nos olhos dela. Não era angústia. A angústia é abstrata. O medo, por sua vez, é real. Palpável. Temos medo dos predadores. Dos veículos. Dos acidentes na estrada. Das doenças. A angústia é outra coisa. Ela nos escapa, é viscosa como um sapo. Mas a mulher tinha olhado em torno de si procurando algo de concreto, procurando o predador que a esperava no calor sufocante daquela cidade. E ela o temia de tal forma que tinha preferido se precipitar no vazio. Niels se encaminhou para o carro. Queria ficar sozinho com os seus pensamentos, para tentar encontrar um sentido neles. Foi quando abriu a porta do veículo que ele o viu. Um homem, uma silhueta que lançou um olhar sobre o ombro antes de deixar apressadamente o lugar. Niels bateu a porta e se lançou ao encalço dele.

8

Bairro de Vesterbro – 23h59

As ruas balançavam ligeiramente diante dele por causa dos estimulantes absorvidos. Como aquele policial tinha conseguido localizá-lo? Seria porque ele olhara para trás? Como a mulher de Ló ao fugir de Gomorra.

Ele estava bem à frente, sabia disso. O que, no entanto, não o impedia de temer pelo pior. Havia no policial um lado obsessivo. Ele devia continuar o seu caminho ou tentar se esconder? Não. Era preciso a qualquer custo recuperar o seu material, que poderia denunciá-lo. Ele se arriscou novamente a olhar sobre o ombro. Ninguém. Mas o policial não tardaria a aparecer na esquina, e então o veria. A porta de entrada do prédio se abriu para um entregador de jornais particularmente madrugador. Ele o cumprimentou com um movimento de cabeça e mergulhou no vestíbulo. A porta se fechou suavemente atrás dele enquanto ele subia os degraus. A porta do apartamento tinha ficado entreaberta. A luz da cozinha estava acesa. Ele se precipitou pela sala de estar e embrulhou o seu material. O chão estava molhado. Talvez fosse melhor abrir a janela para que a água evaporasse mais rapidamente. Não, não valia a pena demorar-se ali. Ele examinou uma última vez a sala de estar antes de apagar a luz e fechar a porta atrás de si.

Na escada, ficou agachado por um momento no escuro, esperando que cessasse o fluxo de viaturas da polícia e de ambulâncias. De repente voltou a ver o homem passando na rua pela porta de vidro da entrada. Havia algo de maníaco no seu modo de se deslocar. Depois de verificar sob os veículos e atrás deles, nas ruelas à volta, o homem desapareceu.

Ele ficou uma boa meia hora na escada, antes de sair. Enquanto esperava no escuro, tomou consciência de que naquela noite havia chegado muito perto da catástrofe. O cansaço o fazia cometer erros. Estava sempre lá, à espreita, pronto para tomá-lo de assalto. Ele rumou às pressas para o seu carro, estacionado prudentemente a uma boa distância da casa dela. Instalou-se ao volante. A área estava tomada por policiais. Ele deu partida e rodou pela cidade, mas precisou fazer uma pausa perto de Fælledparken. Um instante depois estaria em casa. As mãos tremiam sob o efeito das substâncias que poluíam suas veias e também o resto do corpo. Ele estava tomado por uma agitação incontrolável. Precisava esvaziar o cérebro. Refletir. Não estava tudo perdido apenas porque a coisa não havia funcionado na primeira tentativa. Ele sabia disso perfeitamente. Precisava tentar outras vezes. Perseverar. Tirou a lista do bolso. A lista com o nome das pessoas que tinham morrido durante vários minutos antes de finalmente serem reanimadas. Que tinham provado ser capazes de ir ao além e voltar de lá. As que tinham passado pela experiência da morte e tinham voltado com a mensagem de que não era preciso temê-la. Ele sublinhou o nome que estava no alto da lista e em seguida leu:

– Hannah Lund.

Segunda-feira, 13 de junho de 2011

9

Hospital de Bispebjerg, Serviço de Psiquiatria Infantil – 8h55

O sangue. É no sangue que eu penso. O sangue no chão, nas paredes e no rosto dela. O sangue na faca, nas mãos, nos dedos e nas unhas. Como se ela tivesse se pintado de vermelho.

Mas sobretudo penso no leite com chocolate.

Nunca mais bebi leite com chocolate depois daquele dia, nem mesmo uma gota. O simples fato de pensar nisso me revira o estômago. Para mim, o sabor do cacau ficará eternamente associado a lembranças dolorosas. À morte da mamãe. À sensação de traição e impotência que eu experimentei então e que, depois, abriu espaço para o desejo de vingança.

Acabo de acordar. O sol se filtra através das persianas do meu quarto. Estou cercada por paredes brancas recém-pintadas, o que ainda faz flutuar no ar um cheiro de solvente. Aqui as paredes são vazias. Imaculadas e granulosas. Chamam isso de hospital, embora não passe de uma cela. Quatro paredes que me isolam do resto do mundo. É aqui que eu vivo. E é aqui que me sinto melhor. Sozinha no meu canto. E apenas uma coisa poderia me fazer mudar de opinião: se eles encontrassem o Culpado e o condenassem pelo crime abominável que ele cometeu no dia em que matou minha mãe, sete anos atrás.

Leite com chocolate. Estou debaixo do chuveiro e volto a pensar no seu sabor. A náusea não demora a vir. Por que mamãe escolheu leite com chocolate? Porque o sabor do cacau era suficientemente forte para encobrir o gosto dos soníferos? Em nenhum momento eu havia desconfiado do seu manejo. A mesma cena se repetia diariamente: mamãe batia na minha porta, me estendia a xícara e eu o bebia sem fazer perguntas. Como faria qualquer criança de cinco anos. Será que eu tinha desconfiado de alguma coisa? Sim, claro que tinha. Se não tivesse, por que razão eu teria começado um belo dia a esvaziar em uma planta o leite com chocolate? Por que eu teria me acostumado a ficar acordada no meu quarto para vigiar todos os barulhos que, já naquela época, me pareciam suspeitos? As crianças têm um sexto sentido, elas sentem quando alguma coisa está errada. Para me convencer, bastava olhar papai e imaginar como ele reagiria se ficasse sabendo. Essa ideia era insuportável. Quase tanto quanto ouvir os gemidos da mamãe e do Culpado no quarto ao lado. Quantas vezes ele tinha vindo? Quanto tempo aquilo teria durado? Eu jamais contei. Talvez dois ou três meses. Papai sabia o que estava acontecendo? Essa é uma das perguntas que sempre me faço. Mas duvido que ele soubesse. Acho que mais provavelmente, quando voltava do trabalho e nos abraçava, a mamãe e a mim, ele estava longe de imaginar o que acontecia debaixo do seu teto.

As persianas do meu quarto estão cobertas por uma camada fina de poeira. Eu as levanto e então me sento um instante perto da janela. Dois pacientes tomam o café da manhã no parque. Reconheço um garoto que deve ter uns doze anos. Ontem ele passou o dia inteiro sentado no refeitório, coçando o couro cabeludo e dizendo coisas incompreensíveis. Como eu, são crianças e adolescentes um tanto birutas, que precisam de cuidado vigilante. É assim que eles chamam o internamento. Oito crianças. Trinta e dois empregados. Um lugar reservado para jovens que representam uma ameaça para si próprios. Ou para os outros. O sol já queima violentamente. Fecho os olhos.

Hoje eu guardo apenas uma vaga lembrança do dia sangrento. Lembro-me sobretudo da cor vermelha e da briga que tinha estourado entre mamãe e o Culpado. Lembro-me também da chuva que martelava os vidros da minha janela e da silhueta do Culpado, que eu tinha percebido pelo buraco da fechadura. Grande, cabelo castanho, barba por fazer. Tive tempo de ver apenas isso antes de começarem os gritos de mamãe.

– Silke?

Aquela voz. Tão doce. Do lado da porta.

– Bom dia, Silke. Como é que você está?

Uma voz de menina numa boca de adulta.

– Silke, você está com fome? Já almoçou?

A enfermeira repete mais ou menos as mesmas palavras todo dia. As variações são ínfimas. Mas não serei eu a culpá-la. Porque eu também faço a mesma coisa. O tempo todo. Há anos: nada. Da minha boca não sai nem uma palavra.

– Tenho uma surpresa. Adivinha quem está vindo para ver você? Está a caminho.

10

Bairro de Islands Brygge – 9h10

"Pular" é uma palavra agradável, pensou Niels. Mas não tinha sido um exagero? Ele tinha cometido um erro empregando-a? Se você pular, eu pulo com você. Pular é um ato alegre. Um pulo de alegria, de felicidade. Se ele tivesse dito, em vez disso, "Se você se suicidar, eu também me suicido", isso teria mudado alguma coisa? Não, ele poderia ter dito o que quer que fosse, ou então ter ficado calado, que não teria mudado absolutamente nada.

– Ontem à noite, como foi? – Hannah estava no vão da porta, de cabelos úmidos, com uma xícara de café na mão. – Eu não vi quando você chegou. Você dormiu no sofá?

– Não queria acordar você.

Niels se endireitou e consultou o relógio. Eram 9h15. Ele precisava se apresentar na chefatura da polícia. Para exigir que o corpo da jovem fosse autopsiado. Para ouvir a gravação e tentar descobrir qual foi a palavra que ela pronunciou logo antes de pular; a palavra que, manifestamente, significava algo para ela e que fora encoberta pelo zum-zum da multidão.

– O que foi que aconteceu?

– Ah, nada.

– Nada?

– Não. Quando eu cheguei já tinha acabado – desconversou Niels antes de mudar de assunto. – Ainda tem água quente?

– Você vai ter de esperar cinco minutos.

– Então vou tomar um banho frio.

Por que ele havia mentido? Para evitar passar por derrotado? Por recear que ela se sentisse superior a ele?

Chegando ao banheiro, ele não jogou a roupa de baixo no cesto de roupa suja. Tinha intenção de usá-la de novo. Já era época de se preparar para fazer as malas. Por ora seria preciso tomar um banho frio. Tinha havido um problema de encanamento no subsolo. Essas drogas de apartamentos novos! Enquanto se aguardava o término das obras, tinham instalado aquecedores pequenos com capacidade de cinco litros em cada banheiro. Isso era suficiente apenas para ensaboar o cabelo, não para enxaguá-los. Da cozinha Hannah gritou alguma coisa, e Niels respondeu negativamente, sem ter entendido a pergunta. Niels, você aceita esta mulher como sua legítima esposa? Não. Não, droga, era isso que eu devia ter respondido. Ela não me ama. Fechou-se em si mesma. Ela me rejeita. De novo lhe veio à memória uma lembrança agradável: a primeira viagem deles. Ao sul da Inglaterra. Stonehenge. Sozinhos. Tinha sido ideia de Hannah. Ele a viu encostar-se numa pedra. Depois abraçá-lo, murmurar para ele alguma coisa sobre o solstício de verão. Já escurecia. Eles não sabiam onde iam passar a noite. Provavelmente na primeira vila que encontrassem. Beberiam uma cerveja num *pub*. Fariam amor numa cama estrangeira.

Dentro de casa, o banho frio. Lá fora, um céu azul e árvores com folhas queimadas pelos raios do sol.

11

Bairro de Islands Brygge – 9h25

Quando a sentença seria lida? Como seria a execução?

Pela janela, Hannah observou Niels atravessar o estacionamento. Ele parecia agitado naquela manhã. Um pouco confuso. Sem saber onde fixar os olhos e mexendo as mãos sem parar. Hannah não tinha a menor dúvida: acontecera algo que ele não queria compartilhar com ela. Provavelmente na noite anterior, quando ele voltara tarde para casa. Ela não se melindrava com aquilo. Já tinha uma carga suficiente de preocupações. Com o seu processo. Para resolver se o bebê devia viver ou morrer.

Hannah conhecera Niels no ano anterior. Ela estava separada e já tinha quase desistido de tudo quando ele surgira em sua vida. Ele tinha ido encontrá-la num desembarcadouro em cuja extremidade ela pescava. Seu único projeto, naquela época, era fazer tudo que ela não pudera fazer na época em que Johannes ainda vivia: pescar, correr, cortar lenha.

Johannes. Seu filho adorado. Que se suicidara aos quinze anos. Gustav e ela jamais deveriam ter tido um filho. Eles tinham inteligência em demasia, os dois, e isso tinha produzido Johannes. Uma criança que desde os dois anos demonstrara capacidades incomuns, mas que sofria terrivelmente. E que eles se sentiram obrigados a entregar a uma instituição. Era preciso vigilância permanente, e Hannah estava sozinha em casa com ele. Johannes tinha posto fim à vida numa quarta-feira. Tinha sido também numa quarta-feira que Niels desembarcara na sua vida, alguns anos mais tarde. À beira do lago. Naquela época ela sofria de neurastenia e vivia isolada na casa de campo. Fechada em si mesma, incapaz de manter relações sociais com quem quer que fosse. Ele se apresentara a ela pretextando estar incumbido de uma investigação rotineira. Ela observara imediatamente que ele não parecia um policial. E ela tampouco parecia ser uma astrofísica, ele retrucara. E tinha sido ela que o procurara. Sim, fora isso que acontecera... Bem, na verdade, tinha sido ele, mas ela é que persistira no contato. Eles nunca falavam do caso em cuja elucidação ela o ajudou na época. Talvez porque então ambos haviam se envolvido num terrível acidente de trânsito. Saíram dele com múltiplas fraturas. Tinham sido operados, engessados. O coração de Hannah até mesmo deixara de bater, e ela precisara ser reanimada. Reanimada. Era o que ela sentia. Niels tinha reanimado o seu coração naquela época. E eles tinham sobrevivido milagrosamente. Foi o que os médicos disseram. Um milagre. Com o tempo, o sentimento de milagre tinha dado lugar à rotina, lavar roupa, arrumar a casa, ir às compras. Eles haviam resolvido ir com calma. Mas isso foi antes de Niels tomar um avião para a África do Sul a fim de tentar retomar a relação com sua mulher. Depois de uma semana ele voltou. Separado. Começou então a sair com Hannah. Na verdade, eles tinham pensado apenas em tomar um café. Quando entrou na casa dela, ele observou os heléboros de inverno que ela tinha semeado em taças com água. Ela havia dito: "Você observa tudo". Tinha sido por essa qualidade rara que ele se tornara negociador na polícia. Ele observava tudo que Hannah era incapaz de ver. Mas se alguém tinha sido mantida como refém, era exatamente ela. Estava sequestrada em seu corpo rígido demais com o sentimento de culpa que experimentava pelo filho que tinha perdido alguns anos antes. E agora esperava outro.

Hannah Lund contemplou de novo o porto de Copenhague. Precisava abortar. Niels nunca a perdoaria. Mas ele precisava saber? Ela teria força para levar sozinha esse segredo até o fim dos seus dias? Cortar uma vida no começo, matar uma alma antes mesmo de ela ter tempo de vir ao mundo? Ela seria capaz de condenar? De julgar? Porque era exatamente isso que precisaria fazer. Dar o veredito num processo. Um processo que devia tratar da sorte de uma criança que estava dentro dela. Essa criança devia viver ou morrer? Era isso que estava em questão. Insuportável, sem dúvida. E desumano. Mas inevitável.

Ela acendeu o cigarro e afugentou um mosquito. Ergueu os olhos para o céu. Dali a dois dias haveria um eclipse lunar. Ela tinha se entusiasmado com a ideia de assistir a esse fenômeno com Niels. De explicar a ele como a Terra passava entre o Sol e a Lua e mostrar como era possível ver, por um instante, os contornos do nosso planeta se refletirem na superfície do seu satélite natural, como num espelho. Mas isso tinha sido antes.

Ela saiu para o terraço. Aquilo se tornara um ritual. Ela gostava das repetições. No terraço, com uma xícara de café e um cigarro. Para observar a cidade acordar. Para ver o céu de Copenhague se iluminar e empalidecer lentamente. O sol já estava alto, e os gritos agudos das gaivotas e das crianças não demorariam a ressoar. Elas tinham permissão de deixar de lado os livros da escola por um instante a fim de aproveitar o verão na piscina pública. Do alto do terraço, ela costumava observá-las brincar. Elas pulavam na água sob o olhar inquieto das mães e das professoras. Crianças. Hannah se perguntava como se desenrolaria o processo. Era preciso ser justo. Haveria testemunhas. Um promotor. Um advogado de defesa. Todos os aspectos do caso teriam de ser esclarecidos. A decisão que seria tomada não era sobre uma questão sem importância. Era a vida de uma criança que estava em jogo. Ela viu Niels abrir a porta e entrar no carro. Do alto ele parecia minúsculo. Os raios de sol que se refletiam na carroceria ofuscaram sua vista, e ela precisou desviar o olhar.

12

Chefatura da polícia de Copenhague – 9h45

– Bentzon! – A voz de Leon ressoou como um motor velho enferrujado no momento em que ele desceu do carro. – Que noite!

Ele ia dar um tapa nas costas de Niels, mas este se voltou, como se tivesse esquecido de travar a porta.

Leon esperou.

– Ela foi identificada? – indagou Niels.

– Parece que é romena. Ou ucraniana.

Eles começaram a caminhar juntos. Niels tentou de propósito se distanciar, mas Leon demonstrava uma paciência incomum. O chefe da patrulha e o escoteiro. O olhar que seus colegas lhe dirigiam ia mudar a partir desse dia?, perguntou-se Niels. Eles passariam a vê-lo como alguém que tinha feito uma besteira? Que tinha perdido um ser humano como se perde uma meia? Niels usou uma das mãos para proteger os olhos do sol. O asfalto colocado recentemente no estacionamento tinha amolecido e se colava na sola dos sapatos. Todo ano é a mesma coisa, pensou ele. A Dinamarca não suporta o calor. Não há nenhum lugar climatizado, em pouco tempo as pessoas assam ao sol, e quando põem o nariz fora de casa pegam a febre do feno. Bastam uns poucos dias de tempo bom para que as praias sejam invadidas por algas e crianças de pele clara besuntadas de filtro solar.

– Bom dia – disse Niels à secretária ao passar pela recepção.

– Bom dia. Você não está de folga hoje?

Niels deu uma resposta incompreensível e continuou apressado o seu caminho. Ele se esforçava por ignorar os pequenos sinais que os integrantes da sua equipe emitiam inconscientemente e que denunciavam o humor deles no momento. O que chamamos de linguagem corporal. Ele tinha muito receio do que podia descobrir. Pouco tempo antes, quando uma das secretárias anunciara que havia se divorciado, Niels não tinha se surpreendido. Já havia algum tempo ele notara uma leve mudança no esmalte e no batom que ela usava. Cores mais vivas. Como se com isso ela quisesse assinalar que, embora o marido já não prestasse atenção nela, ela achava que ainda merecia um olhar.

Chegando à sua sala, Niels fechou os olhos. Se ao menos pudesse ter um instante de descanso... Se pelo menos pudesse não *sentir* as pessoas. Em seguida ele passou aos seus pequenos rituais matinais: pôs a maleta num canto, dependurou o paletó no cabide, ligou o computador e se obrigou a dar uma olhada pela janela para arejar as ideias. Um avião traçava no céu uma longa linha branca, sobre a qual Niels, num estado de semissonolência, imaginou se colocar para, lá de cima, gritar com arrogância: Isso, eu a perdi, mas olhem para mim agora. Olhem como eu ando no vazio, como eu atravesso o céu! Ele balançou a cabeça e se recompôs. Voltou-se lentamente e contemplou sua sala. Não havia ali ninguém para vê-lo. Como sempre. Então ele fez o *log in* no computador e durante dez minutos percorreu as fotos mais recentes de prostitutas do Leste Europeu. Nenhuma se parecia com ela. Nenhuma tinha a pele tão lisa, tão imaculada, tão clara, tão brilhante. Nenhuma dava a impressão da mesma distinção nem da mesma segurança que ela tinha manifestado nos últimos segundos de vida. E nenhuma delas tinha nas costas da mão uma tatuagem. O que as prostitutas tinham em comum, por outro lado, eram os seios e os lábios: exageradamente inchados, prestes a explodir. Algumas deviam ter sofrido uma intervenção barata numa clínica de Kíev antes de serem enviadas para a Europa Ocidental. Mas as formas da moça que se atirara no vazio na noite anterior eram apenas sugeridas. Seus lábios eram finos – um simples traço, um esboço. Como se ela nunca tivesse atingido a maturidade sexual. Aquela moça parecia tudo, menos uma *prostituta*.

Eu pulo com você.

Niels levou cinco minutos para encontrar o número do telefone do serviço de informática no organograma da chefatura. Depois ligou para eles. A pessoa que atendeu deixou o aparelho cair. Niels afastou o telefone da orelha enquanto o barulho continuava do outro lado da linha.

– Alô?

– Casper.

– Aqui é o Bentzon. – O jovem técnico em informática parecia não o reconhecer, embora eles tivessem trabalhado juntos num caso um ano e meio antes. – Niels Bentzon, do departamento de homicídios – ele se sentiu obrigado a acrescentar.

– Sim?

Tanto faz, vamos nos concentrar no caso, decidiu Niels endireitando-se na poltrona.

– Você deve ter recebido um registro. O da noite passada.

– Você está falando da acrobata?

Niels teve vontade de gritar com ele. De exigir respeito pelos mortos. De dizer para esquecer o linguajar jovem e adotar um tom profissional.

– Isso, ela.

– Sommersted me pediu para transcrevê-lo. Já fiz isso.

– Sommersted pediu isso?

Niels sentiu o sangue subir à cabeça. Por que o seu chefe se interessava pelos detalhes desse caso? Ele nunca se preocupava com casos comuns, somente com os importantes; os que envolviam políticos, sobretudo.

– Alô...? – indagou Casper.

– Estou aqui. Escute: ela falou uma coisa. Disse uma palavra...

– Você ainda está falando da acrobata?

– Eu gostaria muito que você se referisse a ela de outro modo.

– Como é que eu devo chamá-la, então?

– "A vítima" me parece ser o termo que convém. Ou simplesmente "a mulher".

Silêncio do outro lado da linha. Pela janela Niels ouvia um *jazz* despreocupado e alegre vindo de um dos barcos de turismo amarrados no porto.

– Vou recomeçar: antes de pular no vazio, ou no momento de pular, ela disse alguma coisa que eu não ouvi bem. Você poderia isolar isso?

– Vou tentar.

9h55

Niels cruzou com o vice-chefe de polícia, W. H. Sommersted, perto da máquina de café. Inicialmente seu superior o ignorou. Conversava com um policial do departamento antitráfico e parecia estar de excelente humor. O que deixou Niels pasmo. Ele estaria tomando antidepressivos? Niels tinha observado que o hálito de Sommersted piorava com a melhora do seu humor. Os problemas estomacais eram um dos efeitos colaterais mais frequentes dos antidepressivos. Niels também tinha adivinhado que isso devia ter relação com a mulher. A sedutora mulher de Sommersted. Assim como ele, Sommersted tinha se revelado incapaz de procriar. Talvez isso explicasse por que nas festas e nas cerimônias a mulher dele se mostrasse tão empenhada em captar o olhar de admiração dos homens. Ela sempre exercera sobre Niels um certo fascínio. Era uma beleza em declínio. Quando Sommersted fazia seus discursos nas comemorações oficiais – ele nunca deixava passar uma ocasião de se ouvir falando –, ela só olhava para o marido esporadicamente. Durante o resto do tempo lançava olhares à sua volta, na esperança de surpreender um dos policiais durões comandados por ele olhando de soslaio para o seu corpo apertado num vestido colante. Dizia-se mesmo que Sommersted e ela tinham passado por uma crise, mas estavam novamente juntos, tendo resistido a essa prova. Entre Niels e Hannah, por outro lado, a crise tinha acabado de começar.

– Você tem dez minutos, Bentzon?

Sommersted estava plantado diante dele.

– Agora?

Niels se esforçou para não deixar transparecer sua ansiedade. Sommersted o encarou durante alguns segundos particularmente penosos.

– Dentro de dez minutos, Bentzon. Quero ver você na minha sala dentro de dez minutos.

Niels nunca tinha estado em bons termos com seu superior. Ele se consolava dizendo que ninguém se entendia verdadeiramente bem com Sommersted. Com exceção de Leon. Diferentemente deste, Sommersted estava bem envelhecido. Suas sobrancelhas espessas e viris estavam grisalhas. Sem dúvida a sua voz ficara mais desagradável, mas o olhar, esse não se alterara: glacial, duro, seguro. Como um homem que acabara de cometer um crime mas sabia que nunca seria considerado suspeito.

– Leon estará aqui dentro de um instante – anunciou Sommersted depois que Niels entrou na sala levado pela secretária.

– Leon? – admirou-se Niels.

Ele mal teve tempo de se inquietar, e Leon já estava ali junto com eles.

– Feche a porta – ordenou Sommersted.

Leon apressou-se a cumprir a ordem. Então foi se encostar na parede, atrás de Niels, que se sentara diante de Sommersted. Dessa vez ele estava cercado.

– Por que foi que ontem deu errado? – começou Sommersted.

– Eu... – Niels se voltou para Leon. – Eu não cheguei a estabelecer um diálogo com ela. Não acho que tenha sido um suicídio.

Sommersted suspirou. A coisa começou mal, pensou Niels.

– Quer dizer, não acho que seja um suicídio comum – corrigiu ele.

– Ela foi empurrada?

– Ela estava acossada. Foi levada ao suicídio.

– Quantas pessoas a viram pular, Leon?

– Eu diria umas cento e cinquenta pessoas. Mais ou menos.

– E alguma delas viu alguém forçá-la a fazer isso?

– Acho que ela devia ser autopsiada – sugeriu Niels.

– Autopsiada? – Sommersted se recostou na cadeira. – E, de acordo com você, o que é que a autópsia pode revelar?

– Escute: ela tentava fugir de alguém. Eu sei disso. Ela estava com medo de dormir. De perder a consciência. Ela temia o que lhe aconteceria se dormisse.

– E de quem ela tentava fugir?

– Eu vi um sujeito sair às pressas. Corri atrás dele e...

– As ruas estão cheias de sujeitos que não querem falar com a polícia – objetou Sommersted.

– É, já cruzei com alguns deles – confirmou Leon.

Niels hesitou. Ele sabia que navegava em águas turbulentas, mas mesmo assim optou pelo estilo camicase e prosseguiu:

– Eu também notei o comportamento dele.

– Notou o comportamento dele?

– Você viu fotos dela?

– Não. E o que você acha que essas fotos podem demonstrar? Que ela estava acuada?

– Sommersted, você me conhece. Eu sempre tive talento para perceber esse tipo de pessoa.

– Leon disse que você tinha bebido.

Niels se virou. Leon baixou os olhos.

– Bebi dois copos de *schnapps* algumas horas antes. Informei isso ao Leon quando ele ligou para mim e repeti quando cheguei ao local.

– Leon, isso é verdade?

Leon deu de ombros.

– Não me lembro de Niels ter me falado disso ao telefone. De qualquer maneira, a conversa foi registrada, sempre é possível verificar.

Sommersted balançou a cabeça e refletiu. Niels adivinhou o que ele estava pensando: sim, Niels devia assumir a culpa pelo desfecho do caso. Um policial bêbado. Mas ele próprio acabaria por ser responsabilizado, se ficassem sabendo que um dos seus homens estava alcoolizado. O único que se livraria de qualquer acusação seria Leon. Talvez tenha sido por isso que ele declarou:

– Quero ter certeza de ter entendido bem, Leon. Niels o avisou que tinha bebido antes de ir para a Ponte de Dybbølsbro?

– Avisou, mas...

– E ainda assim você o enviou lá para cima?

Várias desculpas passaram pela cabeça de Leon, mas nenhuma era suficientemente boa. Sommersted era melhor que qualquer um naquele joguinho: a partir daquele momento a responsabilidade pelos erros cometidos durante a noite e pelas consequências seria repartida entre eles três. Leon concordou. Niels baixou o olhar, e Sommersted respirou fundo. Bateram na porta. Casper pôs a cabeça dentro da sala.

– A cópia do registro sonoro que o senhor me pediu.

– E você trouxe um aparelho para a gente escutar? – indagou Sommersted.

Niels olhou aterrorizado para o pequeno cilindro metálico que Casper depositou na escrivaninha. O registro sonoro.

– É o de ontem? – perguntou Leon.

Nenhuma resposta.

– Bom, vamos ouvir o que aconteceu – disse Sommersted. Casper pôs o pequeno aparelho para funcionar.

Leon estava agitado. As costas úmidas de Niels se colavam na cadeira através da camisa. Sommersted fechou os olhos. Casper se encostou na parede, com as mãos nas costas. Primeiro se ouviu o zum-zum, depois Niels escutou a sua própria voz: "Vou subir para ficar com você".

Ao longe um homem gritou: "Vamos abrir espaço. Ela vai pular". Sommersted ergueu os olhos.

– Quem foi que disse isso?

– Um civil. Um idiota – explicou Leon.

De novo a voz de Niels: "Eu me chamo Niels. Sou policial. Não estou armado. Quero apenas falar com você. Só isso".

"Pula logo, sua besta", eles ouviram alguém gritar, seguido de risos de jovens alcoolizados.

Sommersted balançou a cabeça.

"Não ligue, Niels. Eu vou me encarregar dele", disse a voz de Leon.

– Muito bem, Leon – resmungou Sommersted reclinando-se na poltrona.

Ele apoiou os pés na escrivaninha e virou a cabeça para a janela. De repente se ouviram ruídos na gravação.

Niels desejou que o final do registro estivesse inaudível. Pois do contrário só lhe restaria fazer uma coisa: colocar sobre a escrivaninha do seu superior a pistola e o distintivo e fazer uma última reverência.

Mas a gravação prosseguiu.

"Me diga. Como é que você se chama? *Just tell me your name. That's all. Name?* Nome?"

Outra pausa. Gritos vindos da plataforma.

Sommersted ergueu o olhar. Surpreso. Nesse mesmo instante um grito irrompeu no ar. O grito dela.

"Bentzon! Você quer que eu suba?", urrou Leon no aparelhinho.

"É para mim que você deve olhar! Não para eles. Não vai acontecer nada com você. Eu só quero ajudá-la", disse Niels com voz nervosa.

Sommersted se endireitou. A tensão estava no auge, como nos últimos segundos de um jogo de futebol. Quando o árbitro marca um pênalti logo antes do apito final.

"Vinte segundos, Bentzon", disse Leon.

"Não. Pare!", suplicou Niels para a moça. "Se você pular, eu pulo com você."

Niels se inclinou sobre o pequeno aparelho. E voltou a ouvir. Era quase inaudível, mas a mulher tinha dito alguma coisa. Uma única palavra, talvez. Depois houve gritos, uma grande confusão, e Leon começou a dar ordens: "Mandem vir os médicos!" e "Evacuem a ponte para dar passagem para as ambulâncias!"

Sommersted parou a gravação. Leon parecia satisfeito com o seu desempenho.

– "Se você pular, eu pulo com você?" – repetiu Sommersted sentando-se, sem deixar de olhar para Niels. – É um novo método que você aprendeu no seu treinamento?

Niels balançou a cabeça.

– Por que você disse isso?

Niels hesitou. Ele teria preferido falar sobre o que ela tinha dito logo antes de pular. Sobre a palavra que ele ouvira. Mas sabia que o seu superior insistiria naquilo.

– Foi o que me passou pela cabeça – arriscou Niels.

E logo lamentou a escolha daquelas palavras.

– Foi o que passou pela sua cabeça?

Com um simples olhar, de uma eficácia monstruosa, Sommersted mostrou a Niels que sua paciência estava se esgotando.

– Um negociador só pode contar com a sua intuição – explicou Niels, para ser imediatamente interrompido por Sommersted.

– Um negociador pode contar com a sua intuição e com os vinte colegas que estão prontos para intervir – berrou ele, levantando-se bruscamente.

Foi até a janela e contemplou a paisagem ensolarada. De repente, parecia que ele tinha todo o tempo do mundo.

– Ela disse alguma coisa. Uma palavra, acho. Você ouviu? – indagou Niels.

Sommersted balançou a cabeça. Casper sorriu.

– Andei trabalhando a fita. Consegui isolar a voz dela. Vocês querem ouvir?

– Claro – respondeu Sommersted, irritado.

Niels observou Casper enquanto ele selecionava outro arquivo.

– Pronto – disse o jovem técnico em informática, pressionando a tecla *play*.

Eles apuraram o ouvido. Os ruídos de fundo tinham sido atenuados. E então eles discerniram a voz. Ela tinha pronunciado uma palavra. Mas ainda era inaudível.

– Mais uma vez – disse Sommersted. – Você pode aumentar o som?

Casper aumentou o volume. Niels chegou bem perto do alto-falante. Outra vez a palavra estranha.

– Não ouvi nada – grunhiu Leon.

Niels concordou. Casper encarou todos eles.

– Mas eu ouvi – disse ele.

– Droga, eu também! – exclamou Sommersted. – Mas o que é que ela diz?

Niels foi o primeiro a responder:

– Echelon.

Sommersted balançou a cabeça.

– Mais uma vez, Casper.

Eles ouviram novamente o registro. Então perceberam com clareza a palavra. Suavemente, sem elevar a voz, ela disse: "Echelon". Depois pulou. Sommersted se virou e olhou de novo pela janela.

– Echelon – repetiu ele, acenando com a cabeça. – Muito bem!

– O que é que isso quer dizer? – perguntou Leon.

Casper tomou a palavra. Limpou a garganta e de repente seu aspecto pareceu ainda mais jovem.

– Echelon designa um sistema de interceptação das conversas particulares e públicas desenvolvido em colaboração pelos americanos e os ingleses. Cobre todo o planeta e emprega trinta e oito mil pessoas com um orçamento que se calcula ser o dobro do da CIA e do FBI juntos. Graças a isso, estima-se que três bilhões de conversas telefônicas, de SMSs e de *e-mails* sejam interceptados e analisados diariamente.

Sommersted continuava balançando a cabeça. Casper prosseguiu:

– A existência do Echelon nunca foi oficialmente reconhecida. No entanto, não há dúvida de que existe – concluiu o jovem técnico em informática, visivelmente impressionado com o monstro que acabara de descrever.

– Ainda assim isso me parece exagerado – comentou Niels. – Três bilhões de SMSs.

– Echelon – repetiu Casper como se saboreasse a palavra.

– E daí? – cortou Sommersted. – Uma mulher biruta. Dominada por narcóticos, paranoica, que imagina estar sendo perseguida pelo mundo inteiro. Isso não é novidade.

– Ela estava sendo perseguida – insistiu Niels calmamente, cabisbaixo. Então ele levantou os olhos e reuniu coragem. – Ela precisa ser autopsiada.

– Autopsiada? – Sommersted deu um sorriso afetado. – Tenho certeza de que você quis dizer "identificada". A autópsia é uma operação que custa mais de cem mil coroas, e só recorremos a isso de bom grado quando estamos diante de uma morte suspeita. Mas nesse caso a causa da morte não deixa nenhuma dúvida: ela se suicidou.

– Ela estava acossada. Não tinha escolha além do suicídio. E a tatuagem?

– Que tatuagem?

– Na mão dela.

– Hoje em dia todo mundo tem tatuagens, Bentzon. Olhe à sua volta. Leon, por exemplo: ele tem uma águia nas costas.

Leon emitiu um grunhido.

– Acho que havia alguma coisa escrita na mão dela. Talvez isso possa nos informar sobre a origem dela. Se era russa ou...

Sommersted balançou a cabeça e fez sinal a Casper para que saísse da sala. Depois se inclinou para a frente, apoiando-se na escrivaninha.

– O que eu vou dizer vale para vocês dois: ontem à noite vocês erraram. Você, Leon, por confiar num negociador em estado de embriaguez...

– Eu não estava bêbado – protestou Niels.

Sommersted corrigiu:

– Por confiar a um colega "alegre" a missão delicada de conduzir uma negociação. – Então, voltando-se para Niels. – E quanto a você, Bentzon...

– Sim?

– "Eu pulo com você"? Que bobagem foi essa?

13

Hospital de Bispebjerg, Serviço de Psiquiatria Infantil – 10h03

– Como vai, Silke? – perguntou papai, beijando-me na face. – Não está fazendo muito calor para ficar aqui fora?

Nós nos olhamos. Ele é a única pessoa que tem o direito de me olhar nos olhos, de me olhar de verdade. Todos os outros – até os psiquiatras – não estabelecem nenhum contato visual sério comigo. Eu não deixo. De qualquer maneira, eles não me compreendem, então por que deixar que penetrem na minha mente?

– Podemos entrar, se você preferir.

O cheiro de grama recém-podada, raios de sol que irritam a minha pele. Um pouco mais longe, as crianças estão sentadas num banco, com o olhar fixo e vazio. Sinto o vento no rosto e observo os melros empoleirados no alto das árvores. O sol faz cintilar os tijolos vermelhos do piso. Contemplo o tapume que contorna o parque, alto e intransponível como o de uma prisão. Vejo através da porta de vidro o corredor, por onde os médicos e as enfermeiras perambulam com uma xícara de café numa das mãos e documentos na outra.

– Você demorou a dormir ontem? – perguntou papai enquanto me acariciava o cabelo.

Acho que eles telefonam para informá-lo quando observam alguma pequena mudança no meu comportamento.

– Daqui a pouco você vai precisar cortar o cabelo. A menos que queira deixá-lo crescer.

Sinto no meu corpo a presença de papai. Só relaxo quando ele está comigo. Com seus dedos suaves e quentes, ele me acaricia a face, depois os braços e as mãos.

– Se você soubesse como estou sobrecarregado neste momento! – disse ele. – Com o meu trabalho e... o resto. Não tenho nem mesmo tempo de me ocupar do jardim. Você precisava ver o estado das flores do terraço. Eu me esqueci de regá-las... – Ele desistiu de concluir a frase. – Acho que está fazendo calor demais aqui, Silke. Vamos entrar.

Ele nunca fala da mamãe. Nem do que aconteceu naquele dia. É outra coisa de que gosto nele. Quando me visita, o que está em questão somos nós, e somente nós. Os dois sobreviventes da família. Por que ele não procura outra companheira? É uma pergunta que me faço frequentemente. Ele é um homem atraente, com seu fartos cabelos castanhos e sua habilidade em ouvir. Mas algo o detém. Eu, talvez? É preciso dizer que a sua situação também não é simples: sua mulher foi assassinada, e ele agora está sozinho com uma filha adolescente que fica obstinadamente muda, que é ano-réxica – conforme lhe dizem –, absolutamente fora do normal e que passa a maior parte do tempo olhando o teto do seu quarto num hospital psiquiátrico.

Será que sou louca? Essa é uma das perguntas que não paro de me fazer. E depois de longamente debater comigo mesma a questão, chego à conclusão de que sim. Não há nenhuma dúvida. Claro que eu sou louca. Doente do cérebro, doente de ódio, de medo e de sede de vingança. E só conheço um remédio para a enfermidade de que sofro: encontrar o assassino da minha mãe.

– Ela comeu alguma coisa hoje de manhã? – pergunta papai a uma enfermeira.

– Não sei. Mas ainda não jogamos fora o que sobrou, e o senhor pode se servir na cozinha.

Eles me observam. Para mim não faz nenhuma diferença ser objeto dos seus olhares. Já até me acostumei a ouvi-los falar de mim na minha presença. Parece que não fazem nenhum esforço para ser discretos. Têm razão. Não há nenhum motivo para ocultar as coisas.

– Venha, minha querida – diz papai pegando a minha mão. – Vamos achar alguma coisa para comer.

Nós nos levantamos e atravessamos o gramado, onde um dos meninos está gritando e chutando o vazio. Duas enfermeiras correm até ele, e eu as ouço dizer "camisa de força". Nós continuamos andando e entramos no prédio. Papai segura a minha mão. Uma enfermeira, cujo nome esqueci, nos cumprimenta. Eu conheço todo mundo no hospital; papai também. Agora considero este lugar a minha casa.

No começo – nos primeiros anos depois da morte de minha mãe – eu só vinha para consultas e estadas curtas. Naquela época eles achavam que eu me recuperaria quando passasse o choque. E poderia retomar minha vida normal. Era também o que eu pensava. A polícia procurava o assassino da mamãe, e eu tinha certeza de que acabariam por encontrá-lo. Mas o tempo passou – meses, anos –, e uma bela tarde, tendo ido com papai à delegacia para nos informarmos sobre o andamento das coisas, tomei consciência de que eles tinham desistido, ou pelo menos já não consideravam aquele caso prioritário. E eu entendi a situação deles. Uma parte de mim entendeu. Outros assassinatos haviam sido cometidos naquele meio-tempo. Eles tinham outras coisas a fazer, e eram obrigados a pôr de lado casos que não avançavam, como o do assassinato da mamãe.

Foi a partir desse dia que eu deixei de falar. Ou melhor, não. Isso não é verdade. Eu gostaria que fosse. Na realidade, isso aconteceu progressivamente. Depois da morte da mamãe eu já não via nenhum sentido em falar. O que mais havia a ser dito? Que palavras teriam podido me ajudar? Nenhuma, não é verdade? Assim, o mutismo me fortaleceu. Se um dia eu voltasse a falar, seria apenas para incitar as pessoas a experimentar a força do silêncio. Como eu mesma experimentei. Inicialmente seria apenas uma hora ou meio dia, já que o objetivo era chegar progressivamente a um domínio total. Quando eu consegui impor a mim mesma o silêncio, passei várias estadias no hospital, e agora estou aqui há seis meses. Agora é aqui que eu moro. Na minha cela. Neste universo que posso controlar. O meu universo.

– Aqui dentro faz quase tanto calor quanto lá fora – observa papai, pondo na mesa um prato com pão, suco e queijo. – Você quer se sentar ali, minha querida? – Papai coloca a minha poltrona na sombra e eu me sento, enquanto ele se instala na beirada da cama. – Será que já não está na hora de você decorar o seu quarto? – pergunta ele, cobrindo minhas mãos com as suas, num gesto que tem para mim o efeito de um abraço cheio de ternura. – Aqui é tão triste!

Depois nós ficamos sentados. De mãos dadas. Como fazemos todo dia. Por uma hora, nem mais nem menos. De vez em quando papai fala. Quanto a mim, eu me satisfaço olhando-o. Mas hoje é diferente. Papai começa a chorar. De modo totalmente inesperado. As lágrimas correm por suas faces, sem fazer barulho. Eu conto quatro. De repente ele se levanta, seca os olhos com a manga da camisa e pigarreia, numa tentativa de recuperar o ânimo.

– Me desculpe, Silke – diz ele aproximando-se de mim. – Foi sem querer. Veio assim, sem mais nem menos, e... – Ele põe a mão no meu rosto e a deixa ali por um instante. – Amanhã a gente se vê, minha querida.

Dito isso, ele se foi.

14

Frederiksberg – 10h52

A sessão pode começar, pensou Hannah estacionando o carro diante da casa da sua médica. Uma charmosa casa de tijolos e ladrilhos vermelhos. O local exalava bem-estar e riqueza. Durante o período que tinha se seguido à morte de Johannes, Hannah ia lá duas vezes por semana. Pouco a pouco ela acabara por estabelecer um vínculo de amizade com Naomi Metz, sua médica de origem judaica.

Hannah desceu do carro e andou pelo caminho pavimentado. Quando tocou a campainha, ela se perguntou: quem tem o direito de julgar? Quem resolve se alguém deve viver ou morrer? Estou autorizada a fazer isso? Sim. Afinal de contas, eu sou a juíza. É assim. Que a defesa faça entrar a sua primeira testemunha.

– Hannah?

Naomi a abraçou. Ela estava perfumada. Usava Chanel. No jardim, crianças brincavam.

– Posso lhe oferecer alguma coisa? Um café?

– Não, obrigada. Acabei de tomar um.

Hannah a seguiu até o escritório. De início estranhou o cômodo. O sofá no qual ela passara tantas horas falando de Johannes tinha desaparecido e fora substituído por duas poltronas dispostas lado a lado. Hannah se sentou numa delas. Sua médica a olhava por trás dos óculos.

– Você ainda mora na casa de campo?

– Não. Eu me mudei. Já faz quase um ano. Mas mantenho em segredo o meu endereço.

– Ainda assim eu posso ficar sabendo, não é?

– Nesse caso precisa me prometer que não vai contar para aqueles obcecados por EMI, a "experiência de morte iminente".

– Eles ainda a importunam?

– Médicos, pesquisadores, todo tipo de gente. Todos querem saber o que aconteceu. O que eu senti. E me fazer participar das suas pesquisas.

– Você sabe que atualmente a morte é tema de estudos sérios. Até mesmo destinaram um orçamento para eles. Mas não é isso que a traz aqui. Pelo contrário. – Ela sorriu e endireitou os óculos. – Que surpresa, Hannah! Você está grávida.

– Isso mesmo.

– Foi uma boa surpresa?

Naomi a encarou. Com seu olhar suave. O olhar que havia convencido Hannah a confiar nela ao longo de toda a sua vida adulta.

– Devo entender que você está hesitando em levar a termo a gravidez?

Hannah deu de ombros. A juíza era ela. Agora competia aos partidários da vida expor seu ponto de vista. Ela ouviu um cachorro latir ao longe e vozes de crianças na rua.

– É por causa do que aconteceu com o seu primeiro filho?

Outro dar de ombros. Como iria ela abordar a questão? De qualquer forma, a juíza era ela. Normalmente os juízes não são nada loquazes. Mas ela também precisava assumir o papel de promotora quando a defesa chamava as testemunhas para depor. Como acontecia agora com ela. E quando a promotora interrogasse as suas testemunhas, então quem teria de se manifestar em nome da defesa era ela. Para encerrar, ela deveria se retirar para deliberar.

– Hannah?

– Claro, eu penso em Johannes. E na sua doença. Afinal, ele se suicidou.

– E você receia que essa criança sofra do mesmo mal que Johannes?

– Sim.

– Não dá para saber antecipadamente.

– Mas a criança terá predisposições. Sem esquecer que já não sou muito jovem.

Silêncio. Hannah aproveitou para procurar as palavras certas:

– As doenças físicas... – começou ela. – As malformações, essas doenças que podem ser vistas a olho nu, as...

Ela parou no meio da frase.

– Há um risco, Hannah. Sempre há um risco. Eu não vou mentir para você.

Novo silêncio.

– Há tantos seres humanos na Terra! – Hannah acabou por dizer. – Você não acha normal que uma mulher como eu, que apresenta o risco de pôr no mundo uma criança defeituosa, hesite em chegar ao fim da gestação?

– Sim. É natural que ela se faça perguntas. Boas perguntas.

– E se você fosse essa mulher... – prosseguiu Hannah, mas desistiu de completar a frase. No entanto, ela se sentia relaxada. Até ali o processo se desenvolvia corretamente. Era melhor assim, pois ela tinha menos dificuldade em expor seus sentimentos. – E se você fosse essa mulher...

– Hannah...

– Não, me deixe acabar. Se você fosse essa mulher, com mais de quarenta anos, e já tivesse tido um filho doente. Que perguntas você se faria?

Naomi se reclinou na poltrona.

– Eu me perguntaria quais são os meus limites. Se estaria disposta a aceitar todos os sacrifícios envolvidos na criação de um filho com problemas mentais. Se com isso não correria o risco de alterar a minha qualidade de vida a tal ponto que teria a impressão de ter desperdiçado toda a minha existência.

Hannah concordou. A juíza tinha ouvido os argumentos da defesa e os achara pouco convincentes. Claro que ela teria a impressão de ter desperdiçado a vida se fosse para reviver as mesmas provações. Isso era evidente.

Naomi interveio, como se estivesse lendo os pensamentos de Hannah:

– Eu também refletiria sobre outra coisa.

– Ah, é? O quê?

– Eu me perguntaria se, na verdade, não teria sido essa criança que me escolheu.

– O que é que você está querendo dizer?

– Esse ser que cresce no seu ventre, neste exato momento. Será que não foi ele que escolheu você? Já que não foi você que o escolheu?

– E o que é que isso significa?

Naomi ergueu os ombros.

– Pense nisso. De qualquer forma, você vai precisar de uma consulta no Rigshospitalet. Se você quiser, amanhã de manhã, quando chegar ao consultório, posso pedir para a minha secretária ligar para eles e marcar uma consulta.

– Precisa ser hoje, custe o que custar.

Naomi olhou para Hannah com um ar desconcertado.

– Mas hoje é feriado.

– Mesmo assim os hospitais estão abertos. Tem gente lá. E você os conhece. Eu não aguento mais, a minha vida é um verdadeiro pesadelo...

Hannah queria continuar falando. Mas Naomi já se levantara para abraçá-la. Os soluços tinham levado a melhor sobre as palavras.

Preciso ser capaz de aceitar eventuais sacrifícios e me perguntar se foi a criança que me escolheu.

Esses são os dois argumentos da defesa, pensou Hannah ao sair para a rua. O primeiro estava descartado. Ela não chegaria àquele ponto, sabia disso. Não suportaria viver com outra criança doente. Mas, em contrapartida, se tinha sido a criança que a escolhera, isso mudava tudo. Talvez ela pudesse fazer um esforço.

Não.

Sim.

Era preciso ouvir outras testemunhas. O processo sobre a sorte do embrião que ela carregava havia apenas começado.

15

Instituto Médico-Legal – 10h54

Ele devia ter pulado com ela. Como lhe prometera. Devia estar como estava ela naquele momento: inerte.

– Niels?

Virou-se. Theodor Rantzau estava no vão da porta. Com um cigarro na boca e um sorriso nos lábios que podia significar qualquer coisa. Niels gostava muito dele. Eles tinham a mesma idade, embora o médico-legista parecesse mais velho. Como se os muitos cadáveres que vira desfilar ao longo do tempo tivessem consumido alguns anos da sua vida.

– Theo! – exclamou Niels.

– Achei que já tinha encerrado o assunto com ela. Coletamos as amostras. O dentista já passou. Os exames de sangue devem...

Niels o interrompeu.

– Acho que vi uma tatuagem na mão dela.

– Vejamos.

Theodor amassou o cigarro na parede antes de se juntar a Niels na sala fria. Um dos seus assistentes tinha aberto a gaveta. Ela ainda estava nua. Embora Niels até então só a tivesse visto nua, ele se surpreendeu.

– Foi você que...

Theodor não concluiu a pergunta.

– Sim, fui eu.

– Não dá para salvar todos, Niels. Nem aqui, no hospital.

Mesmo na morte, o rosto dela tinha uma expressão de medo. A visão do seu corpo entristeceu Niels. Fosse quem fosse, ninguém merecia sofrer tanto. Quando se fecham os olhos pela última vez seria justo pelo menos ter o direito de descansar em paz.

– A parte posterior do crânio está afundada – constatou Theodor. – O pescoço está quebrado, e também a coluna vertebral e a bacia. São os traumatismos que normalmente encontramos depois de uma queda de uma altura como aquela. Ela não sentiu nada.

Niels meneou a cabeça. Sempre dizem a mesma coisa. "Aconteceu rápido demais. Ela não teve tempo de sofrer." Mas quem pode saber o que se sente quando o crânio explode? Pode ser que realmente não dure mais que uma fração de segundo, mas daí a supor que não há dor...

– Echelon. Isso lhe diz alguma coisa?

– Echelon?

– É. Foi a última coisa que ela falou.

– Echelon.

– É.

– O sistema de informação americano?

Niels preferiu ignorar esse comentário.

– Talvez uma droga? Um produto lançado recentemente no mercado?

– Não. Eu não ouvi falar nisso.

O subsolo do Instituto Médico-Legal era frio, revestido de aço e com rebites brancos. Afora o zumbido dos neons, o lugar era silencioso.

– Que idade ela tinha, na sua opinião? – indagou Niels.

– Eu diria uns trinta. Está vendo essas ruguinhas em torno dos olhos, aqui? De qualquer forma, era esportista. Veja como as coxas são musculosas.

– Toxicômanos não praticam esportes – observou Niels.

– Claro que ela não era toxicômana – contestou Theodor. Ele examinou minuciosamente os braços alvos. – De qualquer forma, ela não se picava. Não há nenhum sinal de agulha. Tampouco foi violentada.

Niels fez um esforço e verificou o estado da pele.

– *Body age* – prosseguiu o legista. – Você conhece essa expressão? Idade corporal. Nas sociedades ocidentais modernas, não é raro que os quinquagenários tenham uma *body age* de septuagenários. Má alimentação, falta de exercício, tudo junto. Mas no caso dela é o contrário.

– Seu corpo é mais jovem?

– Essa é a minha impressão. Ela tem o corpo de uma mocinha.

– Ela vem de algum país do Leste Europeu?

– Ela é dinamarquesa. – O legista ergueu a mão do cadáver e mostrou a Niels as letras escritas com caneta. – Eis a sua famosa tatuagem – disse ele sorrindo. – Ela era uma dessas que têm a agenda escrita na mão. Você conhece esse tipo?

– A minha mulher é assim – aquiesceu Niels com uma pontada de dor. Mulher. Amor. Sofrimento. Ele leu em voz alta o que a moça havia anotado nas costas da mão. A letra era elegante, tipicamente feminina. – "Ligar banco." – E abaixo: – "NMSB. Seg. 16".

– Foi também o que eu li.

– NMSB. O que é que isso significa?

Rantzau deu de ombros.

– De qualquer forma, duvido que uma romena escrevesse "ligar banco" e "quar".

– Eu também duvido. Mas o que é que quer dizer esse NMSB?

– Não tenho a menor ideia. Além disso, notei uma cicatriz antiga. Aqui. – Theodor deslizou o dedo pela cicatriz, entre a sobrancelha e a têmpora. – Anotei tudo no meu relatório.

– Uma operação?

– Não. Ninguém teria feito uma incisão nesse lugar. Eu tenderia a pensar num acidente. Mas, como já disse, é muito antiga. Provavelmente ela ganhou essa marca na infância.

– Outra coisa?

– Seus joelhos têm uma particularidade.

– Você pode precisar qual?

– Os joelhos dela são voltados para fora. Está vendo? Seus pés marcavam dez para as duas. Como os de Carlitos. Você estava presente quando juntaram as partes do corpo dela?

Niels se sentiu tomado pela culpa.

– Por que você tentou reanimá-la? – perguntou Theodor.

– Do que você está falando?

– Um desfibrilador não tem nenhuma eficácia quando o crânio está despedaçado. Achei que a maioria dos médicos sabia disso. E também o pessoal das ambulâncias.

– Ninguém tentou reanimá-la.

– Tem certeza? – pasmou-se o legista.

– Eu estava lá. Vi tudo.

– Nesse caso, você pode me dizer como se explica isso?

Rantzau apontou para uma área sob o seio esquerdo.

Niels se inclinou. Parecia a marca de um golpe.

– Essas marcas foram deixadas por um desfibrilador. Retangulares. São muitas. Todas idênticas. Não há nenhuma dúvida. – Theodor ergueu a cabeça. – Você pode fazer essa pergunta a qualquer médico; ele lhe dirá a mesma coisa que eu: tentaram reanimar esta mulher com a ajuda de um desfibrilador.

Eles ouviram um telefone tocar. Niels, pensativo, precisou de muitos segundos para perceber que era o dele.

– Bentzon?

Sommersted falava menos alto que de costume.

– Eu.

– Ela se chama Dicte van Hauen. Era uma estrela do Balé Real.

Niels olhou para a mulher estendida na mesa de aço. Dicte. Delicada e frágil. Ele repetiu o nome, como se isso pudesse trazê-la de volta à vida.

– Dicte van Hauen.

Theodor ergueu o olhar.

– A estrela do balé?

Niels fez com a cabeça um sinal afirmativo.

O telefone de Theodor também soou, na sala ao lado.

– Preciso atender... – murmurou ele afastando-se.

Do outro lado da linha, Sommersted berrou:

– Bentzon?

– Sim?

– Ninguém a via há quase trinta e seis horas. Ela não apareceu no trabalho.

Sommersted ficou em silêncio; parecia confuso, o que deixou Niels admirado. Ele estava ouvindo vozes ao fundo, talvez o som de um televisor. Niels não desviava o olhar de Dicte. Do seu belo rosto deformado pelo terror, pelos sofrimentos que lhe tinham sido infligidos nas trinta e seis horas mencionadas por Sommersted.

– Escute, Niels. – Era a primeira vez que o seu superior o chamava pelo prenome. – Você tem de ir à casa dos pais dela. Vou pedir à Janni para lhe passar o endereço.

– Tem certeza? Não seria melhor...

Sommersted lhe cortou a palavra:

– Você foi o último a ver a moça em vida. Eu sei que não é nada divertido, mas...

– Tudo bem.

– Ela será autopsiada. Depois você vai me encontrar no Teatro Real. Dentro de uma hora.

Dito isso, Sommersted desligou.

Agora Niels estava sozinho com o corpo sem vida de Dicte van Hauen e com a inscrição enigmática na mão dela. "Ligar banco. NMSB. Seg. 16." Isso é hoje! Ela combinou um encontro para hoje! Com quem? Seria por causa desse encontro que ela teve de morrer? Teriam tentado impedi-la de comparecer? Niels consultou o relógio. Passava de onze horas. Faltavam menos de cinco horas para o encontro. Cinco horas para descobrir quem ela devia encontrar. E onde.

16

Hospital de Bispebjerg, Serviço de Psiquiatria Infantil – 11h15

O silêncio é a minha arma. Porque falar perdeu todo o sentido. Para mim as palavras não existem mais. Eu não as encontro mais. Assim, basta-me ouvi-las. Eu ouço as vozes no corredor. As vozes dos médicos que passam. O barulho dos seus passos no linóleo. Os murmúrios dos outros pacientes. Os psiquiatras que de tempos em tempos lançam um olhar para o meu quarto e se dirigem a mim. Ouço as suas vozes, como no passado ouvia a do Culpado. Li algumas coisas sobre a voz. Ela é produzida pela laringe, pelas cordas vocais e pelo aparelho respiratório. Eu sei exatamente o que acontece quando nós falamos: os pulmões expulsam o ar, que em seguida passa pelas cordas vocais, o que cria vibrações que se transmitem à cavidade bucal. É uma viagem. Cada palavra que pronunciamos, cada som que produzimos percorreu um longo caminho antes de atingir os ouvidos do nosso interlocutor; um caminho frequentemente vão, porque as palavras deslizam no tímpano como insetos no para-brisa de um carro. Mas não as dele, as do Culpado. Sua voz penetrou tão profundamente em mim que mesmo sete anos depois ela sempre ressoa na minha cabeça. Eu a conheço nos menores detalhes. Uma voz viva, com um tom dramático. Viril. Resoluta. Talvez ele tenha mudado sua voz?

Na época eu não pensava em tudo isso. Em 2004. Estávamos no outono. Isso poderia ter sido há dez minutos, assim como há vinte anos. Eu sempre tirava um cochilo quando chegava da escola. Não falava isso para as minhas amigas porque não me orgulhava desse costume. Mas me fazia bem. Somente uma hora, entre as três e as quatro. Antes de ir para a cama eu tinha direito a uma xícara de leite com chocolate, que mamãe vinha me trazer no quarto. Um dia, sem saber por quê, eu a esvaziei numa planta – talvez porque naquele dia eu não estivesse com vontade –, e então foi impossível conciliar o sono. De repente, ao ouvir a chave girar na fechadura da porta, eu entendi o que acontecia: mamãe me trancava no quarto. Então, deitada na cama e ouvindo os sons que vinham do quarto ao lado, eu me senti tomada pelo medo. Eu ouvi cochichos, risos abafados. Mamãe emitiu uns gemidos que me desagradaram. Depois percebi que ele foi embora. E no dia seguinte o ouvi voltar. E durante semanas, durante meses, a história se repetia: o leite com chocolate, o som da chave na fechadura, as vozes, os barulhos, a despedida. Depois da sua partida, mamãe vinha abrir a minha porta e eu fingia estar acordando. Então ela fazia sempre a mesma pergunta: "Dormiu bem? Vou tomar um banho bem rápido". E isso havia durado até o famoso dia, 17 de setembro de 2004. Chovia tão pesado que eu ouvia a chuva caindo sobre o pavimento da rua. Foi o dia em que o meu universo voou em explosões. Eles tinham começado a brigar no quarto, mamãe e ele. Depois saíram do quarto e continuaram a briga na sala de estar. Foi só naquele dia – porque os dois gritavam – que eu ouvi nitidamente a voz dele. Foi naquele dia, enquanto eles brigavam, que eu o reduzi imediatamente a uma voz no fundo da minha mente. A voz. Mamãe começou a chorar. A chorar e a gritar. Depois houve um silêncio. Um silêncio inquietante que, passados alguns segundos, me fez me levantar da cama e bater na porta trancada que se recusava a abrir. Então eu me ajoelhei e olhei pelo buraco da fechadura. E vi a silhueta do homem. A silhueta do Culpado. Seu rosto. Sua pele. Alguns instantes mais tarde, depois que a porta da entrada se fechou com um estrondo e enquanto mamãe continuava gritando, consegui abrir a porta. Como? Ignoro. Em todo caso, avancei correndo pelo corredor. Não havia ninguém, mas tinham tirado uma mala do armário. Então corri para a sala, em direção aos gritos. Não vi o sangue imediatamente. Nem a faca no chão. Alguma coisa em mim recusava a visão daquilo. A mesma coisa que me tinha levado a pegar a faca no chão, como se para me assegurar de que ela era real. Foi então que eu vi o sangue escorrendo da garganta da mamãe, uma garganta aberta. Ela parecia ter duas bocas, uma que gritava e outra que sorria. Diante do horror daquela visão, larguei a faca, que escorregou pelo assoalho antes de desaparecer debaixo do sofá. Mamãe tinha voltado a andar e saíra da sala titubeando. Nem sei se me viu. Ela emitiu uma espécie de gorgolejo, como se estivesse se afogando – afogando-se no próprio sangue. Eu a segui no corredor, depois no banheiro. Queria ajudá-la, mas não sabia como, e assistia impotente à sua luta desesperada para ficar de pé. Eu mesma tinha muita dificuldade em manter o equilíbrio, e escorreguei várias vezes no sangue dela. Depois a vi sair do banheiro e soube imediatamente que ela não tardaria a desmoronar. Sempre me perguntei o que ela tinha ido fazer no banheiro, mas, embora isso possa parecer tolo, acho que simplesmente ela quis se ver no espelho, ter certeza de que aquilo era real, que tinham cortado o seu pescoço com uma faca de cozinha. Ela ficava rodando como a galinha decapitada que eu tinha visto papai matar na frente do galinheiro, perto do bosque. Andou assim sem parar, depois voltou para a sala. Até hoje ouço o barulho que ela fez ao cair no chão, com o telefone na mão. Um som estranhamente suave. Eu me sentei ao lado dela. Seu olhar congelou no momento em que ela me viu. Eu me senti culpada, depois, por não ter feito nada para salvar mamãe. Os psiquiatras, os psicólogos e papai ficavam repetindo para mim que eu só tinha cinco anos e não teria mesmo podido salvá-la, mas isso não diminui o meu sentimento de culpa. Eles imaginam que é por isso que eu não falo mais. A culpa.

Quando a porta do meu quarto se abre, tenho esperança de que seja papai. Ele é a luz que ilumina as minhas trevas. Digo a mim mesma muitas vezes – e já era assim antes da morte da mamãe – que a única coisa que realmente importa para mim é a felicidade dele. Infelizmente, não é papai que abre a porta. É ela outra vez, a enfermeira de voz suave. Ela me traz livros, como faz regularmente. Acho que foi papai que lhe deu essa orientação.

– Como vai? – pergunta ela, sabendo perfeitamente que não há nenhuma chance de que eu lhe responda.

Ela põe os livros diante de mim, na mesa, e vai abrir a janela. Contempla por um instante o parque, o gramado tostado pelo sol, os bancos de pintura descascada, os salgueiros que balançam à brisa.

– Como vai você, Silke?

Ela se ajoelha na minha frente. Parece estar procurando alguma coisa no fundo dos meus olhos; alguma coisa que – ela sabe disso – está ali, em alguma parte; só que ela não a encontra.

"Perdi um pouco o costume de me questionar", é a resposta que me vem à mente.

É uma citação tirada de *O estrangeiro*, de Camus, uma das minhas leituras favoritas. Por um instante tenho a impressão de que a enfermeira me entendeu. De qualquer forma, ela meneia a cabeça afirmativamente e põe a mão sobre a minha. Não gosto disso. Somente papai tem o direito de me tocar. Meu querido papai.

– Você está com sede? – pergunta ela pondo na mesa um copo de suco.

Depois disso ela se vai, deixando-me no meu universo, sozinha com o suco de frutas vermelhas que me lembra sangue. Sozinha com a pergunta que está como que marcada com ferro em brasa na minha mente e ressoa na minha cabeça há sete anos: quem é o Culpado?

17

Niels deixou Copenhague ao volante do seu carro e se dirigiu para o norte. Para os bairros chiques. Progressivamente, os imóveis foram ficando cada vez mais baixos, cada vez mais cinzentos; depois, cederam lugar a casas cada vez mais majestosas, diante das quais estavam estacionados carros cada vez mais luxuosos. No rádio um antigo colega de Hannah do Instituto Niels Bohr falava do eclipse lunar, que não tardaria a ocorrer. Um eclipse, disse Niels para si mesmo, penalizado. É exatamente o que acontece conosco, com Hannah e comigo.

Vedbæk – 11h30

Um som novo veio tomar a cabine do carro: o murmúrio monótono dos podadores automáticos encarregados de preservar os gramados verdes e brilhantes aos raios devastadores do sol. No caminho havia lombadas a cada vinte metros. Niels desligou o GPS. Não era mais necessário. Os jornalistas o haviam precedido. Ele os ultrapassou e foi estacionar a uma boa distância. Estava já havia alguns minutos observando aqueles abutres pelo retrovisor quando o celular tocou.

– Bentzon.

– Aqui é Casper. Da informática. Sommersted me encarregou de verificar o telefone de Dicte. E o *e-mail*.

– Não chamamos os mortos pelo prenome, Casper – observou Niels, irritado.

De repente ele se sentiu velho. Quando começamos a dar lições de civilidade para adultos, é porque já ultrapassamos a data de validade.

– Verifiquei o celular de Dicte van Hauen – anunciou Casper depois de alguns segundos.

– E?

– Ela já não tinha celular havia três semanas. Nem televisão a cabo, nem provedor de internet.

Niels lançou de novo um olhar no seu retrovisor. Os jornalistas batiam os pés, impacientes, diante da entrada da casa.

– O que é que isso lhe sugere, Casper?

– Se eu tivesse a impressão de que o Echelon está atrás de mim e que estão a par do que eu falo, certamente reagiria do mesmo modo.

Echelon. Niels refletiu. Sobre a expressão de Dicte quando pronunciara aquela palavra. Ela havia olhado para o leste, para o porto, para a aurora. Teria se sentido aliviada por haver dito aquilo?

– Alô?

– Estou aqui, Casper. Verifique as ligações que ela fez e a atividade dela na internet nas últimas semanas.

– Já comecei a fazer isso.

– As iniciais NMSB lhe dizem alguma coisa?

– Absolutamente nada – Casper se apressou a responder.

– Existe um banco com esse nome? Estava escrito na mão dela. "Ligar banco" e "NMSB. Seg. 16".

Niels ouviu Casper digitando no teclado do computador.

– Você disse "NMSB"?

– Isso.

– Tem um banco em Massachusetts . North Middlesex Savings Bank.

– Hum... e se não se tratar de um banco, e sim de outra coisa?

– Por quê? Se isso se trata do Echelon...

Niels interrompeu Casper antes que ele se aventurasse demais na teoria da conspiração.

– Você pode procurar, por favor?

– É o que eu estou fazendo.

– Verifique nos SMSs dela. Na internet. Nos *e-mails*. Também pode ser que se trate de uma pessoa. Das iniciais de alguém. Um empregado de banco, talvez. Um consultor de Dicte ou...

– Mas você não está me pedindo apenas para fazer uma pesquisa sobre NMSB? – atalhou Casper.

– Exatamente.

– New Mexico School of Baseball.

– Você está me fazendo perder tempo, Casper.

– Nós não devíamos esperar um mandado para então começar?

– Ligue para o escritório de Sommersted. Peça a eles que providenciem um procedimento de urgência – ordenou-lhe Niels antes de desligar.

Niels viu o fotógrafo antes que este reparasse nele. O *paparazzo* havia apontado sua câmera para uma placa de latão chumbada na parede de tijolo, perto do portão de ferro batido.

– Você é da polícia, hein?

O jornalista o reconhecera. Talvez Niels já tivesse cruzado com ele. Um rosto plácido, um olhar benevolente atrás de uns óculos baratos que lhe davam um ar ainda mais simpático.

– Você não perdeu tempo – respondeu Niels.

Ele tinha vontade de segurá-lo pelo colarinho e colá-lo no muro. O jornalista deu de ombros.

– Posso lhe fazer uma pergunta?

– Você sabe perfeitamente que eu não posso responder nada no momento.

– Você nem sabe o que eu quero perguntar.

Niels não deixou que ele terminasse a frase.

– Escute bem. Vocês não poderiam ter paciência por apenas um dia? Um único dia. Essas pessoas acabaram de ser atingidas por uma tragédia.

O jornalista pegou uma caderneta e fez uma anotação. "Tragédia."

É assim que eles obtêm as suas declarações. Mesmo quando optamos pelo silêncio, sempre conseguem nos fazer falar, pensou Niels.

– Foi você que tentou impedi-la de pular. Não foi?

Primeira reação: minta. Diga que não. Niels optou pela segunda: dar-lhe as costas e tocar a campainha da casa.

– Foi por isso que você veio? Para lhes pedir perdão?

Niels voltou-se.

– O quê?

– Isso. Por não ter conseguido salvá-la.

Clique. E outro clique. O fotógrafo se aproximou e o imortalizou mais duas vezes. Niels tocou novamente a campainha.

– Vocês não costumam andar em dois? – indagou o jornalista.

– Costumamos. – Não há mais costumes, pensou Niels. Eles deixaram de existir no instante em que Dicte deu o grande salto. Porque antes disso ninguém havia se suicidado na presença de Niels Bentzon.

Uma voz pastosa atendeu Niels pelo pequeno interfone.

– O que é que você quer? Deixe a gente em paz.

– Sou da polícia de Copenhague. A senhora pode abrir para mim, por favor? – disse Niels num tom firme.

O jornalista continuava tomando nota quando ele começou a trilhar o caminho pavimentado que levava à porta de entrada. Um sentimento de alívio o invadiu. A família já sabia da terrível notícia, ele não veria a mãe desmaiar, não assistiria aos primeiros segundos de desespero. Niels sempre olhava as pessoas nos olhos quando lhes anunciava o desaparecimento de uma pessoa querida. Não devia absolutamente baixar ou desviar os olhos. Era preciso manter o contato, mostrar-lhes que eles não estavam sós, ficar pronto para intervir. Era como assistir à derrocada de uma cidade; toda a esperança desaparecia no espaço de um segundo. Os primeiros instantes eram sempre os mais difíceis, mesmo quando eles se calavam. Depois vinham os gemidos, os gritos – e então tudo ficava mais simples. A porta se entreabriu e apareceram uns dedos. Niels os olhou: uma mão feminina, bem-cuidada, ornada com uma singela aliança de ouro.

– Entre – disse a voz atrás da porta.

Ela não queria se mostrar. O que Niels entendia perfeitamente. Do outro lado do portão, o fotógrafo estava à espera de algum clichê: um rosto desfigurado pelo choro, entrevisto atrás de uma porta semifechada, uma mão brandida em oposição. Quanto mais as vítimas tentavam escapar, melhor para eles. Niels apressou-se a entrar, e imediatamente fecharam a porta atrás dele. Quando seus olhos se habituaram à obscuridade do vestíbulo, ele viu que a mulher era muito jovem para ser a mãe de Dicte e muito velha para ser sua irmã.

– Niels Bentzon, da Polícia de Copenhague. Minhas condolências.

Ele apertou demoradamente a mão que ela lhe estendera. Glacial e seca.

– Cecilie van Hauen. Sou cunhada de Dicte – murmurou ela. Dois olhos verdes. Cabelos escuros, fartos, que lhe iam até os ombros e deixavam aparecer duas pedrinhas vermelhas pendentes das orelhas. Ela devia ter origem mediterrânea ou de outra região distante, pensou Niels. – Venha comigo.

Enquanto a seguia no corredor, ele se esforçou para imaginar rapidamente o passado de Dicte: família antiga e rica, com tradições. Um livro dourado com encadernação de couro estava aberto sobre uma armação de madeira. De passagem,

Niels conseguiu ler as palavras "obrigada" e "fantástico" escritas numa bela caligrafia feminina. E acima, numa estante, ele notou outros dez livros idênticos.

– Há quanto tempo os Van Hauen moram aqui?

– A família ou os pais de Dicte? – Ela esboçou um sorriso e acrescentou, antes que Niels tivesse tido tempo de responder: – Desde meados do século XIX, creio eu.

Niels fez com a cabeça um gesto de aquiescência. Ela sabia a data precisa, ele tinha certeza disso. Mas quem se pavoneia são os novos-ricos. Os Van Hauen demonstravam a sua ligação com a alta sociedade de um modo muito mais sutil. Pelo livro dourado em dez volumes, pela coleção de retratos pendurados nas paredes do corredor e pelos móveis antigos. Niels tinha certeza de que cada um deles tinha uma história. Como o móvel de farmácia chinês que imperava no vestíbulo. Com centenas de gavetinhas. Se ele perguntasse, provavelmente teria direito a uma exposição interminável em que se abordariam viagens comerciais, aventuras no Oriente e antepassados que haviam contraído malária e febre amarela.

Cecilie suspirou levemente e bateu na porta antes de abri-la com a mesma delicadeza de uma brisa estival que atravessasse a casa.

– O senhor poderia dizer novamente o seu nome? – murmurou ela.

– Bentzon. Niels Bentzon.

– Vou apresentá-lo.

Niels viu a mãe sentada perto da janela. As cortinas claras tinham sido fechadas, e o cômodo estava mergulhado numa luz filtrada, suave e celestial.

– Este é Jens Bentzon, policial – anunciou Cecilie.

A mãe se virou. Tinha chorado. O pai se levantou. Era uma cabeça mais baixo que Niels, uma cabeça que tinha perdido os cabelos havia muito tempo. Olhos cinzentos e dentes perfeitos.

– Niels Bentzon. Polícia de Copenhague.

– Eu achava que os senhores sempre andavam em dupla.

– Hoje não.

Niels apertou a mão do pai e imaginou que a questão o intrigava: tinham lhes concedido um tratamento especial enviando-lhe não dois, mas um único policial para lhes contar o que eles já sabiam?

– A imprensa já chegou há duas horas.

– Charlotte e Hans Henrik. Vamos nos sentar? – interveio Cecilie, convidando Niels a ocupar um lugar à mesa, perto da janela de vidro. – O senhor bebe alguma coisa?

– Não, obrigado.

– Para mim, um conhaque – disse Hans Henrik num tom seco.

Cecilie e a mãe trocaram um olhar furtivo. Tão furtivo que talvez nem elas o tenham percebido, observou Niels enquanto contemplava, dependurada na parede do fundo, uma foto em tamanho natural de Dicte. Assinada pelo fotógrafo, em preto e branco. Dicte no palco do Teatro Real, com uma das pernas erguida acima da cabeça, reta como uma tábua. Ela examinava a objetiva. Fixava Niels bem nos olhos, com um olhar seguro, sem nenhum medo. Bem ao contrário da mulher frágil que ele vira na ponte. Linda, graciosa. Os olhos escuros contrastavam com a palidez da pele. As maçãs do rosto altas. Um corpo de formas pouco marcadas. Seu olhar tinha uma expressão na qual Niels se reconheceu. Mas de quê? Da convicção de que os outros não podem fazer nada por nós? De que estamos sós no mundo?

– O que é que o senhor pode nos dizer que nós ainda não sabemos? – começou Hans Henrik.

– Posso lhes dizer que ela pulou do alto da Ponte de Dybbølsbro pouco antes de uma hora da madrugada, hoje. E que ela morreu imediatamente.

O pai voltou a falar, sempre num tom rude e intratável:

– Ela estava nua?

– Estava. E fora do ar.

– Álcool?

– Drogas.

Primeira reação da parte de Charlotte, mãe de Dicte:

– Ah, meu Deus! Meu Deus!

Hans Henrik pôs a mão no ombro de sua mulher. Ela explodiu em lágrimas e enterrou o rosto no pescoço do marido.

– Estou sinceramente consternado – murmurou Niels.

Cecilie voltou com três taças de conhaque. Serviu Niels sem dar atenção aos seus protestos.

– Os esportistas de alto nível às vezes recorrem a produtos que dopam. Por exemplo a EPO, eritropoetina – retomou Niels. – Esse fenômeno não é novo. Talvez essas substâncias tenham acabado por lesar o cérebro dela.

– Nós não queremos que ela seja autopsiada – disse Hans Henrik esvaziando sua taça. – Mas talvez a decisão não caiba a nós.

Como a resposta era evidente, Niels se absteve de fazer qualquer comentário. Se falasse alguma coisa, isso jogaria mais lenha na fogueira, dado o estado de frustração em que o pai estava naquele momento. Aliás, uma reação absolutamente normal. Ele teria gostado de esbofetear a filha, pregar-lhe um sermão;

perguntar o que passara pela sua cabeça, por que ela fizera uma coisa daquelas. Dentro de duas horas ele suplicaria perdão e choraria lágrimas quentes. A mãe ergueu a taça. Niels viu o álcool correr pela sua garganta e oferecer um consolo de curta duração.

– O senhor tem certeza de que ela morreu imediatamente?

– Tenho. Dicte morreu no momento em que tocou o chão. Não sofreu.

– Mas antes de tocar o chão...

Hans Henrik não pôde concluir a frase e desviou o olhar.

– Fui a última pessoa a falar com ela – anunciou Niels.

Ele mesmo se pasmou com essa revelação. Teria sido por essa razão que ele fora ali? Sim, entre outras. Para receber a absolvição. De repente os pais de Dicte o observaram com um ar espantado.

– A última pessoa – repetiu Hans Henrik. – Ela disse alguma coisa?

– Sim, ela pronunciou uma palavra. Não entendi bem. Alguma coisa parecida com "echelon".

Os pais trocaram um olhar. A mãe balançou a cabeça. Niels repetiu lentamente.

– Echelon. Isso não lhes diz nada? Acho que é uma palavra que lembrava... Enfim, não sei como explicar.

– Tente – encorajou-o o pai.

– Que lembrava a ela algo agradável. Quando pronunciou essa palavra ela parecia muito feliz. Apaziguada.

A mãe tentou sorrir.

– Ela não disse mais nada?

– Não. Eu tive muita dificuldade para estabelecer contato com ela. A tal ponto que num certo momento até tentei falar em inglês. Achei que ela talvez não estivesse me entendendo.

– E o que foi que o senhor lhe disse? – indagou o pai.

Niels baixou os olhos para a mesa. Limpou a garganta. O conhaque continuava à sua espera. Quais tinham sido as últimas palavras que ela ouvira antes de deixar este mundo? Era o que o seu pai queria saber. Com toda a razão, aliás.

– Nesse tipo de situação nós seguimos um procedimento muito preciso. Nós nos dirigimos à pessoa, nos esforçamos para estabelecer o diálogo a fim de interromper o monólogo incessante na cabeça dela. Tentamos fazer com que ela volte para a realidade. Os senhores me entendem?

Enquanto a mãe assentia com a cabeça, Hans Henrik o encarou como se ele tivesse empurrado a filha para o vazio. No momento em que fez a pergunta seguinte, Niels teve a intuição de que penetrava numa zona de acesso proibido:

– Será que ela se sentia acossada? Eu tive essa impressão.

– Acossada? – espantou-se Charlotte.

– Talvez fosse só por causa do... – Niels se esforçou para encontrar as palavras certas, mas desistiu. – Talvez fosse simplesmente por causa do delírio que eu tenha tido essa impressão. Mas, de qualquer forma, preciso fazer a pergunta para os senhores. – Silêncio. Niels respirou fundo. – A filha dos senhores estava em conflito com alguém. Ela mencionou alguma coisa fora do comum?

– Fora do comum? – repetiu o pai.

– Um namorado novo? Talvez preocupações financeiras?

– Dicte não tinha noção de dinheiro – respondeu secamente Hans Henrik. – Somos nós que administramos as suas contas. Mas ela nunca teve preocupações financeiras.

– Ela escreveu na mão: "ligar banco". Como se quisesse evitar esquecer...

– O Danske Banke, sim. Fui eu que lhe pedi para ligar para eles.

– Por quê? Quer dizer, uma vez que são os senhores que administram as contas dela...

– Eles tinham papéis que ela precisava assinar.

– Papéis?

– Documentos referentes à sua previdência privada. Esse tipo de coisa. Eu não vejo que importância isso possa ter para o caso – irritou-se ele.

– As iniciais NMSB dizem alguma coisa para os senhores?

Hans e Charlotte Henrik se entreolharam.

– Talvez as iniciais de alguém que tem um nome composto? Isso não é raro atualmente – sugeriu Niels tentando pô-los de volta no caminho.

A mãe balançou a cabeça.

– Niels Michael? – sugeriu Niels. – Niels Michael qualquer coisa. – Foi a vez de o pai balançar a cabeça. – Nadja... Natasja Marie... – Então ele parou.

– Por que o senhor está fazendo essas perguntas? Continuo não entendendo aonde o senhor quer chegar. Haveria algum motivo para acreditar que a morte de Dicte foi criminosa?

– Eu mesmo não tenho nenhuma certeza disso. Mas, como lhes disse, tive a impressão de que... – Niels desistiu de explicar e resolveu se ater ao caso. – Ela escreveu isto na mão: "NMSB. Seg. 16". Poderia também se tratar de um lugar. De uma associação. De um partido político.

Mais uma vez, tudo o que ele obteve como resposta foram balanços de cabeça.

– Bom. Se algum nome lhes ocorrer...

– Nós não deixaremos de contatar o senhor.

– Mesmo que pareça não ter alguma relação com o caso. Pelo menos isso poderia evitar que perdêssemos tempo investigando na direção errada.

– Claro – disse Hans Henrik secamente.

Enfim um campo em que ele se sentia em casa. A eficácia. Evitar perdas de tempo. Niels lhe dirigiu um sorriso compadecido.

– Tudo bem. Agora vamos falar dos relacionamentos dela. Não é raro algumas pessoas se apaixonarem pelas estrelas do mundo das artes. Já tivemos casos de estrelas perseguidas por fãs com problemas psicológicos. Evidentemente, em geral se trata do pessoal do cinema. Ou de músicos. Mas por que não uma estrela do balé?

Niels olhou para a mãe. Ela ergueu os ombros com um ar perplexo.

– Quando foi que vocês falaram com ela pela última vez?

Hans Henrik pigarreou.

– Algumas semanas atrás.

– Algumas semanas? O senhor poderia ser mais preciso?

A mãe pegou a mão do marido. Niels observou que essa pergunta os havia abalado. Por isso resolveu insistir:

– Quantas? Cinco semanas? Dez?

– Por que é importante para o senhor saber há quanto tempo nós não falamos com a nossa filha? – protestou o pai.

– Uma vez que as circunstâncias da morte da sua filha são suspeitas, nós vamos precisar reconstituir o que ela fez nas últimas semanas...

Hans Henrik cortou a sua palavra:

– Nós não falamos com Dicte há seis meses. Pronto. O senhor está satisfeito?

Niels preferiu não responder.

Hans Henrik estava prestes a se descontrolar.

– Ela... nos...

Ele se imobilizou. Charlotte prosseguiu:

– Dicte se afastou.

– Se afastou?

– Ela não queria nos ver.

– Por quê?

Hans Henrik voltou a falar:

– É mesmo necessário...

– Por que os senhores não tinham contato com a sua filha há seis meses? – insistiu Niels.

Silêncio. Durante alguns segundos que pesaram sobre eles, Charlotte conservou o olhar preso ao canto da mesa.

Hans Henrik acabou reagindo. Limpou a garganta.

– Como a minha mulher disse, Dicte se afastou. Ela resolveu não voltar a pôr os pés na casa da sua infância.

– E por quê?

– Eu lhe devo uma explicação. – Ele lançou um olhar rápido para Charlotte. Não para lhe pedir ajuda, pelo contrário; para garantir que ela não se intrometeria mais no caso. – Isso aconteceu progressivamente. Começou no último outono. Ela deixou de nos procurar, não respondia às nossas ligações, não nos visitava mais. A última vez que falamos com ela foi no teatro, na estreia de... qual era o balé que ela ia dançar? – Ele se voltou para Charlotte e a autorizou a falar.

– *A dama das camélias.*

– Isso, nós fomos encontrá-la antes da apresentação, mas ela estava fria, inacessível. Lembro que a sua atitude nos perturbou bastante. Na verdade, parecia que... – Ele se voltou de novo para a mulher, que lutava para conter as lágrimas. – ... que não era a nossa Dicte quem tínhamos acabado de ver.

– E depois?

– Muito bem, nós tentamos nos aproximar. Charlotte até passou no apartamento dela sei lá quantas vezes. Mas Dicte não abria a porta. Pouco a pouco entendemos que ela não nos queria mais na sua vida.

– Mas o senhor me disse que havia pedido a ela para contatar o seu banco.

Niels observou Hans Henrik.

– Na verdade eu escrevi para ela.

– Um *e-mail*?

– Isso.

– Para um endereço que ela utilizava apenas no teatro?

– O que é que o senhor está querendo dizer?

– Nós sabemos que ela já não tinha mais internet.

O pai deu de ombros.

– Se foi cometido um crime, não é na nossa casa que é preciso investigar. O senhor pode entender isso?

– Os senhores sabem se ela tinha inimigos?

Hans Henrik balançou a cabeça.

– Não, mas, como já disse, nós não tínhamos contato com ela havia algum tempo.

– Claro. – Niels se levantou. Sabia que não ia obter mais nada. – Uma última pergunta.

– Sim?

– Dicte tinha uma cicatriz. Aqui.

Niels mostrou a têmpora.

Charlotte lhe lançou um olhar aterrorizado, e em seguida voltou-se para o marido. Esses malditos segredos de família, pensou Niels. As pessoas sempre acham que eles são bem guardados. Na realidade, nós os trazemos permanentemente conosco, sob a roupa. Hans Henrik, que no passado tivera problemas com a bebida e que provavelmente continuava tendo. A filha, que havia cortado relações com os pais. E um velho acidente de que ninguém jamais falava. Até o momento.

Hans Henrik limpou a garganta e respondeu:

– Dicte teve um acidente quando era pequena. Ela precisou levar alguns pontos.

– Que tipo de acidente?

– Volto a perguntar: aonde é que o senhor quer chegar?

De repente se ouviu um grito vindo de alguma parte da casa. Hans Henrik correu para lá, e sua mulher o seguiu. Niels contemplou sua taça de conhaque e resolveu resistir à tentação de bebê-la. Foi se reunir a eles na sala, onde encontrou Cecilie sentada na frente do televisor, com o rosto escondido nas mãos. O canal de notícias mostrava um filme feito com um celular. A imagem era trêmula e escura; e a qualidade piorou ainda mais quando o cinegrafista amador deu um *zoom* para filmar a queda de Dicte. Charlotte rompeu em prantos e correu para fora da sala. Não viu Niels tentar segurar a filha, roçar-lhe as costas nuas antes que ela se precipitasse e ele perdesse o equilíbrio. Hans Henrik parecia petrificado diante da tela. Ele viu Niels balançar no vazio, no alto do torreão, depois ser segurado pelos colegas.

– Preciso lhe agradecer. Vejo que o senhor tentou de tudo – murmurou ele antes de também sair da sala.

Niels assistiu sozinho à retransmissão do filme. Dessa vez em câmera lenta: Dicte subitamente tomando impulso. Pondo todo o peso do corpo na perna esquerda e lançando-se com elegância. Ele se joga sobre ela, o braço esquerdo se estira e seus dedos chegam a roçar as costas dela. Depois a câmera segue Dicte na sua queda. Ela se esborracha nos trilhos. Morre imediatamente. Niels luta para não cair. Surgem policiais que o levantam na plataforma.

Um silêncio de morte reinava na casa. Charlotte havia saído para o jardim. Niels atravessou a sala de estar e foi até a janela. Afastou as cortinas. Na extremidade do terreno, viu a Ponte do Øresund. Um helicóptero da TV2 News sobrevoava a propriedade, e não havia dúvida de que filmava a casa enlutada. Niels voltou ao vestíbulo. Parou diante do impressionante livro dourado e começou a ler. "Passamos uma noite inesquecível. Obrigada por tudo. Stephanie." Depois uma mensagem em francês que ele não entendeu. Virando as páginas, leu outros agradecimentos. Palavras como "encantador", "generoso" e "hospitalidade" voltavam regularmente, num número incrível de variações. O que ele estava fazendo era trabalho policial ou simples curiosidade indevida? Niels verificou a data que constava na última página. A mensagem de Stephanie datava de 21 de março. Por que não era o último volume que estava sobre a armação de madeira? Faria três meses que eles não recebiam ninguém? Niels ergueu os olhos para a estante onde os dez volumes estavam dispostos lado a lado. A gratidão dos convidados dos Van Hauen se estendia por séculos. Na lombada do primeiro livro liam-se as datas 1876-1893 em números dourados. Mas os anos do pós-guerra eram os mais representados. Ele pegou o volume mais recente.

Folheou-o. Até a última página. Dia 28 de maio de 2011. Cerca de quinze dias antes. "É sempre um deslumbramento", dizia a mensagem. Niels logo reconheceu a assinatura. Era igual à que figurava no seu distintivo de policial. Assim como em toda a correspondência oficial que ele recebia do seu superior hierárquico: W. H. Sommersted.

– O senhor tem intenção de deixar a sua contribuição no nosso livro dourado?

Hans Henrik estava diante da porta de entrada.

– Não, eu...

– Temos por princípio não permitir que ninguém saia sem deixar uma mensagem.

Niels baixou os olhos para o chão.

– Mas isso só vale para os convidados. Peço-lhe que me desculpe.

A casa deles deve ter ar-condicionado, pensou Niels ao voltar a sentir na pele os raios brilhantes do sol. O contingente de jornalistas se reforçara consideravelmente desde a sua chegada. Tinha passado de dois a dez membros no espaço de um quarto de hora. Haveria outra saída? Tarde demais, já se ouviam os cliques das máquinas fotográficas. O melhor era ignorá-las, agir de modo natural. Quanto mais tentasse escapar, mais eles se entusiasmariam. O portão de ferro batido de dois metros de altura se abriu automaticamente diante dele. E então ele ouviu:

– É ele. É o cara que não conseguiu salvá-la.

Em seguida choveram sobre Niels muitas perguntas:

– Ela falou alguma coisa antes de pular?

– Ela estava sob efeito de drogas? Foi violentada?

– Quem tirou a roupa dela? Como os pais reagiram?

Niels ficou imóvel diante do jornalista que lhe dirigiu essa última pergunta, a mais lamentável de todas. Quando estava prestes a fazer uma bobagem, seu telefone soou.

– Bentzon.

Niels precisou tapar a outra orelha para ouvir:

– É Theodor.

– Estou ouvindo muito mal.

Ele se afastou rápido para escapar da horda de jornalistas agressivos.

O médico-legista pigarreou:

– Descobri uma coisa. Seria melhor você passar aqui o mais rápido possível.

– Do que se trata? Sommersted me pediu para encontrá-lo...

Rantzau não o deixou concluir a frase:

– Niels. Não por telefone. Venha. Depressa.

18

Centro de Copenhague – 11h50

Ele abriu a bolsa e preparou para si uma seringa de Ritalina. Uma picada na anca. Desafivelou o cinto e abaixou ligeiramente a calça. O efeito não demorou a se fazer sentir. Ele tinha estacionado numa ruazinha do centro da cidade. Fechou os olhos por um instante, esperou o produto se espalhar pelo sangue e dissipar provisoriamente o seu cansaço.

Ele rememorou as imagens que vira na televisão. Quando ela pulara. O policial tinha ficado um momento suspenso no vazio. Ela teria tido tempo de lhe fazer revelações? De denunciá-lo? Não, ele a havia observado da plataforma. Ela não tinha pronunciado nenhuma palavra. Ele estava convencido disso. Mas agora ele estava mais exposto que no dia anterior. Daquele momento em diante a polícia estaria trabalhando no caso, e seus investigadores não eram idiotas. Não demorariam a descobrir que ela não tinha simplesmente pulado por desespero. E então abririam oficialmente uma investigação. Seu corpo seria autopsiado. Passariam pente fino no apartamento dela, fotografando-o de todos os ângulos. Não deixariam nenhum detalhe passar. Teria esquecido alguma coisa? Impressões digitais? Essa negligência seria fatal. Pois as suas impressões digitais estavam nos arquivos da polícia, ele sabia disso. Não, calma. Ele não tinha tocado em nada. Em nada, fora a xícara de chá que tivera o cuidado de lavar. Ele passou em revista todas as etapas. Dicte tinha aberto a porta e o convidara a entrar. Tinha parecido feliz em vê-lo. Ele se sentara sem tocar em nada. Tivera todo o cuidado de não pôr as mãos em nada. Depois pedira para usar o banheiro. Para atrair Dicte ele usara o pretexto de que não conseguia abrir a porta. Num apartamento, o lugar onde o som pode ser mais bem abafado é sempre o banheiro. Ele a arrastou para dentro, fechou a porta com o pé e então enterrou a agulha da seringa no ombro dela. Ela pareceu surpresa, chocada, debateu-se. Bateu nele, que contou mentalmente os segundos. Os primeiros sessenta são os mais delicados. Depois ela começou a relaxar. A quetamina já estava agindo. E todos os objetos que ela havia derrubado? O cesto de roupa suja, as toalhas. Ele havia lido a pequena bíblia de Dicte para passar o tempo enquanto esperava que ela voltasse a si. *Fédon*. Era o título do livro dedicado às últimas horas da vida de Sócrates e às suas reflexões sobre a imortalidade da alma. Mas nesse momento ele já estava de luvas. Não, ele havia limpado tudo depois que a dominara. Tinha limpado a maçaneta do banheiro. Tinha...

Não, ele não tinha dúvida de que não havia deixado nenhuma impressão digital. Nem mesmo quando voltara para recuperar o seu material, depois que ela se havia atirado. Agora precisava retomar o ânimo. E continuar. Não podia abandonar tudo agora. Tirou do bolso a sua lista. O nome de Dicte van Hauen estava no alto. Depois vinha o de Hannah Lund. Infelizmente ele não havia conseguido o seu endereço. Ela estava na lista vermelha. O que era lamentável. Ela era a mais conhecida entre todas as pessoas que tinha vivido uma experiência de morte iminente. "Experiência de morte iminente." Que expressão absurda! Mas como designar o fenômeno de outra forma? Que outras palavras poderiam ser empregadas para designar essa viagem ao além? Quem havia trazido a prova mais convincente de que existe mesmo vida depois da morte fora Hannah Lund? Ele havia lido um artigo sobre ela num site especializado. Hannah tinha sido admitida no Rigshospitalet em 2009, depois de um grave acidente de trânsito. No ano anterior, 2008, os pesquisadores tinham resolvido fazer uma experiência científica em escala mundial destinada a lançar luz sobre as EMIs, cujos casos comunicados eram cada vez mais numerosos. O que podia se explicar simplesmente pelos progressos obtidos no campo da reanimação. Com efeito, quanto mais as pessoas eram reanimadas, maior também era o número de relatos aludindo ao além, a uma luz intensa, a um túnel, a um véu misterioso e sublime que envolvia a Terra, a encontros com pessoas mortas havia muito tempo. Fora isso que levara alguns médicos ingleses e americanos a organizar um congresso que tivera o apoio da ONU. Pela primeira vez na movimentada história da ciência, esse assunto não era mais tabu. Os cientistas tinham acabado por admitir a existência desse fenômeno, mesmo não sendo capazes de explicá-lo. De repente os médicos de prontos-socorros do mundo inteiro estavam autorizados a falar dos estranhos relatos que alguns dos seus pacientes faziam depois de serem reanimados. Por fim chegou-se a um acordo quanto ao fato de que a morte merecia ser estudada. Ousava-se considerar a consciência como um fenômeno complexo que tinha várias áreas obscuras. A consciência, e não a alma. Assim, os pesquisadores tinham encetado uma colaboração com hospitais situados em vários países. Nas salas de reanimação eles tinham instalado prateleiras a poucos centímetros do teto, onde os pacientes diziam flutuar acima do corpo. Sobre elas. tinham disposto imagens de conteúdo desconhecido. Um bebê zebrado. Um elefante esmagando um ônibus. Coisas desse tipo. Assim, quando os pacientes que tinham sido reanimados afirmavam ter escapado do próprio corpo e subido até o teto durante o tempo em que seu coração deixara de bater, perguntavam-lhes se eles haviam visto o que estava na prateleira.

Hannah Lund tinha sido a única pessoa no mundo que fora capaz de descrever a imagem com precisão. Era uma cientista. Astrofísica. Muita gente duvidou das suas declarações, claro. Na internet o debate era acalorado em vários fóruns. Alguns afirmavam que alguém lhe soprara a resposta. Que devia ter havido um vazamento de informação. Mas a verdade era que Hannah Lund tinha tido três paradas cardíacas sucessivas na noite em que foi operada. Ficara em estado de morte clínica durante quase vinte minutos, no total. Por isso ela se tornara a queridinha dos entusiastas de EMI. Talvez fosse essa a razão pela qual era impossível saber o seu endereço: sem dúvida ela já se cansara de ser importunada pelos malucos que a procuravam vindos de todos os cantos do mundo para se informar sobre a sua querida ressuscitada. Isso já havia acontecido com outras pessoas antes dela. Os que tinham vivido experiências de morte iminente eram abordados continuamente por pessoas que lhes pediam para precisar o que tinham visto. Mas ele sabia, ele se informara. E precisava admitir que algumas dessas EMIs eram absolutamente perturbadores. Impressionara-o sobretudo o caso de RaNelle Wallace. Em 1985 essa americana e seu marido sofreram um acidente de avião durante uma tempestade de neve no centro do estado de Utah. Setenta e cinco por cento do seu corpo ficou queimado, e ela sofreu uma parada cardíaca que durou vários minutos. Durante esse tempo ela teve a impressão de que a barreira entre a vida e a morte havia desaparecido. Não somente ela encontrou a avó, morta havia muito tempo – o que é um fenômeno comum –, mas também seu filho, que pediu que ela voltasse. Que voltasse à vida. O mais estranho nessa história é que esse filho com quem ela falou só nasceu alguns anos mais tarde.

Ele esfregou o rosto. Precisava se concentrar na missão. Passar para o número três. Peter V. Jensen. Que ele também conhecia pessoalmente. Como Dicte. Isso lhe facilitaria a tarefa.

A seringa.

De repente ele se lembrou. Por que não havia pensado nisso antes? Certamente por causa do maldito cansaço que o abatia. Ele tinha se esquecido de recuperar a seringa que utilizara no momento em que Dicte tentara fugir. A coisa em si não era tão grave. Dicte morava em Vesterbro, um bairro onde pululavam seringas. Mas ele a preparara em casa, e assim, as suas digitais estariam nela. Dicte conseguira escapar e descera muitos degraus com ela dependurada no pescoço, e só então a seringa acabara se desprendendo. E ele a havia esquecido. Girou a chave e deu partida no carro. Era preciso voltar para o apartamento. O celular começou a tocar. Era do seu trabalho. Deviam estar se perguntando o que havia acontecido. Por um momento ele pensou em atender e mentir que estava de cama com uma crise do nervo ciático. Mas mudou de ideia e deixou tocar.

19

Instituto Médico-Legal – 12h15

Niels subiu correndo a escada e entrou no instituto. Seus sapatos faziam um barulho surdo ao pisar nas pedras frias. O eco o perseguiu até depois da escada e no corredor, até o vestiário, onde ele colocou apressadamente uma blusa, um jaleco, máscara e sapatos recobertos de uma proteção de plástico. Enquanto se trocava, pensou no que os pais da jovem haviam dito. "Parecia que não era a nossa Dicte que nós tínhamos acabado de ver."

Ele abriu uma porta de correr e entrou na sala de autópsia, onde Rantzau, com um gravador na mão, estava no meio da sua equipe de legistas e técnicos.

– Niels. Que bom que você veio...

– Você tinha uma coisa para me mostrar?

– Dois segundos.

Niels respirou fundo e contemplou o corpo. Já não restava ali grande coisa do ser humano desesperado que ele encontrara na ponte havia quase vinte e quatro horas. Restava menos ainda da estrela de balé Dicte van Hauen – a mulher que Niels vira havia pouco na foto em tamanho natural. Seus órgãos internos estavam sendo dissecados. O crânio tinha sido cortado; e o cérebro, colocado numa pia de aço.

– Falo com você daqui a pouquinho, Niels.

Theodor se dirigira a ele sem olhá-lo. Estava ocupado amarrando um cordão em torno do intestino delgado e do cólon, que em seguida depositou na pia, do lado do crânio. Niels se aproximou. Essa visão lhe foi penosa. Mais que a das autópsias anteriores a que assistira. O ser humano não passa de um organismo biológico, lembrou-se ele. Um monte de músculos, tendões, ossos, tecidos, sangue e pele. Não passa disso.

– Você aguenta? – perguntou Theodor olhando-o bem nos olhos.

– É mais difícil que os outros. Não sei por quê. Talvez porque esteja chegando da casa dos pais dela.

– Quer esperar um pouco?

– Não. Sommersted está me aguardando.

Theodor o examinou por alguns segundos. Para ter certeza de que não havia risco de um desmaio, vômito ou desmoronamento imediato no ladrilho branco. Reações que faziam parte do cotidiano no Instituto Médico-Legal, sobretudo quando eles recebiam a visita de alunos da escola de polícia.

– Eu já lhe falei do desfibrilador – recomeçou ele mostrando o peito aberto.

Uma peça metálica mantinha afastadas as duas metades.

– Você me disse que tentaram reanimá-la.

– Dá para ver as marcas de queimadura deixadas pelo desfibrilador. Aqui.

Niels se aproximou mais.

– Mas isso não é tudo – acrescentou Rantzau antes de se interromper observando um dos seus assistentes inclinar-se sobre os órgãos internos. – Um instante, por favor.

Niels o viu chegar perto do jovem técnico e lhe dar uma série de conselhos sobre a maneira de fotografar órgãos. Então começou a se impacientar. Sommersted o esperava no Teatro Real. Mas a autópsia exigia paciência, ele sabia. Aquilo podia levar horas, em certos casos até mesmo dias. Nada devia ser negligenciado. Cada órgão interno precisava ser cuidadosamente examinado. Era preciso retirar amostras de tecidos, que eram então levadas para as análises bacteriológica, toxicológica e bioquímica. As amostras de sangue deviam ser retiradas diretamente de uma artéria da coxa. E quando tudo tinha acabado, era preciso recolocar os órgãos no interior do corpo e recosturar a pele. Uma vez Rantzau havia confessado a Niels que os órgãos nem sempre eram repostos no lugar. É algo quase impossível, ele lhe explicara. Mas evidentemente esse não é o tipo de coisa que saímos espalhando por aí.

– Você precisa ver isso – disse Theodor arrastando Niels para a mesa onde estavam dispostos frascos com amostras de sangue e de tecidos. Ele pegou o maior, que encerrava uma matéria turva levemente amarelada.

– Encontramos quase um litro disto.

– O que é?

– Água salgada. No fundo da cavidade nasal. E nos pulmões.

– Você tem certeza?

– Claro. A análise química levou só uns quatro segundos. É a base da medicina legal. O marido que asfixia a mulher e em seguida a joga no mar para fazer seu crime parecer um afogamento acidental. Mas...

– Mas?

– Mas, se a vítima deixa de respirar porque está morta, a água não invade os pulmões. Nem o sínus.

– E no caso dela, o que é que isso significa?

Rantzau respirou fundo.

– A minha conclusão, provisória, claro, é que, se eu não soubesse que ela fraturou o crânio ao saltar do alto de uma ponte, juraria que ela sucumbiu a uma asfixia decorrente de uma imersão prolongada.

– Você quer dizer um afogamento?

Niels disse isso quase sem modular a voz.

– É o termo empregado normalmente.

20

Bairro de Vesterbro – 12h25

Os dedos dos seus pés e a extremidade dos dedos das mãos estavam formigando. Cansaço. Parecia que os estimulantes que lhe corriam nas veias tentavam empurrá-lo para as partes periféricas do corpo. Ele estacionou de propósito a uma boa distância do prédio. As ruas fervilhavam de gente. Homens de terno e gravata apressavam-se para chegar a um encontro marcado, enquanto grupos de mães perambulavam apoiando no carrinho de bebê canecos de café orgânico. Ele transpirava.

Ele olhou à sua volta antes de pôr as luvas e empurrar a porta. Claro, estava aferrolhada. Ele sabia que não havia um instante a perder, era preciso recuperar a seringa o mais rápido possível. Na verdade, se surpreendia com o fato de a polícia ainda não estar ali. Provavelmente não demoraria; talvez fosse mais sensato esquecer isso e fugir logo. Ele cruzaria os dedos para que não encontrassem nada ou imaginassem que a seringa havia sido jogada por um drogado. Não, isso não era típico da polícia. Ele conhecia bem demais a sua extrema minúcia. Tocou o interfone.

– Sim? – respondeu uma voz feminina. – Quem é?

– Estou morando provisoriamente na casa de Dicte Henrik, do quarto andar, mas esqueci as chaves.

– Quem é o senhor?

– Eu me chamo Jakob. Sou amigo de Dicte Henrik. A senhora poderia abrir para mim, por favor?

Ela desligou. Depois de muitos segundos, quando ele já ia tentar a sorte com outro vizinho, a porta emitiu um ruído. Ele a empurrou e entrou. A escada não estava como ficara na sua lembrança. Na noite anterior ele tinha um aspecto de fim de mundo. Era o reflexo perfeito do seu estado de espírito caótico. Agora não passava de uma escada comum, banhada de sol e com um corrimão.

Chegando à porta do apartamento, passou a examinar o chão. Nada. Nenhum vestígio de luta, nenhuma seringa. Talvez alguém a tivesse encontrado e jogado no lixo, pensando que ela pertencia a um drogado que tinha ido se picar ali, protegido dos olhares. Não, ele precisava ter certeza. Desceu a escada. Nada. Verificou ao longo do corrimão. Se a seringa tivesse caído, poderia ter ido parar no subsolo. Continuou fazendo o caminho inverso e parou no térreo, depois inclinou-se sobre a balaustrada para olhar embaixo. Pronto. A seringa estava lá, equilibrada na borda de um degrau, em frente da porta que dava para o subsolo. Ele tinha certeza. Provavelmente tudo correria bem, afinal. Aproximou-se da porta de entrada para dar uma olhada lá fora. Havia veículos da polícia estacionados diante do prédio. Agentes uniformizados estavam a poucos metros de distância, na rua, descarregando seu material. A princípio, ficou tentado a voltar a subir. Não, isso nunca. Teria de sair do prédio, fazendo-se passar por um morador, e desaparecer antes que eles chegassem; ou então descer para o subsolo. De qualquer maneira, era preciso recuperar a seringa. Do contrário, estaria perdido. Ele se decidiu pela segunda opção e correu para a escada. Sem acender a luz. Alguns segundos mais tarde ouviu a porta da entrada se abrir. Os policiais estavam no andar de cima. Se o encontrassem ali... Enquanto dois subiam para os andares superiores, os outros ficaram no saguão de entrada. Será que eles iriam logo impedir o acesso ao apartamento? Ao prédio todo? Nesse caso, como faria para sair? Ele se agachou e tateou no escuro à procura da seringa. Quando sentiu que seus dedos a roçavam, ela balançou no vazio e aterrissou no chão de cimento.

– Tem alguém lá embaixo?

O policial tinha se dirigido ao seu colega. Não a ele.

– Vou verificar. Seria mais simples se tivesse um porteiro aqui. Pelo menos ele poderia ter aberto o apartamento para nós.

Ele pegou a seringa e examinou o subsolo escuro. Ruídos de passos na escada. Os policiais estavam descendo. Era imprudente demorar-se. Dentro de alguns segundos eles estariam ali e lhe pediriam seus documentos. Ele entrou num corredor. Havia no ar um cheiro forte de detergente e graxa de corrente de bicicleta. Na lavanderia, uma máquina estava vibrando na fase de centrifugação. Devia tentar se esconder? Não, precisava sair dali imediatamente. Passou diante de cômodos subterrâneos trancados. Avançou com passos curtos. Os policiais se encontravam agora no subsolo, as vozes estavam mais próximas. Claro, eles ainda não haviam notado a presença dele ali, mas ganhavam terreno e, se ele não encontrasse rapidamente uma saída, acabariam por pegá-lo. Ele se dirigiu para a extremidade do corredor. Por fim, uma porta. Estava a um passo da segurança. As vozes se aproximavam. Agarrou a maçaneta. A porta estava trancada.

21

Teatro Real – 12h25

Passagem August Bournonville. Esse nome parecia ter surgido de um passado distante, de uma época em que os cascos dos cavalos ressoavam nas ruas, em que os homens usavam chapéus altos de abas largas e as comadres tagarelavam na calçada do teatro. Mas Niels não foi recebido por Oehlenschläger nem por Holberg quando transpôs as portas do Teatro Real, e sim pelo segurança e por uma jovem, que se apresentou como "Ida, responsável por relações públicas". Ela apertou rapidamente a ponta dos dedos da sua mão. Como a rainha da Inglaterra, olhou-o detidamente. Seria um costume local?

– Estão à sua espera no escritório do diretor de balé.

Ela andava com um passo rápido, quase corria. Niels esforçou-se para segui-la enquanto examinava o teatro: havia mais operários que artistas àquela hora do dia. Operários à moda antiga, não do tipo que tinha se tornado milionários graças à explosão do mercado imobiliário, que se apresentava no trabalho vestindo camisa branca e se limitava a tomar algumas medidas com a ajuda de uma trena a laser antes de sumir. Não, ali a cerveja no café da manhã, os sanduíches, as grosserias e a hierarquia viril ainda vigoravam. Niels ouviu um aprendiz sofrer uma descompostura: "Você tem patas em vez de mãos ou o quê?" A cena lhe fez lembrar a época em que frequentava a escola de polícia. Os instrutores não eram nada gentis naquele tempo, e ele não tinha razão para acreditar que as coisas tivessem mudado depois.

– Ida?

– Sim.

– Você poderia ir um pouco mais devagar?

– Claro, perdão. É horrível o que aconteceu – disse ela como para justificar o passo acelerado, como se bastasse andar rápido para escapar à realidade. – Você tem fobia de elevadores?

Niels sorriu e balançou negativamente a cabeça enquanto ela o convidava a entrar num elevador de carga, grande o suficiente para acomodar cinquenta pessoas. Eles subiram em silêncio. Ela mantinha os olhos presos ao chão.

– É preciso que o espaço seja suficiente para uma padiola. Você sabe o que acontece quando muita gente se reúne num espaço pequeno.

– Além disso, às vezes não se tratam de pessoas comuns.

– Você deve estar se referindo à família real, imagino. De fato, nós temos todo o interesse em mimá-la.

– Você a conhecia? – indagou subitamente Niels. – Dicte van Hauen.

Ida balançou a cabeça.

– Não muito. Devo ter falado com ela duas ou três vezes. Sempre uma conversa estritamente profissional. Ela era...

– Era o quê?

– Algumas primeiras bailarinas são um pouco diferentes. É preciso dizer também que elas trabalham absurdamente – apressou-se ela a acrescentar. O elevador parou. – Desculpe. Eu não tinha intenção de falar mal de Dicte. De verdade. Eu estou perturbada.

– Isso ficará entre nós – disse Niels.

Ele pensou por um instante em lhe dar um tapinha no ombro para reconfortá-la, mas ela usava ombreiras, e o suor gotejava pelo seu pescoço.

As paredes das salas eram envidraçadas. Havia pessoas falando ao telefone. Certamente estavam ordenando cancelamentos, realização de novas provas de roupa, mandando vir bailarinos de outro canto do mundo, etc. Ida enumerou para ele os imprevistos que eles tinham de enfrentar.

– A morte sempre gera muitas complicações – explicou ela. – Mas nós estamos acostumados. Alguns anos atrás um bailarino que tinha um dos primeiros papéis morreu de ataque cardíaco. Assim, de repente. Ser bailarino num grupo como o nosso implica dar permanentemente o melhor de si. Então acontece às vezes de o organismo não aguentar. Você sabe, aliás, que foi aqui que morreu Thorvaldsen?

– O pintor?

– O escultor – retificou ela antes de prosseguir rapidamente para evitar que a sua ignorância não flutuasse no ar por muito tempo. – E além disso, os jornalistas...

Ela ia acrescentar alguma coisa, mas foi interrompida por um homem de cerca de quarenta anos, vestido de terno e gravata, visivelmente nervoso:

– Ida?

Ela se deteve e hesitou um instante entre suas obrigações profissionais e a lealdade para com a polícia.

– Você contatou o Kresten? Eles estão começando a ficar muito impacientes.

– Não... eu...

– O que é que você está fazendo? Divertindo-se como guia?

Niels se afastou para que Ida pudesse se defender e então os ouviu cochichar. Ele se aproximou de um painel de avisos. Dicte van Hauen. Seu nome estava escrito numa tira de papel que encimava uma pirâmide de outros papeizinhos, cada um com um nome diferente. Como numa árvore genealógica.

– É aqui que os bailarinos e as bailarinas podem consultar a distribuição dos papéis – explicou Ida, que viera ao seu encontro.

– Guisselle? – leu Niels emprestando ao nome uma pronúncia dinamarquesa.

O papel de Dicte estava escrito com elegância. Ida corrigiu Niels imediatamente:

– Giselle. É o papel-título.

– Então o papel principal era dela.

– Você pode entender por que nós estamos assoberbados de trabalho.

– Por que a apresentação foi mantida?

Ela olhou para ele com incredulidade. Como se ele tivesse acabado de fazer a pergunta mais idiota que ela já ouvira.

– Vocês vão poder encontrar uma substituta a tempo?

– Nós sempre prevemos um substituto para o papel principal. Por medida de precaução. Do contrário seríamos obrigados a cancelar apresentações a todo momento. Os pepinos são muito comuns. – Ela parou diante de uma porta. – Chegamos.

Niels olhou pela divisória de vidro. Alguma coisa parecia errada. Sommersted estava sentado do outro lado da mesa. Diante de dois homens. Eles se calaram quando ele entrou.

– Bentzon – disse Sommersted num tom quase amistoso.

Niels cumprimentou os dois homens. Tinha a impressão de já ter visto o diretor de balé na televisão.

– Alexander Flint – apresentou-se o outro, apertando-lhe a mão. Ele o olhou bem nos olhos. Olhos simpáticos. Mas, além de simpáticos... O que mais?, perguntou-se Niels. Em todo caso, não eram tristes.

100

– O senhor Flint é o diretor deste teatro – explicou Sommersted.

– Não ouvi o seu nome – disse Niels ao diretor de balé, olhando-o nos olhos.

O homem usava rímel.

– Frederik Have.

– Sente-se – disse Sommersted.

Mas Niels continuou de pé e, com um discreto movimento de cabeça, indicou-lhe a porta.

– Agora?

– Isso.

– Bom, senhores, me desculpem um instante.

Sommersted se levantou e seguiu Niels no corredor. Tomou o cuidado de fechar a porta atrás de si e depois observou pela parede de vidro os dois homens, que esperavam quietos como dois garotos comportados.

– Tenho quase certeza de que ele não estará aqui até o fim do mês – observou Sommersted sem o menor sinal de compaixão na voz. – Esse cara acabou.

– Quem? O diretor de balé?

Sommersted concordou.

– Ele vai tentar resistir, mas sem o apoio do diretor do teatro está liquidado. A pressão é grande demais. A imprensa vai cair em cima e aproveitar a ocasião para denunciar as condições de trabalho desumanas no meio do balé. Ele será chamado de incompetente e não poderá contar com o diretor para defendê-lo. Flint não vai querer se comprometer, e eu nem vou me espantar se logo, logo ele sair de viagem e ficar fora até a tempestade amainar.

– Sommersted – Niels queria voltar ao caso. – Eu tinha razão.

– Sobre o quê?

– Não foi um suicídio comum. Alguns elementos...

– Mas você viu quando ela pulou!

– Estou chegando do Instituto Médico-Legal. Eles encontraram água nos pulmões e no sínus de Dicte.

– Água?

– Isso, água salgada.

– Mas, Niels, você sabe que ela não se afogou.

– Estou apenas lhe comunicando o que Rantzau constatou. Água na cavidade nasal. Morte por asfixia em decorrência de uma imersão prolongada. Por outras palavras, afogamento.

– O que não faz sentido, pois há um vídeo mostrando que ela se jogou do alto da Ponte de Dybbølsbro.

Niels prosseguiu sem se deixar perturbar.

– E depois ela foi reanimada. Seu peito tem marcas de queimaduras deixadas por um desfibrilador.

– Sem conclusões precipitadas, Bentzon. Pode ser perfeitamente que ela tenha se afogado na banheira, que alguém a tenha descoberto e...

– Você tem um desfibrilador no seu banheiro? – perguntou Niels, cortando-lhe o discurso.

– Não, mas...

– Na sua torneira corre água salgada? Não, não é mesmo? Você sabe pelo menos se ela tem banheira no apartamento dela?

Sommersted respirou fundo. Até então Niels não o havia visto vacilar. Talvez uma única vez, depois de ter discutido em voz baixa com a mulher diante de todo o corpo policial, alguns anos antes. Mas desta vez ele estava bem inclinado a duvidar. Estava abalado com o que acabara de ouvir.

– Então você diz que antes de subir até o alto da ponte e se jogar no vazio ela foi afogada e depois reanimada? Eu entendi bem?

– Você entendeu perfeitamente bem. E ela pulou apenas alguns minutos depois de isso ter acontecido. Do contrário não teriam encontrado tanta água na cavidade nasal. Assim, ela foi reanimada entre uma coisa e outra.

– Mas quem a reanimou? – indagou Sommersted. – E quem a afogou?

– Ela se refugiou no alto da ponte porque estava com medo de alguém. É o que eu não paro de dizer desde o início. Ela procurava com o olhar essa pessoa.

Enquanto Sommersted baixava os olhos, Niels forçava mais a barra.

– Dicte não pôs fim à sua vida, simplesmente. Alguém já a havia matado pouco tempo antes. E esse "alguém" estava atrás dela.

– Tudo bem, já entendi.

Depois de alguns segundos de silêncio, eles ouviram uma tosse de impaciência no escritório. Niels abriu a porta.

– Vocês têm um desfibrilador no teatro?

– Um desfibrilador? – repetiu o diretor de balé, erguendo os olhos.

– Isso. Vocês têm?

O diretor fez que sim com a cabeça.

– O regulamento de segurança nos impõe...

– O senhor pode pedir para alguém buscá-lo? – interrompeu-o Niels.

– O que o senhor vai fazer?

– Imediatamente, por favor.

O diretor lhe dirigiu um olhar enfurecido, suspirou e passou uma mensagem pelo celular. Niels voltou a fechar a porta.

– A partir de agora, esse caso deve ser tratado como um crime – concluiu ele.

Sommersted concordou e voltou a baixar os olhos. Niels retomou:

– Precisamos fazer tudo o que já devíamos ter feito desde a noite passada: interditar a cena do crime. Seu apartamento...

– Acho que já estão...

Niels o interrompeu:

– E a rua que ela subiu correndo. Precisamos convocar testemunhas.

Sommersted propôs em seguida:

– É preciso também reconstituir o que ela fez nas trinta e seis horas em que esteve desaparecida. Com quem ela falou? Alguém a viu?

– As câmeras de vigilância – acrescentou Niels.

– Precisamos verificar tudo. Vou chamar Leon.

Seu chefe ia voltar para procurar o celular no escritório quando Niels o deteve.

– Outra coisa. Eu não sabia que você conhecia a família de Dicte.

Sommersted se virou e encarou Niels. Pareceu que ele ia lhe dar uma bofetada. Que ia fazê-lo ser rebaixado dando-lhe pontapés no traseiro.

– O livro dourado – explicou Niels. – Vi o seu nome lá. Você esteve na casa deles quinze dias atrás.

Seu superior balançou levemente a cabeça.

– Vamos tentar não sair dos limites da nossa investigação, Bentzon.

Niels considerou Sommersted enquanto refletia sobre a investigação. Uma estrela do balé que tinham provavelmente afogado e reanimado, que depois se suicidara atirando-se do alto de uma ponte, e cuja última palavra fora "echelon". Um dirigente da polícia amigo da família. Uma família que tinha segredos. Se havia limites nesse caso, eles eram difíceis de distinguir.

– Niels – recomeçou Sommersted em voz baixa. – Vamos pensar no aqui, agora. Precisamos forçar aqueles dois bonecos ali a nos revelar tudo o que sabem. Tenho a intuição de que alguém neste teatro sabe por que Dicte foi morta. Você concorda?

– Concordo.

– Então você vai ser o quê? – indagou Sommersted, examinando Niels com ar interrogador. – O policial bonzinho ou o policial grosseirão?

– O grosseirão – respondeu Niels, abrindo a porta.

22

Bairro de Vesterbro – 12h26

As vozes se aproximavam. Ele voltou a forçar a porta. Em vão. Então fez meia-volta e se precipitou pelo corredor. Chegando à interseção, lançou rapidamente um olhar para a outra extremidade. Era arriscado, ele sabia, mas não havia alternativa. Dois policiais. Estavam parados diante de uma porta. Se pelo menos conseguisse atravessar e passar para o corredor da frente, talvez encontrasse uma saída. Isso não era absolutamente garantido, mas sempre valia mais a pena arriscar do que esperar ali. Outro olhar rápido. Eles não estavam olhando na sua direção. Ele precisaria apenas de dois segundos. Dois segundos...

De repente a luz se apagou. É agora. Ele se lançou e atravessou o corredor o mais rápido e discretamente que pôde. Chegando ao outro lado, conteve a respiração. A luz voltou. Um dos policiais havia encontrado o interruptor. Eles o teriam visto? Olhou em torno de si e viu uma janela entreaberta. No fundo de um cômodo cheio de bicicletas velhas com os pneus murchos. A porta estava aberta. Ele afastou algumas bicicletas e um carrinho de criança para abrir caminho até a janela, sem se preocupar com o barulho que fazia.

Ele se apoiou numa bicicleta que tombou, gerando um efeito dominó sobre as demais. Vozes ressoaram. Eles tinham ouvido o tumulto. Gritaram alguma coisa ininteligível. Ele escancarou a janela; o espaço correspondia exatamente à largura do seu corpo. Ruídos de passos aproximando-se aceleradamente. Ele pôs o pé no peitoril, apoiou-se nos cotovelos, ergueu-se e passou pelo vão da janela. Foi recebido pela luz do sol e por um cheiro agradável de gramado recém-podado. Enfim ele havia saído, estava do lado de fora do prédio. Meninos jogavam futebol. Um homem passeava com seu cachorro. Calma, disse para si mesmo. Era preciso resistir ao seu instinto, que lhe mandava correr. Ele precisava conservar o sangue-frio. Se começasse a correr imediatamente, sem dúvida chamaria atenção. Era melhor andar tranquilamente, afastar-se com um ar neutro, como se tivesse todo o tempo do mundo. De repente sentiu que alguma coisa picava a palma da sua mão, e então notou a seringa, que ali estava até então, bem segura. Uma gota de sangue escorreu pelo seu pulso. Ele deu uma rápida olhada para trás. Dali a alguns segundos eles surgiriam correndo pela porta do prédio.

23

Rigshospitalet – 12h55

A sessão podia recomeçar, pensou Hannah, sentando-se. Como uma juíza numa sala de tribunal. E a juíza retomou seu diálogo interior. Matar. Assassinar. Executar. Liquidar. Trucidar. Alvejar. Abater. *Abortar*. Por que tantas palavras para descrever um ato tão simples? A palavra estava com o advogado de defesa. Mas quem o advogado de defesa devia defender? A criança que ia nascer? Ou o direito de Hannah de dispor sobre a própria vida como melhor lhe aprouvesse? Não. A criança. A defesa devia ser o porta-voz da criança. Quanto ao procurador, ele representaria Hannah. Lutaria para que os seus direitos fossem respeitados. Notadamente o seu direito legítimo a uma vida pacífica.

Hannah molhou os lábios no café que fora buscar na máquina e contemplou as três mulheres que, do mesmo modo que ela, esperavam pacientemente sua senha aparecer na telinha acima do guichê. Mulheres grávidas com a barriga proeminente, a pele feia e o rosto angustiado. Por causa das dores súbitas, dos sangramentos e da ausência de sinais de vida do bebê. As muitas preocupações ligadas à gravidez não tinham feriado. Pelo contrário: eram nove meses de pesadelo ininterrupto, lembrou-se Hannah. Ela observou os maridos que se esforçavam para tranquilizá-las. Pensou em Niels. O único que sempre soubera fazê-la feliz. Que exercia ao mesmo tempo os papéis de namorado, irmão e pai. Por outras palavras: o único homem de quem ela precisava. Se pelo menos isso não tivesse acontecido, se pelo menos ela pudesse abortar e esquecer tudo... Eles poderiam partir em viagem para o sul da Inglaterra; ou para Veneza, essa cidade de que Niels tanto falava. Fazer aquilo para o que eles tinham mais talento: andar sem destino, pois já tinham atingido o seu objetivo. Tinham se encontrado. A partir de então, só lhes restava percorrer o mundo ao acaso, de mãos dadas. Ela sentia uma terrível falta dele. Do seu cheiro, do seu dorso, sobre o qual gostava de repousar a cabeça e ouvir seu coração batendo. Ela examinou a sala de espera. Reinava ali uma atmosfera opressora de felicidade e angústia – parecia que as pessoas tinham ocupado lugar na primeira fila de uma sala de espetáculos para assistir com um respeito religioso ao nascimento da vida. Aquele lugar se chamava "clínica obstétrica". Mas ela achava que "a porta da vida" seria mais apropriado. Claro, era uma questão de biologia, de cromossomos, de genes; mas não somente isso. Havia também tudo o que se podia explicar, como a consciência, a alma. Algumas pesquisas tinham demonstrado que até os fetos mais jovens sonhavam. Hannah lera isso em vários artigos. Mas com o que eles podiam sonhar? Os sonhos são gerados pelo inconsciente, dizia Freud. São a expressão dos desejos recusados pela nossa consciência. Quer dizer, então, que até mesmo os fetos com algumas semanas de vida são dotados de consciência? De alma? Que eles sonham com a sua vida passada?

Número trinta e dois. Depois das duas pacientes seguintes seria a vez dela. Flutuava no ar um cheiro de hospital. De álcool, de suor, de produtos de conservação. Hannah tentou mergulhar na leitura de uma revista. Conceder a si mesma um momento de descanso antes que se abrisse a próxima sessão desse processo imaginário que se desenrolava de modo tão realista na sua cabeça. Número trinta e três. O promotor tomou a palavra. Lembrou a doença que, qualquer que fosse o seu tratamento, a perseguiria até o fim dos seus dias. Essa doença que em certos períodos – particularmente no início da sua aventura com Niels – ela conseguira fazer recuar, a ponto de se acreditar curada. O que não passara de uma ilusão, de autopersuasão de nível elevado, ela estava agora consciente disso; ninguém lograria curá-la, sua doença era resistente a qualquer forma de tratamento médico, estava muito profundamente ancorada nela; até nos seus ossos, no seu sangue, nos seus genes, e talvez até mesmo na sua alma. E era contagiosa. Tinha sido ela que contaminara Johannes, seu filho adorado. Ela é que lhe tinha inoculado essa doença atroz que o havia levado ao suicídio. A loucura é hereditária.

Frequentemente Niels tinha tentado tranquilizá-la. "Pode ser perfeitamente que a doença tenha vindo de Gustav. Dos genes dele."

Mas ele se enganava: Gustav tivera filhos com outras mulheres, e eles eram saudáveis; haviam até mesmo realizado estudos brilhantes. Não; era ela. Era ela que tinha em si essa bactéria e agora se preparava para transmiti-la mais uma vez, para dar vida a um ser que não suportaria existir e aspiraria a apenas uma coisa:

morrer. Mas ela dava apenas a vida? Sua infelicidade não era agora por dar a morte? Assim, ela não tinha razão – ou melhor, o dever – de se proteger, de proteger a sociedade e de poupar a um pobre ser o conhecimento do inferno na terra?

Trinta e quatro. Seu número começou a piscar com um vermelho ameaçador. Uma porta se abriu e uma enfermeira surgiu. Hannah se levantou e foi encontrá-la. Elas trocaram um aperto de mãos.

– Bom dia – saudou a enfermeira num tom jovial. – Entre.

O médico era um homem mais velho, que dissimulava a parte superior do rosto atrás de um imponente par de óculos escuros e uma franja espessa. Tinha um ar grave. Sem sorrir, convidou Hannah a se sentar.

– A senhora está aqui para uma urgência? – interrogou ele.

– Estou.

– Quer abortar?

– Quero.

Ele grunhiu.

– Quem a encaminhou foi Naomi Metz?

– Isso. Ela é a minha clínica geral.

– A senhora está grávida há quantas semanas? – indagou ele pondo os óculos na escrivaninha.

– Oito ou nove. Talvez menos. Não sei exatamente.

– Ainda não fez ultrassom?

– Não.

– Não consultou um médico?

Hannah balançou a cabeça.

– De qualquer forma, a senhora vai passar por um agora.

Ele fez um sinal para a enfermeira, que foi preparar um aparelho disposto atrás de uma cortina branca.

– Sua menstruação devia ter ocorrido quando?

– Meus ciclos não são regulares.

– Mas não é a sua primeira gravidez?

– Não. Eu já tive um filho.

– E não houve complicações?

– Não.

– Foi cesariana?

– Foi.

– Por quê?

– A criança não estava na posição certa. Estava virada.

Hannah se deu conta de que murmurava. Sem dúvida porque era a verdade: a vida de Johannes já havia começado mal. Seu filho não tinha sido talhado para enfrentar a dura realidade do nosso mundo.

– É uma gravidez desejada?

Hannah deu de ombros. O que ela devia responder? Sim. E não. As duas respostas seriam corretas. Ela desejava ter um filho. Um filho normal. Um filho que não herdasse a sua doença, que tivesse uma bela vida. Um filho com Niels? Sim e não, ela não tinha certeza.

– Posso lhe perguntar por que a senhora deseja abortar? – perguntou ele.

Hannah adivinhou pelo tom da sua voz que era a defesa que a chamava a testemunhar.

– Receio lhe transmitir uma doença hereditária.

– Mas a senhora me parece ter boa saúde.

Silêncio. Eles se encararam. Ela se irritava, sentia isso.

– Preciso chamar a sua atenção para o fato de que essa intervenção não deixará de ter risco.

– Como um parto. Acho inclusive que o risco é maior no parto.

Ele ignorou esse comentário.

– E também que o aborto diminuirá as suas chances de voltar a engravidar.

– Por que eu iria querer voltar a engravidar?

– É uma obrigação minha preveni-la. É o procedimento.

A enfermeira interveio:

– A senhora também precisa saber que deverá passar pelo que chamamos de entrevista de apoio, durante a qual poderá fazer todas as perguntas que quiser. É possível marcar essa consulta para esta tarde. A senhora quer?

– Talvez – Hannah contentou-se em responder.

O médico retomou a palavra:

– Nós temos de saber precisamente há quanto tempo a senhora está grávida. Sobretudo temos de saber se não são gêmeos. O que poderia complicar a intervenção. Tendo terminado esses exames, a senhora receberá uma pílula, que deverá tomar à noite. O produto que ela contém ajudará a amolecer o colo do seu útero. Quando a senhora tomar a pílula, o aborto começará, e o processo não poderá ser interrompido. Depois, amanhã, às dez da manhã, a senhora voltará aqui, e nós procederemos à expulsão.

– Eu preciso mesmo passar por esse ultrassom?

– Precisa.

– Eu protesto.

O médico e a enfermeira olharam para ela, parecendo perplexos. Ela balançou a cabeça. Era o promotor que acabara de protestar. Um ultrassom revelaria sem dúvida o seu instinto maternal, em detrimento da sua lucidez.

– É absolutamente indispensável que a senhora faça um ultrassom, se quer abortar.

Ela não disse nada. Contentou-se em olhar para a enfermeira, que, com um belo sorriso, fez sinal para que ela se aproximasse.

– Não vai levar mais de um minuto. A senhora pode passar para o cômodo ao lado e retirar a calça e a calcinha. – A enfermeira designou uma porta. – Depois, deite-se na cama.

Ela pôs um preservativo numa sonda que besuntou com um gel.

Por um instante Hannah ficou estática na cadeira, como se não tivesse ouvido. Decididamente, era a vez da defesa. A juíza teria de se enternecer com as imagens vivas de um feto. Mesmo em preto e branco. Mesmo se a imagem fosse pouco nítida. Mesmo se fosse necessário fazer um esforço de concentração para interpretá-la. Ela não devia de modo algum deitar-se naquela cama.

– Será apenas um instante – repetiu a enfermeira. – Só precisamos ter certeza de que tudo está normal.

24

Teatro Real – 13h05

Ocorre com os crimes o mesmo que com os acidentes – a maioria acontece em casa. Mas o Teatro Real era a casa de Dicte, pensou Niels ao se sentar na cadeira vazia ao lado de Sommersted. Seguiu-se um momento de silêncio pesado. Niels não precisava de mais nada para adivinhar o mal-estar do diretor. Suas mãos não paravam de se agitar. Sommersted cruzou as pernas, como que para lhes mostrar que tinha todo o tempo do mundo. O diretor do teatro consultou o relógio do celular. O diretor de balé limpou a garganta. Seu pescoço tinha manchas vermelhas. Perfeito. Vamos deixar que eles tentem nos enrolar por algum tempo, pensou Niels. Deixemos claro para eles que nós não sairemos desta sala enquanto eles não nos tiverem dito tudo o que sabem. A temperatura na sala era de pelo menos vinte e cinco graus. Sommersted não se deixava perturbar pelo mutismo dos dois homens. Pelo contrário. Estava acostumado a interrogar suspeitos e tinha a reputação de conseguir o que queria até com os criminosos mais duros. Estava no seu hábitat.

– Onde nós paramos? – indagou Sommersted voltando-se para Niels.

Era ele que devia conduzir o interrogatório, eles tinham combinado isso. Ele era o mau, e Sommersted voaria para socorrê-lo quando eles estivessem prontos.

– Vocês já estavam sem notícias de Dicte van Hauen havia trinta e seis horas quando ela morreu. É isso mesmo? Desde o dia 11 de junho no meio da tarde?

– Trinta e seis horas?

O diretor do teatro olhou para o diretor de balé. Era evidente que ele não sabia de nada.

Frederik Have pigarreou.

– É, foi isso mesmo. Ela foi embora anteontem às 16 horas em ponto, e não se apresentou para o ensaio da noite. Não ligou para nos avisar que não viria.

– E isso era incomum – perguntou Niels.

– Isso é algo até mesmo impensável a apenas alguns dias de uma estreia – confirmou o diretor de balé. – Nós tentamos muito falar com ela. Alguém até passou várias vezes no prédio dela e tocou a campainha.

– Alguém?

– Lea. Uma das nossas bailarinas. Ela mora muito perto da casa de Dicte. Aliás, é ela que vai ficar com o papel de Giselle.

– E ela não teve resposta?

– Aparentemente Dicte não estava em casa.

– O senhor tem alguma ideia do que ela pode ter feito durante essas trinta e seis horas?

– Nenhuma.

– De alguém com quem ela poderia ter estado?

O diretor de balé balançou a cabeça.

– Ou para quem ela poderia ter ligado?

– Como já disse, nós não sabemos de nada.

Sommersted aproximou sua cadeira da mesa para alternar-se com Niels no interrogatório.

– Outra coisa: nossos peritos legistas encontraram vestígios de produtos ilícitos no sangue de Dicte van Hauen. Entre outros, os de quetamina, um anestésico usado geralmente em cavalos. Mas havia também cocaína, anfetaminas e Ritalina. Em outras palavras, estamos muito longe dos medicamentos normais, como aspirina ou pastilhas contra a tosse.

O diretor limpou a garganta e começou a examinar o diretor de balé para forçá-lo a responder. Com sucesso.

– O que é que o senhor quer que eu diga? Nós não podemos vigiar todos os nossos empregados.

– O senhor não sabia que ela se drogava?

– Isto aqui é uma grande empresa – explicou ele. – Nossa companhia conta com quase cem bailarinos de diversas nacionalidades.

Ele evitava olhar para Niels e para Sommersted.

O diretor do teatro interveio:

– Precisamos evitar tirar conclusões precipitadas.

– Como por exemplo?

Have retomou a palavra:

– O balé pode ser comparado a um esporte de alto nível. É uma atividade extremamente penosa para o corpo. Os bailarinos ensaiam dia e noite. Eu também já fui bailarino. Vamos, evidentemente, nos debruçar sobre o problema, mas eu devo ressaltar que no ano passado realizamos uma investigação destinada a verificar a extensão do uso de produtos dopantes entre nossos empregados. Vão nos entregar os resultados no outono. Também devo lembrar-lhes que a Universidade de Roskilde publicou em 2005 um relatório sobre o ambiente de trabalho nos estabelecimentos de estudos artísticos da Dinamarca, e nossa escola de balé não ficou em situação pior que a da Escola de Cinema ou a do Instituto Literário, por exemplo. Assim, é injusto afirmar que não estamos fazendo nada.

– Alguém disse isso? – retorquiu Sommersted.

– Mas será a interpretação dos jornalistas, se eles souberem que...

Enfim, o diretor do teatro reagiu e brandiu o telefone.

– Felizmente eu o pus no silencioso, pois já recebi seis ligações desde que estamos aqui. Eles estão prontos para se lançar sobre nós.

Niels concordou.

– Há também outra questão.

O diretor do teatro dirigiu um olhar angustiado para o diretor de balé.

– O coração dela – prosseguiu Niels. – Dicte van Hauen foi, muito claramente, vítima de uma parada cardíaca antes de ser reanimada.

– Reanimada? – A surpresa do diretor de balé parecia sincera. – É por isso que o senhor nos perguntou se tínhamos um desfibrilador? O senhor não acha que...

Niels o interrompeu:

– Não, eu não acho. Eu tenho certeza. Sei que ela foi reanimada apenas alguns instantes antes de se jogar do alto da ponte.

O silêncio abateu-se sobre a sala. De repente se ouviu o trânsito na Praça Kongens-Nytorv. Vozes no corredor. Passos precipitados.

– Quero ter certeza de ter entendido bem o que os senhores estão me dizendo – retomou o diretor de balé. – Ela já teria sido morta antes?

– Morta, isso mesmo.

O diretor se levantou e foi até a janela. Como se quisesse fugir da sala. Niels pigarreou e afastou a cadeira.

– Os pais de Dicte declararam que não tinham o menor contato com a filha havia quase seis meses. Assim, é natural que façamos a vocês a pergunta, e não a eles. Dicte teve uma parada cardíaca?

Dessa vez foi o diretor de balé que se levantou.

– Não aqui, pelo menos.

– O senhor pode garantir isso?

Silêncio. O diretor de balé olhou para o diretor do teatro e depois desviou os olhos. A situação estava prestes a sair de controle. Era um interrogatório. Ele balançou a cabeça.

– Evidentemente ela estava sob pressão, mas... Não. Eu nunca ouvi falar em parada cardíaca.

Niels deixou que o silêncio fizesse o trabalho para ele. O diretor de balé prosseguiu:

– Escute. Sim. O trabalho de bailarina é extremamente árduo. Sobretudo aqui, no Teatro Real. É preciso dar o melhor de si diariamente, mas nós não somos animais, somos seres humanos. Se alguém sofre uma parada cardíaca...

Ele balançou a cabeça.

Sommersted abriu a boca pela primeira vez depois de longos minutos.

– O que acontece? Se alguém sofre uma parada cardíaca, o que é que o senhor faz?

Quem respondeu foi o diretor do teatro. De superior para superior.

– Nesse caso, o procedimento é igual ao que se adota em todo o país, naturalmente, e nós fazemos até mais. Os médicos do teatro intervêm cotidianamente. Verificam a pressão, o pulso; fazem massagens, tomam conta. Assim, se o senhor acha que...

– Nós não achamos absolutamente nada – retificou Sommersted em tom calmo. – Nós nos esforçamos simplesmente para compreender por que uma primeira bailarina de renome internacional, bonita e saudável, se jogou nua da Ponte de Dybbølsbro em plena noite.

O diretor do Teatro Real meneou a cabeça e fez um leve movimento de recuo. Não queria se envolver naquele caso. Seu telefone vibrou. Ele dirigiu um olhar interrogador a Sommersted, que aquiesceu. A troca foi breve.

– Tudo bem. Obrigado.

Foram as únicas palavras que o diretor do teatro pronunciou antes de desligar e se voltar de novo para Niels e Sommersted.

– O senhor quer ver o desfibrilador?

– Quero – confirmou Niels.

– Disseram que um dos dois aparelhos que temos desapareceu. Claro, é possível que tenha sido colocado em outro lugar.

– De qualquer forma, o senhor admite que é uma grande coincidência – disse Niels levantando-se.

Dessa vez a relação estava estabelecida. A relação entre o Teatro Real e a morte de Dicte van Hauen. Quisessem ou não, o diretor do teatro e o diretor de balé seriam implicados, sua responsabilidade, total ou parcial, seria apurada. E a julgar pelo pânico que havia no olhar dos dois, eles já estavam cientes disso.

25

Rigshospitalet – 13h15

O promotor ia perder a causa. Era inevitável. Hannah soube disso desde o instante em que se deitou na cama.

Ao sentir as mãos da enfermeira apalparem seu ventre, Hannah teve a resposta para uma pergunta que a assombrava havia um mês: era o contato de Niels que a repugnava. Claro que era ele. Seus beijos, suas carícias, a menor relação física. Mais de uma vez ela quase havia batido nele quando ele surgira de repente por trás dela para beijá-la no pescoço; ou para tocar seu ventre, seus braços ou seus seios. Me deixa em paz, idiota!, ela quis gritar. Mas controlou-se. Havia engolido a repulsa que sentia.

– Ali. A senhora pode ver o embrião.

O médico dirigia-se a ela sem olhá-la. Hannah observou a luz vacilante na tela.

– E aqui a senhora pode ver o coração batendo.

– Essa luzinha intermitente?

Hannah sentiu os olhos se encherem de lágrimas.

– Isso, são os batimentos do coração. – A enfermeira sorriu. – Vamos medir o embrião – explicou ela. – Assim podemos saber precisamente em que semana a senhora está.

Hannah não a ouvia. Toda a sua atenção estava concentrada na tela.

– Oito semanas e dois dias – disse o médico. – A senhora está grávida há oito semanas e dois dias. Isso significa que, se a senhora quer abortar por medicamento, precisa tomar a pílula amanhã à noite no máximo. Depois disso será preciso cogitar uma intervenção cirúrgica.

A enfermeira cutucou o braço do médico e apontou para a tela. Aparentemente não queria que Hannah visse. Ele ajeitou os óculos e estreitou os olhos para olhar para a tela.

A enfermeira apontou novamente.

– Ah, sim – disse o médico, fazendo uma anotação.

Hannah examinou a tela. Quando o médico se dirigiu a ela, ela já havia visto o segundo ponto que piscava. A defesa acabara de dar um grande golpe.

26

Teatro Real – 13h17

Niels tinha se levantado para andar um pouco enquanto o diretor de balé falava sobre o médico do teatro, numa desesperada tentativa de jogar sobre outro a responsabilidade pelo estado físico dos seus bailarinos.

Niels retomou a palavra:

– Esse senhor. Ele pode ser chamado aqui?

– Essa senhora – retificou o diretor do balé. – Ela se chama Caroline Christensen.

– Ela está de férias, acho – interveio o diretor do teatro.

– De férias? Como isso se encaixa bem! Desde quando ela está de férias? – indagou Sommersted.

– Vamos tentar fazer com que o senhor possa falar com ela hoje. Pelo menos por telefone.

Niels encadeou sem deixar tempo para os dois homens se esconderem mais uma vez atrás de considerações de ordem técnica, um médico, férias ou um número de telefone:

– Dicte tinha uma cicatriz na têmpora. Os senhores sabem como foi que ela ganhou essa cicatriz?

Ninguém respondeu.

– Houve algum acidente com ela? – prosseguiu Niels. – Na infância. Imagino que ela tenha passado aqui uma boa parte da vida.

– Não sei do que o senhor está falando – replicou Frederik Have. – Isso não me diz nada.

– E como era o humor dela? Tinha altos e baixos?

O diretor de balé ergueu os ombros. Estava ansioso para que a conversa terminasse.

– Ela era instável? – insistiu Niels. – Deprimida? Inquieta? Tinha inimigos?

Silêncio. O diretor de balé refletiu um instante e então exclamou:

– Sim. Ela era instável, angustiada, histérica, caprichosa, corajosa. Como a maioria das nossas bailarinas. – Ele se inclinou levemente para a frente. – Escute: esse pessoal vive junto desde os seis, oito anos. Todos os dias, da manhã até a noite. Praticam juntos, transpiram juntos, choram juntos, farreiam juntos, dormem juntos – explicou ele com voz estridente.

Finalmente! Chegamos ao ponto, pensou Niels.

– Dia após dia eles brigam para ser os melhores. Para ultrapassar os outros. Sem medir esforços. E durante todos esses anos eles quase não conhecem outras pessoas. Isto aqui é como um internato que dura vinte, vinte e cinco anos. Eles renunciam à vida social. O senhor pode comparar isto com um convento. Belos jovens que viveram juntos todas as situações imagináveis, que tiveram aventuras uns com os outros, que... – Ele fez uma pausa para recuperar o fôlego. – Então, sim, Dicte tinha inimigos. Ela era uma das melhores. E tinha seus invejosos. Evidentemente. Aqui a inveja não é obrigatoriamente uma coisa ruim. Pelo contrário. Talvez seja justamente o que os incita a se superarem permanentemente.

Sommersted sorriu e cruzou as mãos. Silêncio. O diretor de balé dirigiu um olhar embaraçado ao diretor do teatro, que desviou os olhos. A imagem que ele acabara de dar do Balé Real era a de uma seita terrível que talvez tivesse empurrado um dos seus membros ao suicídio.

– Ela comentou que se sentia perseguida?

– Nunca – respondeu o diretor de balé.

– A palavra "echelon" lhe diz alguma coisa? – encadeou imediatamente Niels.

– Echelon?

– Isso. Foi a última palavra que ela disse antes de morrer.

O diretor de balé deu de ombros e olhou para o seu superior. Sommersted percebeu, antes que eles tivessem tempo de se entender sobre o fato, que os dois não sabiam de absolutamente nada.

– Ela tinha ideias suicidas?

– Não, isso é impensável – declarou Have.

– Por que é impensável?

– Bem, eu a conhecia perfeitamente.

– O senhor diz que a conhecia perfeitamente, mas ignora que ela tinha uma cicatriz na têmpora. E no entanto ela não era discreta – retorquiu Niels. – E aliás, o senhor não sabe nada sobre a sua vida particular.

O diretor de balé limpou a garganta.

– Ela sempre sonhou em ter o papel de Giselle. Quando eu penso em Dicte, as primeiras palavras que me vêm à cabeça para descrevê-la são "séria" e "profissional". Acho que não ofende ninguém afirmar que ela estava entre os três melhores membros da nossa companhia. E entre os dez melhores da Europa. Tinha convites para ir para Nova York e para o Bolchói. – Ele afastou as mãos. – Profissionalmente, ela tinha realizado o sonho de milhões de moças do mundo. E ainda não tinha chegado ao ponto alto da sua ascensão. O mundo estava aos seus pés. Por que ela teria vontade de se suicidar?

– A vida não é apenas a carreira – observou Niels.

– Para uma estrela do balé, sim.

– O problema não será exatamente esse?

Niels olhou-o bem nos olhos.

– Agora terminamos? Eu tenho uma estreia na quarta-feira.

– As iniciais NMSB lembram alguma coisa para vocês?

Os dois dirigentes do teatro trocaram um olhar.

– NMSB – repetiu Niels. – Ela tinha um encontro marcado para hoje. Às 16 horas.

– Não, isso não me diz nada. Mas 16 horas é possível. Nessa hora estamos em intervalo de atividades – respondeu o diretor de balé.

Niels fez uma última tentativa.

– NMSB. Pode ser um nome? De um fisioterapeuta? De um médico? De um namorado? De um colega? De um lugar?

Sommersted limpou a voz.

– Nós vamos fazer o seguinte: Niels vai ficar alguns dias aqui. – Ele se voltou para o seu subordinado. – Bentzon tem talento para falar com as pessoas. Até mesmo com estrelas do balé.

Um sorriso raro passou pelos seus lábios.

O diretor de balé interveio:

– Isso é mesmo necessário?

O diretor do teatro não parecia tampouco encantado com a perspectiva.

– Isso não é um pouco exagerado? Nós acabamos de lhes explicar que Dicte tinham um comportamento absolutamente normal.

– Normal? – protestou Niels elevando a voz. – Ignoro qual possa ser a sua definição de normalidade, mas, se o senhor acha normal suas bailarinas desaparecerem, serem mortas e reanimadas, talvez até com a ajuda do desfibrilador do seu próprio teatro, depois levadas ao suicídio, então eu tenho muita sorte de não trabalhar aqui.

Silêncio.

– Evidentemente, haveria outra solução – propôs Sommersted, examinando Flint bem nos olhos.

– Qual?

Niels notou uma ponta de esperança na voz do diretor.

– A outra solução seria todos os empregados do Teatro Real se deslocarem até a chefatura da polícia para serem ouvidos lá. Um depois do outro. Bailarinos, cozinheiros, comediantes, faxineiras, diretor de balé, diretor do teatro.

Isso foi uma ducha de água fria.

Com isso Sommersted se levantou, pôs no antebraço o seu blusão azul e se dirigiu para a saída. Quando ia transpor a porta, ele se voltou:

– Sugiro que o senhor comece a reunir seu pessoal para que Bentzon possa se apresentar.

27

Hospital de Bispebjerg, Serviço de Psicopedagogia – 13h20

Como o Culpado pode ter escapado à polícia durante todos esses anos? Eu já quase nem me faço mais essa pergunta. Ela me faz sofrer muito. No entanto, o que não faltava eram indícios. Eles tinham as suas impressões digitais, o seu esperma, o seu DNA. Além da minha descrição incompleta, eles tinham até o testemunho de um vizinho, que o viu deixar nossa casa e entrar no carro antes de sair com os pneus cantando. Isso não era suficiente? Aliás, alguns meses mais tarde eu não deixei de lhes dizer o que achava. Tratei-os como idiotas. Censurei-os por não concederem tempo suficiente para a investigação, mas no fundo eu sabia que estava errada. Os policiais fizeram o melhor que puderam, isso era evidente. Tinham seguido todas as pistas possíveis sem jamais chegar a pôr as mãos nele. O que é raro. Os casos de morte acabam por ser elucidados, na sua maioria. Na época eu conhecia as estatísticas. Agora isso não acontece mais. Para mim, elas perderam todo sentido no dia em que tomei consciência de que a investigação sobre a morte da minha mãe chegara a um impasse.

Estou novamente sentada no parque. O calor é quase insuportável. Uma adolescente acabou de vomitar atrás de uma árvore. Alguns meninos jogam futebol. Eles dispuseram no gramado roupas enroladas para delimitar os gols. Um deles grita que é Messi. Eu não sei quem é Messi. Já não conheço ninguém. Ignoro até mesmo quem sou eu. Às vezes me levanto no meio da noite e me olho no espelho. No escuro. E me pergunto: quem é você, Silke? Mas minha pergunta fica sem resposta. Aproximo o rosto quase até encostá-lo no espelho e me olho bem nos olhos, mas toda vez tenho a impressão de estar diante de uma estranha, e fico aterrorizada. Talvez seja porque eu não falo. O silêncio cria novas vozes na minha cabeça. Porque eu nunca deixo nenhuma delas sair.

– Você se lembrou de passar o filtro solar, Silke? – pergunta uma enfermeira aproximando-se de mim. – Talvez fosse melhor ir para a sombra.

Ela se senta ao meu lado no banco. Fala como se me conhecesse desde sempre.

– Como é que você faz para suportar esse calor? – ela me pergunta com um sorriso nos lábios. – Estamos perto de vinte e cinco graus.

Ela é nova. Jovem e dedicada. Gosto muito dela. Gosto sobretudo dos seus olhos quando ela me olha, sem o menor sinal de compaixão. É a pior coisa que podem fazer comigo: olhar para mim como se sentissem pena. Claro, eu sei que eles não pensam isso. Quer dizer, pensam sim. Talvez tenham pena de mim porque eu perdi minha mãe em condições dramáticas. Mas agora isso é passado, e já é hora de eu mudar de assunto. Sim, é isso que eles pensam, o que me convém perfeitamente.

– Você me deixa pegar um pouco a sua mão, Silke? – pergunta a enfermeira.

Ela pega a minha mão. Só por um instante (faz muito calor para ficar de mãos dadas), mas o suficiente para que as lágrimas assomem aos meus olhos. Não posso fazer nada contra isso. Quando alguém se aproxima demais eu começo a chorar.

– O policial acabou de ligar – diz ela. – Você quer mesmo que ele venha aqui para vê-la?

Eu gostaria também que ela fosse embora. Porque a imagem começa lentamente a se formar no meu cérebro. Como acontece quase todo dia nessa mesma hora, sem que nada do que eu faça para evitá-la tenha alguma eficácia. Imagino às vezes que se deve sentir a mesma coisa quando se sofre de zumbido grave nos ouvidos. Com a diferença de que no meu caso não se trata de um barulho nos ouvidos, e sim de uma imagem no meu cérebro. Uma imagem que se recusa obstinadamente a desaparecer. Zumbido visual. Foi assim que eu batizei esse fenômeno. Um processo que dura horas e durante o qual tudo o que me cerca se dissipa pouco a pouco diante da imagem da minha mãe estendida no chão da cozinha. Morta. Seu rosto. Seu olhar fixo, surpreso, que parece perguntar: por que eu? Por que ele precisou me matar? Sua pele sedosa e pálida. Seu sangue, que desenha uma espécie de auréola em torno da sua cabeça.

– Tudo bem, Silke. Vou ligar para o moço. Para lhe dizer que ele pode vir falar com você. Você não acha que seria melhor entrar um pouco e ficar na sombra?

28

Teatro Real – 13h35

– Bom, enfim... Eles estão todos se reunindo no salão.

Ida dirigiu a Niels um olhar de censura.

– Um minuto só. Quero dar uma olhada no quarto de Dicte.

– Você quer dizer no camarim dela?

– Só dez minutos.

Eles atravessaram o corredor com passo ligeiro, seguidos de longe por Sommersted, em plena discussão com o diretor do teatro.

– Mantenha-me informado, Bentzon – gritou ele com a mímica de uma ligação telefônica antes de entrar em outro corredor.

– É por aqui.

Ida olhou para o relógio e apressou o passo. Não precisou lhe indicar onde era o camarim de Dicte. Niels teve a impressão de que chegava ao local de um acidente de trânsito que teria ocorrido alguns dias antes. Flores e mensagens de despedida se acumulavam diante da sua porta, e uma jovem com os olhos vermelhos estava depositando um buquê.

– Todos os bailarinos têm direito a um camarim particular? – indagou Niels.

– Apenas os solistas. E os convidados.

– Os convidados?

– Os que vêm do exterior. Vêm para uma apresentação e então voltam para casa.

– E os outros? São empregados em tempo integral?

– São, claro. Do contrário não seria um corpo de baile – retorquiu ela, parecendo indignada, como se Niels tivesse intenção de desligá-la do Teatro Real.

"Nós a amamos" e "A uma amiga formidável. Vá em paz". Niels precisou passar por cima das mensagens e dos buquês para chegar à porta.

– Seria bom nos apressarmos – disse Ida, nervosa, abrindo a porta. – Estão nos esperando.

– Quero ficar sozinho aqui por cinco minutos – disse-lhe Niels.

Ele entrou e puxou atrás de si a porta, que não se fechou corretamente. Levantou então a maçaneta. Dessa vez houve um clique. Esquisito. Niels observou riscos ínfimos na pintura. Ao redor da fechadura. Sinais de chave de fenda? De faca? No chão ele viu três farpinhas de madeira que sem dúvida eram do batente. A porta havia sido forçada. E há pouco tempo. Uma hora. Talvez até menos.

Niels se encostou na porta. Um velho costume. Para ter uma primeira impressão. Uma cama, uma escrivaninha, um espelho, um armário, um painel de avisos. Chamavam o cômodo de camarim, mas aquela sala era bem mais que isso. Um vestiário, uma sala de repouso, um escritório – tudo privado. Sim, era realmente um lugar privado.

– Eles vão vir chamar você. Estão todos lá, à nossa espera – gritou Ida do corredor.

– Desça e diga a eles que eu estou chegando dentro de dois minutos. Eu encontro o caminho, não se preocupe.

– O quê?

– Eu disse que encontro o caminho.

Ele a ouviu suspirar de desespero e durante um instante teve pena dela. Não devia ser fácil trabalhar todo dia sob as ordens do diretor de balé.

Alguém veio aqui recuperar alguma coisa. Vejamos: o que está faltando?

Ele examinou as paredes. Estavam recobertas de fotos de balés. *O lago dos cisnes, Les sylphides, A sagração da primavera*. Era evidente que Dicte havia conhecido imensos triunfos. Ele se aproximou do painel de avisos. Recortes de jornais. "A alta classe", proclamava um título. "A magia de Dicte van Hauen", dizia outro. Cartões-postais. Fotos entre amigos. Nenhuma da sua família. Uma citação de Tchékhov, seguida de um *emoticon* e emoldurada em vidro: "Não sou absolutamente versado em balé. Tudo o que eu sei é que durante as pausas as bailarinas transpiram tanto quanto cavalos". A mesma moça aparecia em várias fotos. Bela, com longos cabelos escuros. Numa delas dançava com Dicte. Em outra, posava com ela diante da Ópera de Sydney. Nos lábios de ambas, um largo sorriso. Ele examinou as gavetas da escrivaninha. Tudo estava em ordem; elas não tinham sido reviradas.

O intruso sabia precisamente por que viera aqui. Ele ou ela não precisou procurar.

Seu olhar se dirigiu para o armário. Sapatilhas. Centenas delas, cuidadosamente guardadas em sacos plásticos. Uma parte fechada. A porta rangeu quando Niels a abriu. Tutus. Talvez uns vinte modelos diferentes. Alguns idênticos. Um espelho. Maquiagem, todo tipo de analgésicos, óleo de cânfora, mais comprimidos. Aspirina, ibuprofeno, paracetamol.

Por que alguém arrombou o camarim dela para entrar? O que foi que desapareceu?

Ele verificou no painel, deslizou os dedos pelo aço frio, deu batidinhas na parede. Uma cavidade, talvez? A escrivaninha recebeu o mesmo tratamento. Gavetas secretas? Não encontrou nada. Em seguida ele inspecionou o chão. Ficou de gatinhas. O piso era antigo. Haveria tacos soltos? Ele se pôs de costas e deslizou para baixo da escrivaninha. Por baixo do tampo? Nada de particular. Então ele voltou para o painel de avisos. Examinou minuciosamente as fotos, virou-as. Nada. Atrás do painel? Ele o ergueu. Nada, mais uma vez. Os frascos com comprimidos. Ele os abriu um após o outro. Haveria ali outra coisa além de medicamentos? Mensagens?

– Precisamos ir, Niels.

Ida havia voltado. Pela primeira vez sua voz mostrava uma certa irritação.

– Estou indo.

Niels se encostou de novo na porta e examinou pela última vez a sala.

É a sua última chance. O que está faltando?

– Estou esperando no corredor.

O que foi que levaram daqui?

O espelho. Ele se sentou na cadeira e observou o seu reflexo. Era ali que ela se sentava todo dia para contemplar o seu rosto, pensou ele.

Eu pulo com você.

A superfície do vidro estava coberta de uma camada fina de poeira. Com exceção de um lugar. No canto inferior, à direita, um retângulo fora preservado.

Ele se levantou.

– Frederik acabou de ligar. Está à sua espera.

Ela se inquietava. Respeitava muito mais o diretor de balé que a polícia.

Niels não respondeu. Olhou o espelho e a fina camada de poeira que o recobria todo, fora o pequeno retângulo no canto inferior.

– Você me ouviu? Estão à sua espera.

Que esperem, pensou Niels. Eles precisam entender que há coisas mais importantes que a estreia da quarta-feira. Que as provas das roupas, as fotos para a imprensa e o ensaio da noite.

– Você está ouvindo? Estão todos lá embaixo, na sala...

Com a ponta do dedo indicador, Niels seguiu os contornos do objeto retirado. Quatro cantos. Ele abriu uma caixa metálica que chamava a atenção na escrivaninha. Seria de prata? De qualquer forma, era um objeto fino, levemente brilhante, como a lua atrás de um véu de nuvem. Pó. Pó branco. Era ali que Dicte se maquiava antes da subida da cortina. O simples fato de abrir a caixa havia projetado finas partículas no ar. Niels as observou cair na sua mão, na escrivaninha, no espelho. A zona retangular que até então tinha sido poupada pela poeira foi coberta. Os flocos minúsculos aderiram ao vidro. Isso significava que o objeto que se encontrava diante do espelho fora levado havia muito pouco tempo. Mas o que seria?

– Isso não pode ser deixado para mais tarde? – Ida lhe dirigiu um olhar de súplica. – Eles não param de ligar para mim.

– O serviço de relações públicas não pode ajudar?

– Se é com o Kresten que você tem intenção de falar, já aviso que ele está muito nervoso.

– Mais um instantinho.

– Não. Você não pode fazer isso. Frederik vai ficar louco de raiva.

Niels percebia o quanto ela sofria, visivelmente aterrorizada. Estava acostumada a ouvir censuras o dia todo, a ser lembrada de que aquele era o Teatro Real, o alto da pirâmide, a ser advertida de que nunca chegaria mais alto e não teria direito a uma segunda chance.

Niels ficou estático. Ida ainda andou alguns metros, e então percebeu que ele não a seguia.

– Vamos!

– Ida? Venha aqui.

– Não. Que...

– Eu lhe pedi para vir.

Contrariada, ela se aproximou de Niels. Ele tirou lentamente a sua pistola. Já fazia muito tempo que ele não a retirava do coldre.

– Você sabe o que é isto?

– Um revólver.

Niels reprimiu um sorriso. O momento não era para brincadeiras. Agora era preciso se fazer respeitar.

– É uma pistola. Carregada. Ao contrário das que vocês usam aqui. E você sabe por quê?

– Não.

– Eu tenho direito de atirar em qualquer um que tente fugir de mim. Quando eu grito "Pare", é preciso parar. Porque senão eu atiro. Você entende o que eu estou dizendo?

– Não.

Ela o olhava com uma expressão nervosa e irritada.

– Isso significa que você precisa me obedecer, porque do contrário eu vou até a minha viatura, pego as algemas, prendo com elas os seus pulsos, levo você para o posto policial e a jogo numa cela.

Por um instante ela contemplou Niels sorrindo. Ele está brincando? Depois seu sorriso desapareceu. Ela baixou os olhos.

– Perdão.

– A partir de agora você faz o que eu digo. Deixe o Frederik esperar. Eu assumo a responsabilidade. Tudo bem?

– Tudo bem.

Com isso, ela voltou a andar. Eles foram até o fim do corredor e desceram uma escada. Depois ela parou diante de uma porta e entrou numa sala onde um homem falava ao telefone. Ele tinha um crachá onde se lia "Kresten".

– Não, nós não temos fotos da infância dela – disse ele furioso. – E mesmo se tivéssemos, não as daríamos ao senhor. – Ele desligou, bufou como um touro colérico e ergueu os olhos para Ida. – Esses jornalistas infernais! Vão mergulhar nessa história. A vida de Dicte vai passar a ser o grande assunto dos jornais. E você imagina sob que ângulo eles vão apresentar o caso? A princesinha inocente a serviço do grande e cruel Teatro Real, maltratada a ponto de perder o gosto pela vida. Por outras palavras, eles vão dar a entender que quem a matou fomos nós.

– Kresten.

– O que mais, Ida?

Ida se voltou para Niels.

– Niels Bentzon, da polícia criminal.

– Ah, claro; estamos um tanto assoberbados neste momento, o senhor pode ver – replicou ele, tão pouco impressionado quanto Ida antes de Niels lhe brandir a ameaça das algemas e de uma estada numa cela cheirando a suor e vômito.

Niels sentou-se na beirada da mesa e olhou-o nos olhos.

– Mas, naturalmente, nós temos o dever de ajudar a polícia – acrescentou Kresten. – O que é que nós podemos fazer pelo senhor?

Niels não respondeu imediatamente. Calmo, ele observou as outras pessoas presentes na sala. Os telefones foram desligados, uma jovem se endireitou e fechou o seu MacBook. O silêncio se instalou pouco a pouco no serviço de relações públicas do Teatro Real.

– Eu me chamo Niels Bentzon. Sou da polícia criminal de Copenhague. Nos próximos dias, talvez nas próximas semanas, os senhores terão de colaborar conosco. Têm de fazer tudo o que eu pedir sem protestar. Estão de acordo?

O telefone de Ida não parava de tocar.

Ouviram-se no fundo da sala tímidos "sim".

– Os senhores guardam documentos que têm um valor inestimável e que serão muito úteis na nossa investigação. Para começar, vou precisar de uma foto do camarim de Dicte van Hauen.

Silêncio.

– Agora vocês podem falar – Niels informou.

Kresten tomou a palavra:

– Que tipo de foto? Uma em que Dicte aparece?

– Isso não tem importância. Recente, de preferência.

– A maioria das nossas fotos de imprensa foi feita no palco, durante algum espetáculo, ou na sala de ensaio.

– O senhor pode verificar?

Kresten se virou para um jovem cuja escrivaninha ficava perto da entrada. É o Casper deles, pensou Niels. Um tipo que cresceu com computadores e para quem a informática não tem nenhum segredo.

– Você pode ver se nós temos isso, Jan? – perguntou Kresten.

Jan clicou com a ajuda do seu *mouse* e abriu uma pasta com fotos de imprensa da trupe. O telefone de Ida tocou novamente. Niels a ouviu murmurar:

– Sim, já vamos. Dois segundos.

Fotos de Dicte em cena começaram a desfilar. Niels a viu suspensa no ar, alguns centímetros acima das mãos de um bailarino, com os olhos fechados. Ele se lembrou da noite anterior, dos seus músculos tensos, dos tendões salientes, de todo o seu corpo determinado a dar o salto da morte. Com elegância. Sem temor.

– Não, sinto muito.

– Tem certeza? E fotos particulares?

– Não temos.

– E os colegas dela?

– Não sei. Seria preciso perguntar para eles – respondeu Jan antes de reconsiderar. – Mas posso me encarregar disso, se o senhor preferir.

– Talvez um dos seus colegas tenha sido fotografado no camarim dela? – sugeriu Niels. – Uma das suas amigas? Ela devia ter algumas amigas próximas.

– Tente Erika Scherling – propôs Ida, atrás deles.

Alguns cliques. Fotos de uma bela russa apareceram na tela: no palco, em vários papéis prestigiosos, nos braços do diretor de balé, na coxia. E enfim...

– Pronto. No camarim da Dicte. Esta serve? – Jan apontou com o dedo a imagem. – Foi tirada há uma semana. Na noite em que a Erika comemorava seu aniversário. De qualquer forma, não vamos poder utilizá-la. Todas as bailarinas estão bebendo.

Niels examinou a foto. Dicte estava sentada na beirada da cama, com uma taça de vinho na mão, enquanto Erika, com um cigarro na boca, olhava pela janela. Elas brilhavam de suor. Mas o que chamou a atenção de Niels não foi isso, mas sim o espelho no segundo plano. E em particular o objeto retangular que estava no ângulo inferior.

Um cartão-postal.

– Dá para ampliar a foto? Eu preciso ver o cartão-postal.

Alguns segundos de silêncio. Niels sentiu Ida se aproximar com passos miúdos. Jan fez um *zoom*.

– Mais que isso não dá, lamento.

Niels olhou fixamente para a foto. A imagem do cartão-postal era indistinta. Só se viam cores. Branco e azul-claro.

– Talvez o fotógrafo tenha guardado os RAW – observou Jan.

– E o que vem a ser isso?

– O formato original. Nós só temos os JPEG.

– E qual é a diferença?

Jan encarou Niels. Parecia se perguntar se Niels estaria zombando dele.

– Significa que a imagem é mais detalhada – acrescentou Ida.

– Nesse caso, entre em contato com o fotógrafo. Diga a ele que eu preciso dessa foto em...

– Em formato RAW – completou Jan.

Niels procurou o número de Casper na agenda do seu celular e ligou.

– Agora podemos ir? – indagou Ida.

Niels ignorou a pergunta.

– Casper? Preciso de você. Quero que você ajude um rapaz chamado Jan a ampliar uma foto. É um trabalho da maior importância. Vou passar para ele.

Ele estendeu o telefone para o jovem.

Ida disse alguma coisa sobre o diretor de balé, e Jan explicou a Casper qual era o assunto, mas Niels só ouvia a sua voz interior: por que um cartão-postal? O que ele poderia conter? Um bom-dia de férias? O combinar de um encontro? Uma prova?

29

Bairro de Østerbro – 13h45

Hannah via imagens em dobro. Via tudo duplicado. Duas calçadas. Dois namorados. Um par de sapatos. Um par de calças. Dois seres no seu ventre. *Um duplo assassinato.* Um crime que, em qualquer civilização, lhe teria valido pelo menos a pena de prisão perpétua, a exclusão da sociedade, apontada e desprezada até o fim dos seus dias. Mas a juíza, ela, o que diria?

Hannah se deu conta de que tinha parado o carro. No entanto, não havia chegado em casa. Talvez tivesse estacionado só para fumar um cigarro? Ela deveria voltar logo ao hospital para a entrevista de apoio. Por que a tinha aceitado? E onde estava agora? Ela ergueu os olhos. Centro de Geogenética, um departamento do Instituto de Biologia da Universidade de Copenhague. O que é que eu estou fazendo aqui?, perguntou-se ela, observando os tapumes que encobriam grande parte da fachada. "Fachada." Ela passou um minuto fazendo associações com essa palavra. Algo que dissimule a realidade. A realidade era que ela planejava cometer um duplo assassinato. Não, não era um discurso digno daqueles evangélicos americanos, aqueles ferozes adversários do aborto, que os europeus não conseguem entender. O aborto não é um assassinato. Por que ela não voltava diretamente para casa e ia descansar? Estava esgotada de tanto refletir. E sem dormir há muito tempo. Precisava se dominar. Ela saiu do carro e logo foi cegada pela claridade do sol. Experimentou uma sensação agradável de irrealidade. Como se tivesse diante de si uma miragem. Parecia-lhe irreal estar ali. Assim como lhe parecia irreal que dois coraçõezinhos batessem no seu ventre. E essa sensação de irrealidade a revigorou. Foi o que lhe deu forças para entrar no prédio, subir a escada e bater na porta. Ela já tinha ido ali duas ou três vezes com Gustav, seu ex-marido tão odioso quanto genial, que, como a maioria dos pesquisadores, não poupava elogios para o jovem especialista em DNA que acabara de surgir de repente no alto dos degraus. Pareceu-lhe ligeiramente mais descuidado que na sua memória. Tinha os olhos injetados, roupas sujas e recendia a álcool.

– Eskild?

O homem se imobilizou e a encarou. Não pareceu reconhecê-la. Hannah começou a dizer a si mesma que talvez fosse melhor se ele a tivesse esquecido – talvez ela pudesse se confidenciar mais facilmente com ele –, mas então ele exclamou:

– Hannah Lund! Eu não a reconheci, veja só. Como é que vai o Gustav? – Ele lhe apertou a mão. – Continua em Vancouver?

– Em Toronto. Você tem um minuto?

– Claro. Mas já vou lhe avisando, minha casa parece um bordel. – Ele abriu a porta da sua sala. – Comemoramos o Natal ontem, sabe, e a noite terminou no meu escritório. – Ele riu. Um riso seco e carregado de álcool. – É uma velha tradição aqui. Comemorar o Natal em junho. A data convém melhor ao nosso calendário.

Dizer que a sala dele parecia um bordel era um eufemismo. Fora o computador e as estantes cheias de livros e pastas, o que o cômodo parecia era uma taberna. Garrafas de vinho pela metade estavam sobre a escrivaninha ao lado de canecas de cerveja e cinzeiros entulhados. Um cheiro de fumaça de cigarro pairava no ar.

– O cheiro está ruim, hein? – Ele foi abrir uma janela. – Venha, sente-se aqui.

Ele lhe apontou um sofá onde estava estendido um saco de dormir. Hannah o afastou e se instalou. Observou-o enquanto ele começava a livrar a escrivaninha dos cadáveres de garrafas.

– Eu soube que você tinha voltado para o Instituto Niels Bohr.

Ela sorriu e deu de ombros.

Ele se sentou diante dela. Seu rosto a fez pensar em Knud Rasmussen. A pele de um homem da natureza, o olhar de um homem da ciência.

– Poderíamos começar uma colaboração – disse ela. – Entre o seu campo de pesquisas e o meu.

– Entre o DNA e as estrelas? – A ideia o fez sorrir. – Foi por isso que você veio?

– Eu estava passando por perto – esquivou-se ela virando a cabeça para a janela.

– Você me pergunta de onde nós viemos e para onde vamos? Tanto o Universo quanto a humanidade?

– Exatamente – aprovou ela vendo que a mentirinha com que se apresentara não a ajudara em nada a abordar o verdadeiro assunto que a levava ali.

– O que você tem em mente é uma cooperação científica ou uma manifestação do tipo Noite da Cultura?

– As duas coisas, talvez. De onde viemos? Para onde vamos?

Eskild observou Hannah com um ar inquieto, mas ainda assim entrou no jogo dela, evocando os primeiros *Homo sapiens*:

– Nós realizamos enormes progressos na decodificação do nosso material genético. Agora estamos em condição de responder a perguntas do tipo: como o homem evoluiu? Todos nós pertencemos à mesma raça ou há entre nós mais diferenças do que acreditamos? Mas foi sobretudo a nossa visão da expansão da humanidade desde a África equatorial que evoluiu. Onde nós estávamos nessa época? Esse tipo de coisa. Parece que a nossa espécie sempre esteve ativa no plano sexual. Os primeiros *Homo sapiens* estavam o tempo todo copulando com os neandertalenses.

Hannah não fez nenhum comentário.

– Você sabia que provavelmente já havia populações de origem europeia presentes na América do Norte quando chegaram os índios? Mas ninguém fala nisso, principalmente os descendentes dos ameríndios, que justamente construíram a sua identidade sobre o fato de que lhes tiraram as suas terras.

– Eu diria que é um tema delicado.

– Eu não me tornei pesquisador para granjear amigos ou para aumentar o repertório do politicamente correto.

Hannah percebeu que essa conversa nunca lhe daria a oportunidade de abordar o tema que a preocupava.

– Eu gostaria de ter a sua opinião sobre um assunto bem diferente – confessou ela.

– Sou todo ouvidos.

Ela limpou a garganta. Dessa vez cabia ao promotor chamar uma testemunha para depor. Um dos maiores especialistas do país nos campos da hereditariedade, do DNA, da transmissão de doenças.

– Eu tenho uma amiga que quer abortar porque receia pôr no mundo uma criança anormal. Há doentes mentais na sua família, entende?

Eskild limitou-se a concordar. Hannah prosseguiu:

– Ela tem medo de que a criança herde essa doença.

– De que doença se trata? Esquizofrenia?

– Exatamente. Ela acha que é hereditária. O temor dela tem fundamento?

– Os fatores hereditários têm um papel importante na transmissão dos problemas mentais. Já sabemos disso há muito tempo. Várias décadas atrás alguns pesquisadores tentaram descobrir o que chamavam de "a lagarta da esquizofrenia". Hoje se sabe que a coisa é mais complexa. Estão em ação muitos fatores. Ela depende entre outras coisas da capacidade do cérebro de garantir o equilíbrio entre os principais neurotransmissores: a dopamina, a noradrenalina e a serotonina. Mas é sobretudo a dopamina que é problemática.

– Esses fatores hereditários se devem a quê?

– É uma questão muito debatida no momento. Mas suspeita-se principalmente que os genes COMT e NRGI ajam sobre o metabolismo da dopamina no cérebro, e consequentemente sobre o estado psíquico da pessoa.

– E qual é o risco, estatisticamente?

– Não tenho de cabeça os números exatos, mas, se me lembro bem, o risco para uma mulher sã de dar à luz uma criança esquizofrênica deve ser de menos de um por cento contra cerca de vinte por cento para uma mulher que sofre dessa doença.

– Portanto, um a cada cinco. E ela espera gêmeos. O que significa quarenta por cento de risco.

– Ou que ela tem duas vezes mais chances de dar à luz uma criança sã. É como o caso do copo meio cheio. Tudo depende do ponto de vista.

– Você tem razão. Mas vinte por cento me parece um argumento de peso a favor do aborto.

– Depende.

– O que é que você quer dizer?

– Que não se pode ignorar que a vida de um depressivo vale a pena, apesar de tudo.

Eskild captou o olhar de Hannah. Ele teria atinado com o que lhe ia pela cabeça? O meio das pesquisas na Dinamarca é um mundo pequeno. Não era improvável que ele tivesse ouvido falar do que acontecera com Johannes.

– E a alma? – perguntou ela de repente.

– A alma? Só me lembro dela quando penso na morte. No resto do tempo eu a esqueço.

Ela sorriu.

– Prefiro acreditar nas coisas que posso observar no meu microscópio, ou com as quais posso me comparar de outro modo. Provas. Elaboramos uma teoria e depois nos esforçamos para prová-la. Inversamente...

Ele hesitou. Hannah completou:

– Inversamente, só agora tomamos consciência da extensão da nossa ignorância.

– Como disse Sócrates.

– Ele disse mesmo isso?

– Na verdade, eu acho que foi o oráculo de Delfos. Que era o mais sábio entre os Sábios, porque só ele tinha consciência da sua ignorância. É por isso que eu prefiro falar da ignorância e não da alma ou de Deus.

– Eu também.

– Talvez isso pudesse servir de tema para uma Noite de Cultura? – brincou ele.

Hannah aproveitou a ocasião para encerrar aquela conversa do mesmo jeito que ela começara: abordando a ideia de uma cooperação entre os dois institutos, que nunca ocorreria.

– Sim. Esse seria mesmo um tema excelente.

– O Universo. A alma, a origem da vida – declarou ele levantando-se. – Nós estamos longe de ser simplesmente DNA. Temos algo mais. Seria talvez isso que nós chamamos de alma? Como os pássaros migratórios fazem para saber aonde vão? Seu senso de orientação é inato? É o que convencionamos dizer. Sabemos disso graças a uma experiência realizada com um filhote de cuco órfão. Ele não chegou a conhecer os pais. No entanto, isso não o impediu de encontrar o caminho até a Costa do Marfim, como todos os outros cucos do mundo. Equipamos muitos pássaros com emissores. E quanto mais os estudamos, mais nos admiramos. Como eles podem saber tudo isso? Se é inato, como devemos chamar esse fenômeno? Alma?

– E nesse caso, em que parte do nosso corpo fica a alma?

– E ela é constituída do quê? – acrescentou ele.

– Não se espera que você faça perguntas, e sim que as responda.

Ele tossiu e sorriu.

– Isso não é justo, quando pensamos no tanto que eu bebi ontem.

Novamente o riso seco.

– Perdão. – Ela se levantou. – Obrigada por ter me concedido um pouco do seu tempo.

Ele era testemunha de acusação ou de defesa nesse caso? Talvez dos dois? Isso, ele representava ao mesmo tempo o promotor, pois afirmava que a loucura é uma doença hereditária, e a defesa, pois avaliava que isso não justificava o recurso ao aborto. Mas, na verdade, o que ele sabia sobre a loucura? Talvez a loucura fosse algo temível a ponto de valer mais a pena matar um inocente que correr o risco de pôr no mundo um ser com essa doença? Quanto a si mesma, ela seria o carrasco. Não havia nenhuma razão para se dar outro nome. Ela enterrou a mão no bolso. A pílula ainda estava ali. A pílula envenenada que, naquela noite, serviria para matar seus filhos.

30

Teatro Real – 13h48

É a vingança do diretor de balé, pensou Niels. Por tê-lo feito esperar com seus bailarinos, por ter sido reduzido à obediência, ele, que era acostumado a dar ordens. Niels notou isso logo que chegou, pelo ar triunfal e pelo sorriso contido que ele ostentava. O diretor de balé sabia que o palco tinha um efeito intimidador. O grande palco. A cortina estava erguida, e Niels se viu diante de uma multidão de poltronas vazias, de madeira com douradura, instaladas no fosso da orquestra. Todo o corpo de baile estava reunido num lado do salão. Ele cruzou o olhar com o do diretor de balé. Sempre o mesmo sorriso triunfal nos lábios. O diretor do teatro tinha se acomodado bem no fundo, como que para marcar a distância. Eu não tenho nada a ver com tudo isso, ele parecia querer dizer. Niels venceu os vinte metros que o separavam da borda do palco. Seu olhar cruzou com olhos curiosos e temerosos. Havia ali crianças, mulheres e homens; talvez oitenta pessoas no total. Ele limpou a garganta. O diretor de balé não tinha intenção de ajudá-lo.

– Eu me chamo Niels Bentzon e faço parte do...

Alguém o interrompeu:

– O senhor pode falar mais alto? Não estamos ouvindo!

Niels se aproximou mais da trupe do Balé Real, reunida à sua frente.

– Eu me chamo Niels Bentzon. Agora vocês estão me ouvindo?

Sem resposta. Na primeira fileira uma criança inclinou levemente a cabeça e o observou. Outra bocejou.

– Sou da polícia criminal.

Nova interrupção:

– Foi o senhor que tentou deter a Dicte?

Niels procurou localizar de onde vinha a voz. Todos eles se pareciam, e ele ficou com a impressão de estar na China.

– Eu...

Novamente lhe cortaram a palavra:

– Por que o senhor não pôde salvá-la?

A pergunta lhe foi feita por uma garotinha. Uma das mais jovens. Talvez ela não tivesse mais de dez anos. Em tempos normais Niels não teria respondido. No entanto ele ouviu a sua voz, nervosa e trêmula, dizer:

– Eu... eu... Algumas pessoas não podem ser salvas.

Murmúrios no salão.

– O que eu quero dizer é que... – Niels buscou as palavras. – É que eu não pude estabelecer um diálogo com ela.

Mas as suas palavras submergiram no burburinho.

– O senhor me desculpe, senhor policial – interveio o diretor de balé. – O problema é que aqui o fracasso é um luxo que não podemos nos permitir. Para nós, é uma coisa inconcebível. E é assim toda noite. O ano inteiro. A cada segundo.

De repente se fez silêncio. Niels pigarreou. Se não fosse bem-sucedido da próxima vez que falasse, já não haveria esperança de ser respeitado por aquelas pessoas. Ele respirou fundo.

– Vocês acham que Dicte poderia ter se suicidado por essa razão?

Nenhuma resposta.

– Eu sei que lhe tinham confiado o papel principal – prosseguiu Niels. – Vocês acham que a pressão poderia ter causado um colapso nervoso? Justamente por ela saber que não tinha direito de errar?

Niels viu cravados nele centenas de olhos cuja expressão deixava claro que o consideravam um inimigo. Por um instante ele pensou em Agatha Christie e no fato de que naquele grupo aparentemente unido havia pelo menos uma pessoa que sabia por que Dicte se suicidara. Que poucas horas antes havia arrombado a porta para entrar no seu camarim. E que tinha algo a esconder.

Niels elevou a voz. Resolveu retomar desde o início.

– Vou me esforçar para ser breve. Como acabei de lhes dizer, eu me chamo Niels Bentzon e sou do departamento de homicídios da polícia de Copenhague. Como vocês todos sabem, o balé acaba de ser atingido por uma tragédia horrível, que, não tenho dúvida, chocou profundamente todos vocês. Tem ficado evidente que parte dos fatos está obscurecida, e nós gostaríamos de esclarecer tudo aquilo que no momento ignoramos. Por isso vou passar os próximos dias entre vocês, para tentar saber mais sobre as circunstâncias da morte de Dicte. Assim, tenho intenção de conversar com cada um de vocês, particularmente com os que eram próximos dela. No entanto, se vocês tiverem informações que possam nos ajudar na nossa investigação, não hesitem em se manifestar. Às vezes um detalhe que parece bobo acaba por se revelar decisivo. Uma mudança de comportamento nos últimos tempos. Uma pessoa que ela temia. Alguma coisa que ela queria esconder. Pessoas que se aproximaram dela recentemente. Tudo pode ser útil para nós. Vocês têm perguntas?

A assistência se animou. O ar estava carregado de adrenalina. Ouviram-se cochichos.

– O obscurecimento que o senhor mencionou, o que é isso, exatamente? Isso significa que o senhor desconfia que ela tenha sido vítima de um assassinato? – Um bailarino jovem tinha tomado a palavra e encarava Niels com insistência. – O que o faz pensar num crime?

– Nosso objetivo é coletar o máximo de informações a fim de reconstituir o desenvolvimento dos fatos com a maior precisão possível – respondeu Niels. – E para fazer isso nós contamos com vocês.

– O senhor acha que esse BDSP tem algo a ver com o caso? – perguntou uma bailarina.

Niels olhou para o diretor de balé, que se limitou a dar de ombros.

– Eu só perguntei se eles tinham uma ideia do que podia ser esse SNDB – justificou-se ele.

Niels respirou fundo.

– Exatamente. Dicte anotou na mão que tinha um encontro hoje. NMSB. Essas quatro letras dizem alguma coisa para vocês?

Silêncio. Depois de um breve instante uma mulher pareceu ter a resposta.

– Nessa ordem? N... B...

– NMSB – retificou Niels. – Quatro letras. Nessa ordem. Um encontro. Talvez com um colega ou uma colega? Um namorado?

Alguém fez uma brincadeira.

– Temos direito de saber se corremos perigo – retomou o jovem. – Talvez a próxima vítima seja um de nós.

A agitação aumentou um pouco. Na primeira fileira uma garotinha começou a chorar. O professor que estava sentado perto dela tomou-a nos braços para tranquilizá-la.

Outro jovem, na última fileira, ergueu a voz:

– Mas ela pulou do alto da ponte. Ela se suicidou, não há a menor dúvida disso. Então por que a polícia abriu uma investigação?

– Sem comentários.

Imediatamente Niels lançou para o grande grupo um olhar que havia aprendido com Sommersted. O olhar que anunciava o término da conversa, significando que ele não queria mais ser interrogado e que já era hora de cada um voltar às suas ocupações.

A trupe se dispersou. Alguns se dirigiram para o diretor de balé, pedindo-lhe explicações; outros, para as portas. O telefone de Niels tocou. Era Sommersted.

– Bentzon.

Seu superior foi direto ao ponto:

– O prédio de Dicte fica exatamente diante de um banco, e a porta principal está no campo de uma das câmeras de segurança. Ela foi filmada entrando em casa, mas depois não há mais nada. Então, a menos que tenha utilizado a escada de serviço, a conclusão que talvez possamos tirar é que ela não saiu do apartamento durante quase trinta e seis horas.

– Talvez possamos?

– Como eu acabei de lhe dizer, existe sempre a possibilidade de que ela tenha usado a escada de serviço. Além disso, as imagens não são nítidas.

– Dá para ver alguém entrando na casa dela? O agressor?

– Muita gente vai e vem. Mas todos foram identificados. Com exceção de um homem.

– Em que momento ele apareceu lá?

– Por volta de meia hora depois da chegada de Dicte. No dia 11 de junho, às 16h58 ela é vista chegando e estacionando sua bicicleta diante da entrada. E às 17h31 o indivíduo aparece e toca o interfone.

– A que horas ela saiu do teatro?

– Às 16h15.

– De 16h15 a 16h58 – repetiu Niels pensando em voz alta. – De bicicleta não se leva quarenta e três minutos para fazer o trajeto entre o Teatro Real e o apartamento dela em Vesterbro.

– Pode ser que ela não tenha voltado diretamente.

– Alguém a viu nesse meio-tempo?

– Não que a gente saiba.

– E ela não saiu do apartamento durante essas...

– Cerca de trinta e seis horas. Aparentemente não. Eu acho que ele tocou o interfone uma meia hora depois da chegada dela, que ela abriu a porta e ele ficou na casa dela durante todo esse tempo.

– Você está querendo dizer que ele a sequestrou?

– Isso me parece uma suposição plausível.

– Temos uma descrição física?

– Nada que se possa explorar. O suspeito ficou com a cabeça permanentemente virada, como se soubesse que estava sendo filmado. Pelo menos ele está consciente do risco. Um metro e oitenta e cinco, mais ou menos. Cabelo loiro ou castanho-claro. Calças jeans, um paletó de cor clara, talvez branco, uma maleta escura na mão. Evidentemente, vamos verificar na nossa base de dados, mas duvido que cheguemos a identificá-lo com tão poucos elementos.

– Ela foi filmada quando fugiu?

– Sim, ela é vista saindo correndo do prédio, nua em pelo, com esse sujeito atrás dela. Mas a qualidade dessas imagens é ainda pior.

– Você disse que ele tinha uma maleta quando chegou?

– E também quando saiu. Parece uma mochila de couro velha. Ou uma maleta de médico.

– E o vídeo que foi filmado na ponte? O que foi difundido para os noticiários. Ou os registros das câmeras de segurança da garagem? Dá para ver um homem com uma maleta de couro na mão?

– Não, infelizmente. Ele deve ter sumido na multidão. Se é que estava lá.

– Ela o conhecia? – indagou Niels. – Ela o deixou entrar sem hesitação?

– Sim, sem discussão. Ele aperta o botão, fala pelo interfone e a porta se abre. Como se eles fossem bons amigos.

– Um colega?

– Não se pode descartar essa possibilidade.

– Isso explicaria também por que ele sabia que a encontraria em casa naquela hora. – Sommersted continuou mudo. Niels prosseguiu: – Um homem relativamente jovem, eu imagino. Sem família.

– Como você pode...

– Simples dedução. Ele passou trinta e seis horas na casa dela. Um pai de família não pode se ausentar por tanto tempo sem uma boa razão.

– Me parece que você está indo rápido demais, Bentzon. Ele também poderia ter usado a escada de serviço. Nossas informações ainda são muito parcas. Tente saber mais e depois me ligue.

Ida estava atrás de Niels e fixava nele um olhar curioso.

– Como se chama a moça que vai ficar no papel que Dicte ia dançar?

– Lea.

– Como era a relação das duas? Elas se entendiam bem?

A jovem lançou um olhar sobre o ombro.

– Na verdade, não se pode dizer que sim.

31

Bairro de Nørrebro – 14h02

Peter V. Jensen. Ele leu o nome novamente e ainda outra vez – como se aquelas poucas letras encerrassem a chave da sua presença naquele lugar num dia de extremo calor, atrás do volante do carro, petrificado e cansado. Peter seria o próximo. E desta vez não seria tão fácil quanto com Dicte, que quase lhe fora servida numa bandeja.

Ele verificou o endereço: Peter V. Jensen. Esromgade, 12. Sim, ele estava no endereço certo. "Jensen. Quarto andar à direita", informava a placa da porta. Mas naquele momento Peter não estava em casa.

Ele engoliu dois comprimidos de cafeína e bebeu um longo gole de Coca-Cola para fazê-los descer. Teria preferido que fosse Hannah Lund. Mas seu número não constava no catálogo, e no Instituto Niels Bohr, onde ela trabalhava, tinham se recusado terminantemente a lhe comunicar seu endereço. Ele também havia procurado no site *O além*, dedicado às experiências de morte iminente, mas tampouco lá a conheciam. Ou melhor, sim, havia uma pessoa que a conhecia. Infelizmente para ele, ela se recusara a lhe dar seu número de telefone. Ela se chamava Agnes Davidsen. Era uma parteira idosa que tinha se integrado à UIEEMI, a União Internacional para o Estudo das Experiências de Morte Iminente. Ele tinha passado um número incalculável de horas diante da tela do computador lendo artigos e assistindo a vídeos na internet. No início tinha sido como a maioria das pessoas: ele achava que as EMI eram fruto de uma tentativa de nosso cérebro de tornar mais suave, num último sobressalto alucinatório, a perspectiva da morte. Mas havia muitos casos inexplicáveis, como o do homem que, em estado de morte clínica, encontrara a irmã biológica, que ele não conhecera, e que depois de ser reanimado havia desejado reencontrar. Mas finalmente descobriu que ela estava morta há anos. Ou os inúmeros testemunhos que coincidiam num ponto: quando estamos no além, outras pessoas mortas vêm nos encontrar. Pessoas que esperam nos ajudar e responder às nossas perguntas.

Peter V. Jensen.

Ele leu novamente o nome. Peter V. Jensen. A pessoa que iria ajudá-lo a obter a resposta a uma pergunta essencial. A pergunta. A única que para ele tinha sentido. E ele já a faria naquele mesmo dia. Ele ficou um instante repassando todas as informações de que dispunha sobre Peter, tudo o que poderia lhe ser útil: o homem havia caído de uma árvore quando tinha dezessete anos. Morrera instantaneamente. Tudo ficara escuro. Ele já não sentia seu corpo. Em compensação, continuava ouvindo. Tinha ouvido seu amigo chorar e sua mãe vir correndo da casa. E percebeu o vento como nunca tinha percebido. Como um murmúrio benevolente, uma torrente de vida desfilara a uma velocidade vertiginosa, querendo levá-lo. Então ele abrira os olhos e vira seu corpo num nível inferior. Flutuava no ar sobre o velho carvalho. Notou que a árvore era magnífica, vista dali; que Deus devia ter feito as árvores para serem contempladas do céu, para o seu próprio prazer, ao passo que nós, os homens, tínhamos de nos contentar com a sua estrutura: o tronco e os galhos. Nós erguemos os olhos para a copa, como a um altar. Deus, por sua vez, pode admirar a sua sublime folhagem. Sim, foi assim que Peter havia descrito a sua experiência. Ele tinha pouco a pouco se alçado no ar e vira as outras árvores, a floresta, o lago, depois a curvatura da Terra, antes de tudo se fundir. Sentira que tudo o que povoava o nosso mundo formava um bloco único; que o vento, benevolente e vigoroso, era na realidade uma espécie de alma que ligava todas as vidas entre si. Uma vez reanimado, Peter fez revelações extraordinárias. E também anunciou à sua mãe que o irmão dela, com quem ela não falava há cinco anos, tinha morrido: enforcara-se em seu apartamento. Mais tarde, quando os policiais forçaram a porta do apartamento desse tio, descobriram-no efetivamente enforcado com sua toalha. Como o garoto pudera saber? A única explicação era que esse tio havia entrado em contato com ele durante os poucos minutos que ele passara no além. Sem sequer falar, como que por telepatia, ele havia informado Peter de que desejara se despedir da irmã, dizer-lhe que a amava, que ela não devia ficar triste.

Ele observou Peter V. Jensen estacionar a bicicleta na frente do seu prédio e prendê-la com uma corrente preta. Era importante que Peter não o notasse, porque se isso acontecesse ele o reconheceria e iria querer saber o motivo da sua presença no bairro. Ele consultou o relógio. Já passava de meio-dia. Ele não tinha muito tempo. Talvez fosse melhor voltar no dia seguinte. Tentar novamente encontrar Hannah Lund. A operação seria mais difícil com um homem – sua única experiência tinha sido com Dicte. E ela havia confiado nele. Com Peter seria bem mais difícil. Ele não demoraria a desconfiar. E então se defenderia com vigor. Certamente lutaria. Mas não há razão para que as coisas deem errado, disse para si mesmo, querendo se tranquilizar. Bastaria enterrar a agulha da seringa no ombro de Peter. E então o mais difícil já estaria feito. Claro, levaria muitos minutos, mas Peter acabaria por ceder e perder o controle do corpo. Era justamente o que não tinha funcionado com Dicte. Se pelo menos tivesse conseguido injetar toda a dose de anestésico antes que ela fugisse, ele não estaria ali naquele momento. Ela teria ido até o final da sua missão. Eles estavam muito próximos do final.

Chegara o momento de passar para a ação. Peter acabara de entrar no prédio. Ele desligou o motor do carro e saiu para o calor sufocante da rua. Pegou a maleta no porta-malas. Ele desceria depois para pegar o resto do material quando Peter tivesse perdido a consciência. Começou a andar sem olhar para a rua e quase foi atropelado por um veículo.

— Droga, não dá para prestar atenção, idiota? – berrou o motorista pelo vidro aberto.

Ele não respondeu. Não valia a pena. Nada era mais importante que a sua missão. Ele tocou o interfone. Não no apartamento de Peter, mas no de um vizinho do primeiro andar.

— Quem é?

— Eu vou ao apartamento do Peter, no quarto andar. Mas o interfone dele está quebrado. O senhor pode abrir para mim, por favor?

Houve um ruído na fechadura. Ele empurrou a porta e foi recebido por um odor nauseante de abafamento e sujeira. A poeira dançava no ar. A porta se fechou atrás dele. Depois se fez silêncio. Ele se apressou a subir os degraus ao ouvir a porta se abrir novamente. Então ouviu passos rápidos na escada. Uma mulher. Ela corria. Ele se refugiou no segundo andar. E se ela fosse ao apartamento de Peter? Seu plano estaria arruinado. Ele achou mais prudente dar meia-volta, voltar e descer como se não tivesse acontecido nada. Cruzou com a mulher. Uma loira bonita. Ela o cumprimentou:

— Boa tarde.

— Boa tarde – respondeu ele.

Ela continuou subindo. Ele parou no primeiro andar. Ouviu Peter recebê-la:

— E então, como é que foi? Eles vão ligar?

A última coisa que ele ouviu antes de a porta do apartamento se fechar foi o riso da loira. Ele pensou nas mulheres. No amor. No que ele já não tinha mais. Depois disse a si mesmo que voltaria. Sim, Peter precisava morrer. E ser trazido de volta à vida. Até ele obter a sua resposta.

32

Teatro Real – 14h14

Niels se sentou para esperar pacientemente. Estava num salão um pouco menor que o anterior. A música era ao mesmo tempo lenta e brutal. Ele nunca havia assistido a um balé. Lembrava-se apenas da cena de um filme que vira na televisão, com bailarinas treinando como Lea estava fazendo diante dos seus olhos. Ele associava o mundo do balé a um universo fechado, quase hermético, povoado de meninas subnutridas vindas de famílias abastadas, que passavam o dia trabalhando sob uma disciplina férrea. Ele captou o seu olhar no espelho, furtivamente. O que viu? Concentração. Uma vontade a toda prova. E distância.

– O senhor é o policial? – perguntou ela antes que se dissipasse completamente a última nota do piano.

O pianista reuniu as partituras e desapareceu.

– Niels Bentzon.

– Lea Katz. Suponho que o senhor já sabe das relações tensas entre Dicte e eu. Não seria exagero dizer que nós nos detestávamos. No entanto eu lhe garanto que não tenho nada a ver com a morte dela.

Niels esperou até que ela retomasse o fôlego. Seus cabelos loiros estavam presos num coque, e a pele do rosto era tão lisa que ela parecia estar de máscara.

– Sinto muito se tenho o ar cansado. Não tive um momento de descanso desde o dia em que Dicte não apareceu para ensaiar. – Ela sorriu. – Preciso ir para a massagem. O senhor pode me acompanhar, se quiser.

Niels teria preferido que eles se sentassem um diante do outro, para poder falar com ela olhando-a nos olhos, mas aceitou a sugestão. A biografia de Lea era muito sucinta e totalmente oposta à de Dicte. Nascida em Nykøbing, criada por pais adotivos, ela havia começado a dançar aos seis anos e galgara todos os degraus na Escola Real de Balé. Era encantada com a vida de bailarina, apesar das exigências desse ofício e embora não tivesse sido poupada das lesões ao longo dos anos. Ela parou para se alongar.

– A parte de trás da coxa – explicou ela. – Está dura.

Niels tentou não olhar. Em vão. As coxas flexíveis. Os movimentos elegantes e precisos. A curva do dorso e das ancas.

– Não se constranja, estamos acostumados a ser olhados de esguelha – disse ela sem lhe dirigir um olhar. – Isso faz parte do ofício. Aprender a gostar de que nos observem. Aceitar o fato de que o nosso corpo não nos pertence.

– Então, Dicte e você se conheciam desde crianças?

Ela concordou.

– Nós crescemos juntas. Fizemos a escola juntas.

– Por que razão vocês se detestavam?

– Vamos deixar isto bem claro – disse ela erguendo os olhos para Niels – Eu estou sinceramente abalada com o que aconteceu com ela. Ninguém merece morrer desse jeito.

– Mas você...

– Nós nos detestávamos, é verdade. Dicte não se entendia com ninguém. Pelo menos não tinha muitos amigos; e eu não era uma das poucas desafetas.

– Por quê?

– Isso vem de longe. Na verdade, nós éramos muito próximas no início. Até os catorze, quinze anos. Mas depois... – Ela mudou de posição. Fez um *grand écart*. Deixou o dorso deslizar ao longo da perna, em direção ao tornozelo. – Depois aconteceu uma coisa.

– O quê?

– Nada muito preciso. Nossa carga de trabalho ficou mais pesada. Nós nos afastamos pouco a pouco. Dicte e eu estávamos entre as melhores. E ela começou a ficar bizarra.

– O que você quer dizer com "bizarra"?

– Ela se fechou. Tornou-se autossuficiente. Dificilmente se dignava a nos dirigir um olhar. Acho que ela tinha problemas sérios.

– Você pode explicar isso melhor?

– Estou me referindo ao plano psíquico. Parecia que alguma coisa a atormentava.

– Ela era depressiva?

– Num certo sentido, sim. E noutro não, porque quando dançava ela era fantástica. Não tenho medo de dizer isso. Ela esquecia as preocupações. Sua capacidade de concentração era fora do comum. Todos os bailarinos têm essa qualidade, claro, mas no caso dela era verdadeiramente fenomenal. Às vezes ela parecia amortecida, dava para achar que ia se suicidar, mas uma vez que entrava no palco se metamorfoseava. Poucas bailarinas têm essa característica.

– As iniciais NMSB lhe lembram alguma coisa?

– Ah, então era disso que os outros estavam falando.

Ela balançou a cabeça. Era a vez da outra perna.

– Você tem alguma ideia do significado dessas letras? Ela devia ir a um encontro. Hoje às... – Niels lançou um olhar para o relógio – daqui a duas horas.

– Não tenho a menor ideia.

– Agora podemos falar um pouco sobre você? O que você acha do meio em que trabalham? – Ela deu de ombros. – Você se sente bem? Já sentiu... hostilidade?

– Sempre há hostilidade. Outro dia eu falei com uma novata, uma bailarina americana, e ela me contou que ninguém havia lhe dirigido a palavra durante os seus quatro primeiros meses aqui. Toda noite dormia chorando depois de ter enviado *e-mails* para a família, na Califórnia, em que fingia estar vivendo uma experiência fantástica. E eu tampouco nunca havia falado com ela.

– Por quê?

A sessão de alongamento havia terminado. Eles voltaram a caminhar. Niels repetiu a pergunta, e dessa vez ela lhe respondeu:

– Por causa do espírito competitivo. As novatas, as que vêm do exterior, representam uma ameaça. Assim, nos esforçamos por ignorá-las para evitar esganá-las. O que o senhor quer que a gente sinta quando vê uma estrangeira desembarcar e imediatamente pegar o papel com o qual sonhamos a vida inteira? Nesse caso, é humano ter pensamento ruins.

– Pensamentos ruins?

– Sentir inveja. A carreira de bailarina é extremamente curta. Nós nos aposentamos com uma idade em que a maioria das pessoas está começando a carreira. Então, claro, quando dão a outra pessoa um papel que deveria ser seu, isso dói.

– Mas, no caso, foi você que herdou o papel principal.

– Giselle. Sim.

– O que você acha disso?

– O que o senhor quer dizer?

– O que acha do modo como você o obteve?

Ela ficou calada por um instante.

– O senhor quer saber se eu me sinto culpada, é isso? A resposta é claramente não. São as regras do jogo. A infelicidade de um faz a felicidade do outro. Obter esse papel é o sonho de todas nós.

– Um sonho pelo qual você estaria disposta a matar?

– O senhor continua achando que fui eu quem a matou?

Niels não respondeu.

– Ouça com atenção o que eu vou dizer, senhor policial. Se o fato de pensar mal dos outros fosse punido por lei, todo mundo aqui receberia a pena de prisão perpétua. A própria Dicte nunca teve escrúpulos quanto a fazer manobras para melhorar a sua situação à custa dos outros, e até mais que isso.

– Você está aludindo a quê?

– Adivinha.

– A sexo?

– Claro que não basta fazer sexo para ter uma grande carreira de bailarina, isso é evidente. Mas, em todo caso, pode ajudar um pouco dormir com a pessoa certa no momento certo. É assim que funciona. Não só aqui. E nesse campo também Dicte era uma virtuose. Vamos de escada?

Ela abriu uma porta em direção à escada. Niels seguiu logo atrás dela.

– Me disseram que você passou na casa de Dicte na noite em que ela morreu.

– Sim, toquei a campainha. Nas duas noites, aliás. Mas ela não abriu.

– Você ouviu algum barulho no apartamento?

– Não.

– Vozes? Gritos? Passos?

– Nada.

– Então você não sabe se ela estava em casa?

– Eu sei que a bicicleta dela estava estacionada na frente do prédio. E ela se deslocava quase exclusivamente de bicicleta.

– E na escada? – insistiu Niels. – Ou na rua? Você notou alguma coisa?

– Em que o senhor está pensando?

– Em algo incomum. Um carro que partiu um pouco rápido demais, por exemplo, ou um objeto jogado nos degraus. Um detalhe...

Niels ficou em silêncio por algum tempo. Percebeu que estava se afastando do seu objetivo e resolveu mudar de tática.

– Fale sobre *Giselle*.

Ela ergueu os ombros.

– Se *O lago dos cisnes* é o monte Everest do balé, *Giselle* é o Kilimanjaro ou o monte Branco, se é que o senhor me entende. Toda bailarina sonha em ser Giselle.

Niels ficou olhando para Lea, esperando que ela se estendesse mais.

– Por que razão?

– Vou lhe dar uma versão resumida: *Giselle* é um balé que fala do amor e da morte. A morte, particularmente, fica rondando o tempo inteiro. Está presente em cada um dos gestos dos bailarinos. Giselle morre, mas volta a viver. Talvez nos sonhos do seu namorado, o duque Albert da Silésia. Talvez sob a forma de um fantasma. No segundo ato todos dançam de roupa branca. É chamado "o ato celeste". Ou "o ato branco".

– O ato branco.

Ela concordou.

– Podemos dizer que, se *Romeu e Julieta* é o balé do amor, *Giselle* é o da morte.

– Quero que você me dê também a versão completa. Ele trata do quê? Certamente há uma história. Quer dizer, uma intriga.

– Um balé não é um romance – retorquiu ela. – Nem um filme. Muita gente tem dificuldade em entender isso. Algumas passagens são deixadas a cargo do discernimento do diretor e dos bailarinos. Talvez até mesmo do público. Enfim, *Giselle* é um triângulo amoroso que se desenvolve na Renânia durante a Idade Média. A jovem Giselle se apaixona perdidamente pelo filho de um camponês, Loys. Ela ignora que na realidade ele é o duque Albert da Silésia, que só quer se divertir um pouco antes de se casar com a princesa Bathilde, sua noiva. A sinceridade dos sentimentos de Albert em relação à Giselle nesse momento da história é uma questão de interpretação. De qualquer forma, ele acaba voltando para Bathilde. Ao mesmo tempo, o administrador Hilarion cobiça Giselle, mas a jovem camponesa só tem olhos para Albert. Quando fica sabendo da verdade, Giselle se deixa morrer de dor e desespero. Enquanto isso, Albert toma consciência de que é Giselle que ele ama, mas já é tarde demais. Quando vai procurá-la, ela já está morta. O ato seguinte é um pouco mais misterioso.

– O que é que acontece?

– A cena se desenvolve à noite, ao lado do túmulo de Giselle. Espíritos de jovens virgens mortas – chamadas "*willis*" – saem das tumbas para punir Albert. As *willis* se vingam dos homens fazendo-os dançar até a morte. Giselle – ou pelo menos a sua alma – ressuscita, e Albert lhe implora o perdão. Ela aceita a mão que ele lhe estende, e os dois dançam juntos até o momento em que ela desaparece subitamente.

– Então ela é levada de volta à vida?

– Pode-se dizer que sim. Para finalmente morrer uma segunda vez. Quando Hilarion chega, ele é morto pelas *willis*, que começam a cercar Albert. Então a rainha delas, Myrtha, condena o jovem a dançar até a morte. Mas Giselle volta dos mortos e consegue livrá-lo de Myrtha. Quando nasce o dia, as *willis* voltam à sepultura. Albert só pode mesmo agradecer a Giselle por ela lhe ter salvado a vida. Agora que renunciou à sua vingança, ela pode voltar para o túmulo e descansar em paz. Ela acaba perdoando-o e salvando-o.

– E é assim que termina? Nenhum espírito volta a atormentar os vivos?

– Cai o pano. Ninguém mais volta. Juro. – Ela esboçou um sorriso, o primeiro depois de longos minutos. – Agora nós terminamos?

Tinham chegado ao destino dela. Diante de uma porta com a placa "Massagista". Lea a abriu e se voltou.

– Aliás, foi ela quem quis que dançássemos esse balé.

– Você está falando de Dicte?

– Isso, foi ela quem exigiu que *Giselle* entrasse no programa. Até ameaçou se demitir se isso não acontecesse.

– Esse balé devia significar muito para ela.

– Sem dúvida.

– E o diretor de balé aceitou essa imposição?

– Difícil de acreditar, não é mesmo?

Ela se apressou a fechar a porta.

– Só mais uma última pergunta.

– Estou ouvindo.

– Por que, na sua opinião, ela se suicidou?

Ela refletiu por alguns segundos.

– Acho que Giselle subiu à cabeça dela.

– O que é que você quer dizer?

– O senhor já foi à casa dela?

33

Hospital de Bispebjerg, Serviço de Psiquiatria Infantil – 14h30

– Ela não parece estar bem disposta hoje, talvez por causa do calor – disse a enfermeira.

Então ouço o policial perguntar:

– Nesse caso seria melhor voltar amanhã?

– O senhor pretende ficar com ela durante muito tempo?

– Não, só quero lhe mostrar uma coisa.

– Outras fotos?

– Serão só cinco minutos, não mais que isso.

– Silke?

Nem me dou ao trabalho de virar a cabeça.

– Silke, o policial chegou. – A enfermeira se aproxima, senta-se diante de mim e tenta captar o meu olhar. – Quer conversar um pouco com você.

Ela fala comigo como se eu não o conhecesse. Mas ele já veio me ver uma porção de vezes. Durante algum tempo, passava aqui pelo menos uma vez por semana. E embora sua última visita já tenha sido talvez há um mês, eu me lembro perfeitamente dele. O que é que ela acha? Tudo isso é porque eu não falo, então me apresentam todo mundo e me explicam tudo como se fosse a primeira vez.

– Eu só trouxe algumas fotos. Ou, para ser mais exato, trouxe cinco – disse o policial aproximando-se.

Ele faz com a cabeça um sinal para a enfermeira, indicando-lhe que ela pode nos deixar a sós.

– Tudo bem, Silke? – ela me pergunta. – Não vai demorar. Você tem aí alguma coisa para beber? E o senhor? – acrescenta ela dirigindo-se ao policial. – Quer uma xícara de café?

– Não, obrigado.

Ela deixa o quarto. O policial é um homem de idade. Estaria aposentado? Já ouvi falar de policiais que quando se aposentam se dedicam obcecadamente a resolver um caso que não conseguiram elucidar no tempo em que estavam na ativa. Não me espantaria se esse fosse o caso. Ele tem algo de obstinado no olhar. De quase maníaco.

– Olhe, Silke.

Ele põe diante de mim, sobre a mesa, cinco fotos. É uma tática nova. Até agora ele me mostrava uma de cada vez. Mas hoje as expõe todas ao mesmo tempo. Um leque de rostos apresentado diante dos meus olhos. Onde será que ele consegue isso? Quem são esses homens? Ele nunca me disse nada. Mas devem ser indivíduos que foram condenados ou que são suspeitos de outros crimes.

– E há também esta aqui, que você já conhece.

O retrato falado. Ele me mostra toda vez. Como se esperasse fazer ressurgir subitamente em mim lembranças esquecidas. Um homem de cabelos escuros repartidos. Barba de dois dias. Maçãs do rosto salientes. Um retrato falado que poderia corresponder a muita gente. Eu não posso esclarecer nada com a ajuda dele. Então prefiro me concentrar nas fotos.

– Tenha toda a calma – me diz ele, reclinando-se contra o espaldar da cadeira.

Posso sentir sobre mim o seu olhar intenso enquanto passo em revista as cinco fotos. Ele observa o meu rosto, na esperança de perceber alguma reação. Um sinal mínimo. Uma hesitação. Uma dúvida.

– Não há nenhuma pressa – insistiu ele. – Examine pelo tempo que precisar.

Cinco homens de cabelos escuros. O mais jovem tem talvez trinta e cinco anos. O mais velho, cinquenta. Ou um pouco mais. Fotos em preto e branco. De frente. Eles me observam fixamente. Bem nos olhos. Sem nenhum vestígio de remorso no olhar. Parecem não ter nada para se censurar. Eu não os reconheço.

– O que é que você vê, Silke? – ele me interroga, debruçando-se sobre mim. – Você reconhece algum desses homens? Ele conhecia a sua mãe, nós sabemos disso. Talvez um dia vocês tenham se cruzado na rua. Talvez ele fosse um conhecido dela. Mesmo distante.

Fiquei surpresa por ele me ter feito essa última observação. O círculo de relações da mamãe havia sido objeto de exame profundo. Mamãe tinha um amante. Os amantes geralmente são pessoas que encontramos no nosso local de trabalho, em clubes esportivos. Ou pessoas que conhecemos no passado e que de repente reaparecem. Amores de juventude. Colegas de classe. Claro que ela poderia tê-lo encontrado na internet, mas mamãe não tinha computador e nunca havia manifestado o menor interesse por informática. Não, era alguém que ela conhecia. Mamãe não trabalhava. Era dona de casa, nós vivíamos do ótimo salário do papai. Não nos faltava nada. O universo da mamãe era bem limitado. Ela passava a maior parte do tempo em casa, ocupada consigo mesma. Talvez aborrecendo-se. Muitas vezes eu me perguntei se fora o tédio que a havia levado a se lançar nos braços de outro homem. Meus pais se entendiam bem. Pelo menos era essa a impressão que eu tinha. Eles raramente brigavam. Davam-se as mãos quando nós íamos à cidade. Mamãe muitas vezes ria das mentiras do papai. Tinha orgulho dele. Eu via perfeitamente isso. No entanto, sentira necessidade de procurar outro. Por quê? E quem era esse homem?

Quem é o Culpado?

– O que você acha, Silke? Este aqui? – Ele pousa a ponta do indicador numa das fotos. Sobre o mais velho. Um homem bonito. Com um olhar decidido. Sobrancelhas revoltas. Um rosto anguloso e quadrado. – Você acha que poderia ser ele? – indaga o policial. – Ou este aqui? – Ele me indica outro, mais jovem. Testa alta, lábios carnudos. Um rosto simpático. – Ou este...

Ele se cala. Lamenta ter se empolgado. Sabe perfeitamente que não adianta nada exercer pressão. A coisa precisa partir de mim. Fui eu quem o viu. Por que ele desconfia de alguns mais que de outros? Por causa do álibi apresentado? Ou por outros casos que fizeram a polícia ficar de olho neles?

– Pode ficar com as fotos, Silke – diz ele suspirando. – Quer?

Ele não consegue esconder a decepção quando se levanta. É a mesma coisa toda vez que ele vem me ver. Otimista ao chegar. Cheio de esperança. E depois, quando fica claro que eu não reconheço o assassino, a esperança dá lugar à decepção.

– Vou voltar amanhã, tudo bem? Ou depois de amanhã. Enquanto isso, você pode examinar com atenção essas fotos. Pode ser?

Por que todos eles me fazem perguntas quando sabem que não vou responder?

Depois, na hora de sair, a costumeira e constrangedora cena. Ele sabe que não vale a pena me estender a mão, que eu não vou apertá-la. Ele não pode me tocar. No entanto, e frequentemente é assim que acaba a visita, põe a mão na minha cabeça por um instante, como se eu fosse um animalzinho de estimação ou uma boneca, e diz:

– Não vamos desistir enquanto não o encontrarmos. Eu prometo.

34

Bairro de Vesterbro – 14h30

Niels verificou a hora no celular. Mais de uma hora e meia antes do encontro com NMSB. Ele não tinha avançado nada. O fato de as pessoas próximas a Dicte não saberem quem era NMSB havia aguçado ainda mais a sua curiosidade.

O acesso ao apartamento de Dicte estava impedido por fitas de advertência. A escada pedia uma boa varrida. O sol se filtrava pelas frestas, penetrante e agressivo, e o ar estava irrespirável como uma estufa. Niels calçou um par de luvas de borracha, passou por baixo das faixas e abriu a porta. Transpôs com uma passada um velho balde enferrujado contendo pincéis.

– Niels! – gritou um dos técnicos, erguendo os olhos.

Se a sua memória estava boa, ele se chamava Kristian.

– Encontrou alguma coisa?

– Impressões digitais por toda parte.

Niels examinou o apartamento. Elegante. Alvo do piso ao teto. Pelas janelas entreabertas ele ouviu vagamente o barulho do trânsito. Sua primeira impressão veio confirmar a ideia que fazia da casa de uma bailarina. Harmoniosa, bem-arrumada, fria e minimalista. Móveis sob medida. *Design* escandinavo. O sofá estava comprimido num ângulo, afastado. Penduradas nas paredes, litografias do artista Tal R. Niels – ele reconheceu o estilo de que Kathrine lhe havia falado alguns anos antes. Não havia televisor. Um rádio e um *notebook* constituíam as únicas ligações com o resto do mundo. Casper precisaria examinar aquele computador. Niels tinha dificuldade em ligar esse apartamento em perfeita ordem com a mulher em pânico com quem havia lidado na ponte.

Giselle a matou. O senhor já foi à casa dela?

Niels notou uma mancha no meio do piso branco. Viu-a apenas porque estava exatamente no lugar certo com relação ao ângulo dos raios de sol. Ele se aproximou e acariciou o piso. A superfície estava talvez ligeiramente mais fresca e suave ali que no resto do assoalho. Mancha de umidade? De gordura? Uma parte do pavimento tinha recebido uma dose de cera mais abundante que as demais? Não. A mancha era recente. Fora feita na véspera. Do contrário já teria desaparecido. Bateram na porta.

– Deixe que eu atendo – disse Niels indo abrir.

Um homem gordo e suado estava na soleira.

– Perdão, mas eu posso saber o que está acontecendo aqui?

Seus óculos estavam levemente embaçados.

– Polícia de Copenhague. Afaste-se da porta, por favor.

– O que foi que aconteceu?

– Afaste-se da porta e não toque em nada.

O homem recuou.

– Eu não toquei em nada.

– O que é que o senhor quer?

– Eu moro no apartamento ao lado. Só estou curioso.

Niels ia fechar a porta no seu nariz, mas reconsiderou e avaliou o homem por um instante.

– O senhor conhecia bem a sua vizinha?

– O que foi que aconteceu? Dicte...

Ele se esforçou para dar à voz um tom assustado.

– Isso, ela morreu – confirmou Niels.

– Mas isso é horrível! Espantoso! Ela era tão jovem...

– O que é que o senhor pode me dizer sobre ela?

O vizinho deu de ombros.

– O senhor pelo menos a conhecia?

– Às vezes nos cruzávamos na escada. Mas sobretudo eu a ouvia.

– O senhor a ouvia?

– Ah, havia muita algazarra, com todos os tipos que desfilavam.

Niels esperou o resto, convencido de que o homem não demoraria a falar mais.

– É preciso confessar também que é uma mulherzinha e tanto. Perdão, *era*.

– Me conte um pouco sobre esses homens.

– Vinham todos os tipos. – Ele ergueu os ombros. – Chegavam a qualquer hora do dia ou da noite. E não eram discretos.

– O senhor viu alguns deles?

– Eu só me ocupo com o que me diz respeito.

– Nada? O carro que dirigiam? A voz dele? Seu nome?

Ele balançou energicamente a cabeça.

– Em algum momento o senhor teve impressão de que ela estava em perigo?

– Como assim?

– O senhor a ouviu pedir ajuda? Ela lhe pareceu nervosa? Inquieta?

– Não.

– Tem certeza? E ontem à noite? O senhor não ouviu nada?

– Não. Absolutamente nada.

– O senhor não cruzou na escada com um homem que o senhor nunca tinha visto antes?

– Ontem eu não saí.

– E da janela do seu apartamento o senhor não viu nada?

– Isso é um interrogatório?

– De certo modo, sim. Mas o senhor será ouvido novamente mais tarde. Assim como os outros moradores deste prédio.

– Por quê?

– Volte para casa, por favor – ordenou Niels num tom firme antes de fechar a porta na cara do homem.

– Você viu a mancha de umidade? – perguntou-lhe um dos técnicos quando ele voltou à sala de estar.

– É água? Óleo?

– Vamos saber em um instante.

Niels se estendeu de barriga para baixo e roçou o piso com a ponta da língua. O gosto era sobretudo de madeira. Mas talvez um pouco salgado? Ou seria por ele saber que ela fora afogada na água salgada? Mas ninguém se afoga na sala. E por que verter água no meio de um cômodo? No fogão talvez. Ou na mesa. Mas no meio do assoalho? Um aquário? Niels se levantou e esquadrinhou o cômodo. Nada no apartamento indicava que Dicte van Hauen tinha tido algum interesse por peixes de aquário.

Os homens. Niels recordou o que o vizinho tinha acabado de lhe dizer. Quem eram eles? Namorados? Amantes? E por que faziam tanto barulho? A menos que o vizinho tivesse inventado tudo. Muitas vezes a polícia tinha de lidar com indivíduos ávidos por uma aventura, que não hesitavam em lhe fornecer informações duvidosas. Ele entrou na cozinha. A mesma elegância fria. Máquina de café *espresso* marca Melitta, cerâmica Kähler. Estilo e qualidade. Um refrigerador que não tinha nada além de tomates, meio melão e iogurtes com sabor. A máquina de lavar louça parcialmente cheia. Nada de anormal.

O banheiro: espaçoso, limpo e refinado. Um boxe, mas sem banheira; não tinha sido ali que a haviam afogado. Niels abriu as gavetas e os armários embutidos. Eles guardavam toalhas, sabão líquido, rímel, base, um arsenal de comprimidos para dor de cabeça. Duas balanças e um espelho enorme.

Ele voltou à sala de estar. Quando pegou na maçaneta da porta, ela emitiu um leve rangido, indicando afrouxamento. Isso provavelmente não era por acaso. Um parafuso que precisava ser reapertado depois de anos de uso, ou então alguém a havia puxado com força demasiada. Mas quando? Recentemente? Há alguns dias? Ele lançou um olhar para o corredor. Espelhos nas paredes. Um casaco de náilon branco, tênis Nike. Notou que faltava um pedaço na guarnição da porta da sala de estar. Bem embaixo, no canto. Notava-se a madeira clara sob a pintura branca. Niels passou o dedo por essa superfície. Aquilo indicaria uma luta?

– Você viu isso? – indagou mostrando a madeira.

– Parece um bico de sapato – avaliou o técnico.

– Mas ela estava descalça.

– Talvez tenha sido o agressor que fez isso. De qualquer maneira, é bem recente.

Niels balançou a cabeça. Fechou os olhos por um instante e tentou reconstituir o curso dos acontecimentos. O homem tinha tocado o interfone. Dicte o conhecia. Ela havia caído numa armadilha. Ele a tinha sequestrado, despido, afogado. Na sala de estar, provavelmente. Em quê? Num balde? Numa caçarola? Numa bacia que ele levara? Depois a reanimara. Por que razão? Porque se arrependeu? Não, ele tinha previsto tudo, até o desfibrilador. Não, quanto a isso não havia certeza. Dicte podia tê-lo conseguido ela mesma no teatro. Por que ela teria feito isso? Somente havia certeza quanto a uma coisa: ela havia escapado. Ele a tinha segurado. Eles lutaram. No corredor. Ela havia tentado se desprender, a ponta do sapato do seu agressor tinha ferido a moldura da porta, fazendo soltar-se um fragmento. Então Dicte fugira pela porta, com seu agressor logo atrás. Ele levava a sua maleta. Ela desceu a escada e saiu para a rua, tomada de pânico. Correu até a ponte, onde subiu um torreão. Ali o reconheceu no meio da multidão e acabou por se jogar no vazio, temendo que ele a capturasse novamente. Mas por que ela não havia simplesmente dito a Niels quem ele era? Por que não o apontara quando ele se aproximou? Porque ela estava aterrorizada demais? Porque estava dominada por uma droga? A que ele lhe injetara nas veias? A que ela tinha absorvido um pouco antes? Com pleno consentimento? Sim, era uma possibilidade. Dois amigos se reencontram, consomem drogas, alguma coisa dá errado, uma *bad trip*, e de repente ela morre. Ele tem consigo um desfibrilador. O que foi roubado do teatro. Ele a reanima. Ou talvez eles simplesmente tenham planejado desde o início brincar com o desfibrilador? E no meio da brincadeira ela começa a fugir, talvez por ver que as coisas estão indo longe demais; depois ele corre atrás e...

– Você viu o quarto dela? – perguntou Kristian.

– Por quê? O que tem lá?

O técnico se limitou a fazer um movimento com a cabeça em direção à porta, pintada de preto. Niels entrou. As paredes também eram pretas. Uma delas estava recoberta de cartões-postais e fotos. Persianas pretas. Reinava um calor úmido e um cheiro de abafamento flutuava no ar. Ele abriu uma das persianas. Uma abelha agonizante tentava obstinadamente atravessar o vidro para retornar ao ar livre. O teto azul contrastava com as paredes. Tinham pintado nuvens nele. Parecia um cenário de teatro. Talvez ela tivesse convencido um dos pintores do Teatro Real a ajudá-la. Niels examinou as várias fotos fixadas com tachinhas na parede. Giselle. Vários balés, várias bailarinas. Esquemas representando posições de balé clássico. Ela própria os teria desenhado? O que Lea havia dito? Que Giselle a tinha matado. Ela estaria aludindo ao fascínio de Dicte por essa personagem? Ou ao seu fascínio pela morte? Mais provavelmente, talvez, pela morte, pensou Niels ao ler o título dos seus livros: *Experiências de morte iminente e experiência fora do corpo. A vida depois da morte. A porta espiritual do cérebro. As experiências de morte iminente na religião budista. Quando nossa alma deixa nosso corpo. O além.* Nada sobre balé. Talvez ela guardasse essas obras junto com os seus romances na biblioteca da sala. Ali, na parte mais íntima do apartamento, o seu quarto, encontravam-se paredes pretas, um céu promissor e livros sobre a alma e o além. Atrás da porta havia uma escrivaninha de carvalho. Ele abriu as gavetas: canetas, grampeador, um molho de chaves, documentos fiscais, uma carta de adesão ao Greenpeace não preenchida, alguns DVDs de balé – *Giselle, O lago dos cisnes* –, cartões-postais, um livro sobre dietas, um cartão. Ele leu, "Sleep – Clínica de Sono de Copenhague". NMSB, pensou ele. Droga, o que será que significam essas quatro letras?

Niels se virou e ajoelhou-se para olhar debaixo da cama. Viu um livro. Precisou enfiar parte do corpo sob o estrado e estender o braço para pegá-lo. Encadernação em couro antigo. Letras douradas em ouro fino. Uma obra rara. "Dicte van Hauen, 1992", ela havia escrito com letras vermelhas e elegantes na guarda. O título: *Fédon*, de Platão. Um livrinho do tamanho de um bloco de apontamentos. Niels folheou o prefácio. Fédon era um dos alunos mais fiéis de Sócrates, informaram-lhe as primeiras linhas. Nesse livro ele conta para Platão a morte de Sócrates. Explica como este provou a existência da alma antes de beber o veneno. Niels continuou folheando as páginas amareladas. Por toda parte havia notas manuscritas. Notas feitas há muito tempo. E muitas frases estavam sublinhadas. Seria um livro que ela vinha lendo regularmente desde 1992? Uma espécie de bíblia pessoal?, indagou Niels.

– Niels? – gritou Kristian da sala de estar.

Ele pôs o livro no bolso. Sabia que não tinha o direito de retirar o que quer que fosse do apartamento.

– É água salgada – anunciou o técnico apontando a mancha no piso.

– Água do mar?

– Pode ser.

Niels se limitou a assentir, e então deixou o apartamento. Desceu a escada e ao chegar à rua foi agredido pela luz ofuscante do sol. Olhou o relógio: 14h56. Ainda uma hora antes do encontro de Dicte. Mas ele continuava ignorando onde seria esse encontro. Onde?, pensou ele. Então recebeu um SMS de Casper: "Recuperei a foto. Vou trabalhar".

Ele inspirou profundamente e entrou no carro. Estava transpirando. Tinha o livro entre as mãos. *Fédon*. Sócrates. Dicte van Hauen, 1992. Ao folheá-lo novamente, notou que faltava uma página. Havia sido arrancada. A página 41. Ele fechou os olhos para pensar. Ela havia sido sequestrada por trinta e seis horas. Afogada. Reanimada. Depois fugira. E embaixo da sua cama ele havia encontrado um livro dedicado à existência da alma. E desse livro uma página fora arrancada.

35

Rigshospitalet – 15h06

A sessão foi retomada. As testemunhas são chamadas a depor. O juiz se senta. Hannah tinha visto essa cena milhares de vezes nos filmes americanos. Um figurante diz: "Levantem-se todos! A honorável juíza Hannah Lund preside o tribunal". Hannah se senta na cadeira. Olha à sua volta: o corredor era branco, cor associada ao cheiro de álcool hospitalar que flutuava no ar. Ela se inclinou contra o espaldar desconfortável da cadeira e fechou os olhos. Esforçou-se para ignorar o cansaço. Era justificável falar de duplo assassinato? Um assassinato. O que significava isso, exatamente? Um homicídio voluntário. Dito de outra forma, era o fato de matar deliberadamente um ser humano. Mas, se o ser humano em questão não chegava a ser propriamente isso, então o que seria? Ainda assim um assassinato? Nesse caso, a questão que se colocava era a seguinte: era possível afirmar com certeza que os embriões que se desenvolviam nela eram seres humanos? Era isso que ela devia tentar determinar. Quando chegou a sua vez e ela se levantou, foi subitamente dominada por um sentimento de solidão. Não tinha mais ninguém com quem conversar além da enfermeira parada no vão da porta. Ninguém no mundo além daquela desconhecida.

– E aí, tudo bem? – disse-lhe a enfermeira, usando um cumprimento bastante informal. Seus óculos de armação larga lhe caíam bem, os cabelos curtos e loiros combinavam com seu prenome curto e preciso: Eva. – Pode se sentar.

– Obrigada.

– Então... – Eva se sentou diante dela e consultou a tela do seu computador. – Hannah Lund?

– Sim.

– Você está grávida e quer abortar?

– Isso.

– Vou lhe fazer a pergunta de outro modo: você não tem plena certeza de que quer abortar?

Hannah examinou a sala. Uma reprodução de um quadro de Matisse na parede. Uma lâmpada com luz agressiva. Uma mesa e duas cadeiras. Uma garrafa de água sobre a mesa.

– E quer falar sobre isso? Sobre as suas dúvidas? – perguntou a enfermeira levantando os óculos e fixando-os na testa. – Você pode expressar as dúvidas que tem?

Hannah hesitou. Ela não sabia. Era verdade. Ela ignorava por onde começar.

– Você tem filhos? – indagou ela à enfermeira, da mesma forma como poderia ter lhe perguntado qualquer outra coisa.

– Tenho, dois meninos. – Eva sorriu. – De três e seis anos.

– Você alguma vez pensou em abortar enquanto estava grávida?

Ela fez com a cabeça um sinal negativo.

– Nunca.

– Você considera um aborto uma forma de assassinato?

A enfermeira começou a se agitar na cadeira. Estava constrangida.

– Acho que as coisas não devem ser vistas desse modo.

– Como você definiria um assassinato?

– Acho que seria melhor falarmos sobre você. Sobre o que você sente. É por essa razão que você está aqui. – Eva pousou por um instante os óculos na mesa, mas em seguida reconsiderou e os pôs novamente na testa. – Cabe a você se manifestar.

– Mas é justamente o que eu penso. Você acha que eu estou errada?

– Depende de cada um. Mas acho efetivamente que você está enganada. Um aborto sempre levanta uma porção de questões, sobretudo de ordem moral. Mas, uma vez que a gravidez não ultrapassou as doze semanas, você está dentro dos limites fixados pela legislação dinamarquesa.

– Assim, pode-se dizer que a vida começa a partir de doze semanas.

– De certo modo, sim.

– É o que está decretado pela lei.

– Isso.

– Oitenta e quatro dias.

– Deve ser mais ou menos isso, sim.

– Duas mil e dezesseis horas. Cento e vinte mil e novecentos e sessenta minutos.

– Vejo que você é bem afiada para o cálculo mental.

– Mas basta um minuto a menos, quer dizer, cento e vinte mil novecentos e cinquenta e nove minutos, para que consideremos que ainda não há vida.

– Se tomarmos os números ao pé da letra.

– E aos cento e vinte mil e novecentos e sessenta minutos ficamos entre os dois. É nesse instante que tudo começa. Podemos dizer: a vida começa ao cabo de cento e vinte mil e novecentos e sessenta minutos. É nesse instante preciso que nasce... a alma. Podemos usar essa palavra?

Novamente a reação embaraçada. Como se de repente a cadeira tivesse se tornado pequena demais para ela.

Hannah voltou a falar. Algo dentro dela – mas ela ignorava o que seria – não podia parar:

– E entre a concepção, quer dizer, o minuto zero, e o minuto cento e vinte mil e novecentos e sessenta, o que é que existe? Nada?

– Hannah. – Eva suspirou. – Eu não tenho certeza de que essa conversa vá nos levar a algum lugar. As discussões sobre o aborto são interessantes, claro, mas não é disso que devemos falar agora. Prefiro ouvir você dizer o que acha do aborto pelo qual possivelmente vai passar. Você tem medo?

Hannah não sabia o que dizer. A resposta certa devia ser sim ou não. Em vez disso ela se obstinou.

– Mas é justamente isso que eu penso. A pergunta que me faço é: o que nós somos entre o momento em que somos concebidos e o minuto cento e vinte mil e novecentos e sessenta? Vamos chamar isso de um estado. Durante cento e vinte mil e novecentos e sessenta minutos nós nos encontramos num mundo sobre o qual ninguém fala, mas que todo mundo sabe que existe. Um estado que não é nem a vida nem a morte.

– Mais uma vez os números.

– Não fui eu quem os inventou, esses números. É um fato.

Eva pareceu se cansar.

– Admito perfeitamente que é difícil. É assim para todo mundo. Em vários hospitais, recuperamos os embriões abortados e cuidamos de que eles sejam enterrados num cemitério. Isso demonstra claramente que um embrião, evidentemente, não é apenas um objeto, mas... outra coisa.

– Exatamente! O quê?

Eva deu de ombros.

– Um ser semi-humano? – sugeriu Hannah.

– Podemos dizer assim.

– Um ser humano a quem não concedemos o direito de viver?

– Acho que você deveria rever o seu modo de considerar a questão. – Eva começou a brincar nervosamente com seu copo de água. – Estou pronta para receber um filho? Que vida terá esse filho? Será bom para ele se eu o puser no mundo? É isso que você deve se perguntar. O que você acha disso?

– Eu quero saber de que modo o embrião morre.

A enfermeira deu um suspiro.

– Ele é aspirado. Para fora do útero. Sem dor. Ou quase.

– Para mim ou para a criança?

– Para a senhora.

– E para a criança?

– Evidentemente é difícil saber isso, mas alguns estudos parecem demonstrar que o feto não sente dor antes da vigésima quarta semana. Mas a questão é controversa.

– E para você? Qual é a sua opinião?

Ela ergueu os ombros. Aparentemente, a conversa estava chegando ao fim.

– Eu não sei.

– Mas não tem uma ideia?

– Não é tarde demais para abrir mão do aborto, Hannah. É por isso que nós temos essa conversa. Você desistiria?

Silêncio.

– Não há problema se você tiver mudado de ideia.

Hannah lamentou ter ido àquela entrevista. Ela se levantou. Eva a imitou e lhe deu um abraço, que ela interpretou como um gesto amistoso. Ao sair, ela voltou a pensar nos cento e vinte mil e novecentos e sessenta primeiros minutos. Era ali que estava a chave. De outro modo não era possível. Uma vida que ainda não era vida. Um estado entre a vida e a morte. Se isso não era vida, então não era crime matá-la. Ou, para ser mais exata: recusar-lhe a vida. No entanto, era uma vida. Uma pequena vida. Assim, como se classificaria afinal de contas o ato de matá-la? Um pequeno assassinato? Talvez eu esteja buscando as respostas no lugar errado, disse ela para si mesma. Sobretudo uma. A determinante: vale a pena viver uma vida de loucura? Somente uma pessoa está em situação de responder a essa pergunta.

36

Universidade de Copenhague – 15h10

Não havia ninguém no Departamento de Filosofia, e fazia tanto calor nas suas dependências que Niels teve impressão de estar num país mediterrâneo na hora da sesta. A época de provas já havia terminado? Talvez todo mundo já estivesse de férias. Ele lançou um olhar para o anfiteatro. Vazio. Em seguida parou diante de uma porta que tinha uma placa com o nome de um certo professor Lieberkind. Bateu. Sem resposta. Àquela hora Lieberkind provavelmente estava numa praia da ilha de Amager, patinhando na água. Niels pensou em como seria bom fazer o mesmo.

– Algum professor está presente hoje? – indagou ele à secretária.

– Para que seria?

Niels lhe mostrou o distintivo de policial. Em outras palavras: não faça perguntas.

– Tente no final do corredor. Hoje de manhã eu vi alguns ali.

Niels bateu em todas as portas, em vão. Quando se virou para voltar, viu-se diante de um homem de meia-idade.

– Foi você que bateu na porta agora?

– O senhor é filósofo?

Ele examinou Niels com um ar desconcertado.

– Por assim dizer.

Niels lhe mostrou o livro de Dicte. *Fédon*.

– Eu preciso que o senhor me ajude um pouco.

* * *

A sala do filósofo: espartana, minimalista. Um MacBook pousado num tampo de um centímetro de espessura sustentado por três pés de aço polido. Não havia livros. Apenas uma citação emoldurada numa das paredes: "A conclusão é o momento em que nos cansamos de refletir". Na escrivaninha, uma xícara de café e uma chave magnética com o seu nome: Henrik Vartov.

– Essa obra é dedicada às últimas reflexões de Sócrates – disse Vartov, convidando Niels a se sentar com um gesto. – Você sabe quem foi Sócrates?

– Um filósofo grego, não é mesmo?

– Sócrates pertence ao panteão dos grandes pensadores da humanidade. Einstein. Sócrates. Gandhi. Jesus.

– O que vem a ser isso, uma sociedade secreta? – brincou Niels.

Henrik Vartov sorriu.

– Eu chegaria a dizer que ele é o chefe dessa sociedade. Sem Sócrates não haveria Jesus. Não haveria Platão. Não haveria império helenístico. – Ele limpou a garganta antes de prosseguir. – Na sua juventude Sócrates foi soldado. Combateu com bravura durante a série de conflitos tão célebres quanto intermináveis que opuseram Esparta a Atenas, conhecida hoje como Guerra do Peloponeso. No final da vida ele era apenas um velho fraco que percorria descalço as ruas de Atenas e apresentava aos seus concidadãos perguntas desconcertantes, com o intuito de fazê-los refletir. – O filósofo riu. – Você pode imaginar uma coisa dessas acontecendo hoje?

Niels sorriu e balançou a cabeça, olhando o filósofo fixamente nos olhos. Imaginou-o descalço andando pelas ruas de Copenhague.

– Ele foi também o único a denunciar o absurdo desse conflito e a incompetência dos dirigentes atenienses. Quando Atenas perdeu a última guerra contra Esparta, procuraram um bode expiatório.

– E Sócrates foi o escolhido?

– Um mendigo velho. Sim. Ele foi condenado à morte. Na cela, recebeu a visita dos seus alunos.

– Ele tinha alunos?

– Tinha. Considere-os mais como discípulos. Como os de Jesus.

– Entendi.

– Eles o visitaram. E ele lhes expôs então quatro provas da existência da alma e da sua imortalidade. As que ele aborda em *Fédon*.

– E quais são elas?

Henrik Vartov examinou Niels por alguns segundos e suspirou.

– É complicado demais para ser entendido por um policial idiota como eu?

– Talvez. Mas mesmo assim podemos tentar.

Niels sorriu. Baixou os olhos para o seu telefone: 15h10. Cinquenta minutos até o encontro. E ele continuava sem notícias de Casper.

– Como eu disse, ele trata das quatro provas da existência da alma e da sua imortalidade – prosseguiu Vartov. – Uma: a teoria cíclica. Sócrates começa demonstrando que a natureza ordenou tudo de modo cíclico. O que é grande foi pequeno um dia. O que está bem esteve um dia menos bem. E isso funciona nos dois sentidos. Senão as nuances e os opostos deixariam de existir. Você me entende?

– Acho que sim. E isso é certo?

– Como assim?

– Ele tem razão?

– A vigília sucede ao sono, que por sua vez sucede à vigília, não é assim? – Ele dirigiu a Niels um olhar indagador.

– Sim.

– E o vivo não morre?

– Sim.

– Nesse caso não podemos concluir que o que é morto volta à vida?

Niels pigarreou.

– É a prova número um. – O filósofo se inclinou ligeiramente para a frente. – Então Sócrates prossegue com o que chamamos de "anamnese". O que significa "lembrança". Ele afirma que nós não teríamos noções como a de "o que é bom" ou "o que é igual" ou "o que é bonito" se elas não fossem inatas. Quando temos diante dos olhos dois objetos do mesmo tamanho, logo emitimos um julgamento comparativo. O que equivale a dizer que nós os comparamos. Você me entende?

– Talvez. Quer dizer, não inteiramente. Qual é a relação disso com a alma?

– Uma vez que não existem dois objetos absolutamente idênticos, sobretudo na época, na Grécia Antiga, de onde nos vem essa ideia de equivalência? E de beleza?

Niels balançou a cabeça.

– Ou essas ideias ditas puras são inatas ou então elas não existem. O que você acha? Existem noções de "bom", de "belo" e de "igual" ou se trata apenas de invenções?

– Elas existem – respondeu Niels.

– Concordo com você. E uma vez que existem, isso significa que algo em nós deve "carregá-las".

– E esse algo é a alma?

Henrik Vartov sorri.

– E agora a prova número três. Que idade você tem?

– Quarenta e oito anos.

– Que idade você sente ter?

Niels refletiu. Pensou em Hannah. Em Kathrine. Balançou a cabeça.

– Não sei.

– Vamos. Você não pode entender Sócrates se se recusa a se interrogar.

– Tenho a impressão de ter vinte e oito – Niels acabou por responder.

– Exatamente. O corpo envelhece. É perecível. O corpo pertence ao mundo material. Seu espírito, ou sua alma, pertence ao mundo invisível. Assim, nós estamos de acordo quanto ao fato de que existe um mundo visível e um mundo invisível?

– Não tenho certeza.

– O amor é visível?

– Não.

– Os átomos são visíveis?

– Não.

– O seu espírito é visível?

– Não.

– Isso significa que o seu corpo, que é visível, tem quarenta e oito anos. E o seu espírito, que existe, nós sabemos, tem muito provavelmente vinte e oito. Nós dois já ouvimos velhos dizendo que se sentem sempre com a cabeça jovem. Não é mesmo?

– É verdade.

– É mais ou menos o que diz Sócrates. Ele prova que a alma é imutável. Ela não pode envelhecer nem desaparecer como o corpo. Senão você também teria a impressão de ter quarenta e oito anos.

– Até mais de cem anos – brincou Niels.

– Mas não é o caso. Porque o espírito, ou a alma, pertence ao mundo invisível. E o que pertence ao mundo visível está condenado a desaparecer, ao passo que o que faz parte do mundo invisível é eterno. Por outras palavras...

– Imortal.

Vartov sorriu.

– Eu diria que você entendeu.

– E a última prova?

O telefone de Niels emitiu um bip. Era o sms de Casper: "Terminei o trabalho com a foto".

– Eles não teriam sido tão sábios na Antiguidade se fossem constantemente perturbados por esses malditos SMSs.

Niels sorriu e ergueu os olhos.

– A última prova?

– Para terminar, Sócrates é repreendido por seus alunos. Eles lhe dizem que, mesmo que ele tenha conseguido provar que a alma existe e que ela sobrevive ao corpo, pode ser que ela se esgote ao longo das sucessivas vidas terrestres. Que os corpos a usem como usam as roupas que vestem.

– Isso não é muito lógico.

– Não, eu concordo. Ou ela é imortal ou não é. Assim como uma mulher não pode estar mais ou menos grávida.

– É o exemplo que ele utiliza para a sua demonstração?

– Não exatamente. Mas eu vejo que você está apressado.

Niels abriu o livro.

– Uma página foi arrancada.

Henrik Vartov deslizou os dedos pelos restos da página arrancada. Eles formavam pequenos dentes brancos parecidos com picos de montanhas nevadas.

– É um crime vandalizar uma obra dessas. É por isso que a polícia realiza a investigação? – indagou ele sorrindo.

– O senhor sabe qual é o conteúdo dessa página?

– Sim. – Vartov consultou a página anterior. – É bem no início do diálogo. É o momento em que os homens mais sábios da Antiguidade reunidos na cela de Sócrates chegam a um consenso e dizem que a morte não é nada mais que o instante em que a alma se separa do corpo. E que a alma pode viver fora de qualquer envoltório físico.

Como Giselle, pensou Niels.

37

Bairro de Nørrebro – 15h23

Hannah freou bruscamente. A buzina do carro atrás dela ressoou em Nørrebro.

– O que é que você tem? Está maluca? – berrou o motorista.

Hannah só percebeu que ele falava com ela quando fez meia-volta ao volante do seu Fiat vermelho. Dessa vez o promotor estava firmemente resolvido a ganhar a causa. Ia chamar sua testemunha principal. Uma voz do além-túmulo vai agora se manifestar, honorável júri, disse ela em voz alta. A sequência da sua fala foi resmungada. Eles são muito bonzinhos, esses humanistas moralistas, mas dessa vez vão ouvir a verdade sobre o que significa viver quando se é louco. Sobre o que a pessoa sente. E não o que vem da boca de um teórico. Não. A opinião de uma pessoa que sabe verdadeiramente do que está falando.

38

Chefatura de polícia de Copenhague – 15h25

– Casper?

O jovem técnico em informática estava ocupado examinando a foto quando Niels entrou nos arquivos da chefatura de polícia. Era ali que Casper se refugiava. Sim, ali ele estava em casa. Quem entrasse naquele lugar podia ter a impressão de transpor uma espécie de fronteira íntima. Os arquivistas, ligados ao serviço de informática, não estavam acostumados a receber visitas. Niels aproximou-se dele.

– Você tem alguma coisa para mim? Estou com pressa.

– Dá para imaginar ouvindo a sua respiração ofegante – respondeu Casper.

Niels se sentou numa cadeira que havia por ali e se perguntou o que mais o ouvido aguçado do jovem podia ouvir.

– Como essas moças são miúdas! – constatou Casper contemplando a foto na tela. – E bonitas também.

– Como bailarinas.

– Eis a nossa amiga.

Ele apontou para Dicte, que estava sentada na cama, meio encoberta por um círculo de fumaça que sua boca acabara de expulsar. Ela segurava o cigarro entre o polegar e o indicador.

– Exatamente ela. Exatamente Dicte van Hauen.

– E olhe um pouco para ali. No espelho. É justo o que você queria ver, não é?

– O que é?

– Eu diria que é um cartão-postal, você não concorda?

– Concordo.

– E agora olhe para isso. – Casper deu um *zoom*, e a imagem ficou menos nítida. – O ângulo não era perfeito, mas, como eu sou superdotado, consegui fazer o cartão girar.

Ele recortou o cartão-postal e o deslocou para um canto da tela. Depois reduziu a foto e aumentou pela segunda vez o cartão-postal.

– Você está vendo alguma coisa? – indagou Niels.

– Estou. Você não? – Casper ampliou mais a imagem. – É um pássaro?

– Não.

– Isso talvez pareça uma asa. Ou um dragão?

– Um dragão?

– Não.

Niels lançou um olhar para o relógio de parede: 15h30. NMSB. Seg. 16. Só trinta minutos para resolver o enigma. Ele elevou a voz:

– Estou com pressa. Se você é capaz de distinguir alguma coisa no meio de todos esses pixels ou sei lá como você chama isso, então me diga logo.

– Niels, é um anjo! – diz Casper como se aquilo fosse evidente.

Niels inclinou ligeiramente a cabeça.

– Acho que você tem razão. Você tem certeza? – Ele se levantou e recuou um pouco. – É, poderia mesmo ser um anjo. Ele está com alguma coisa nos braços.

Casper se levantou por sua vez e ficou ao lado dele.

– O quê?

– Crianças, acho.

– Pode ser.

– Um anjo com crianças nos braços? – Niels estava cético. – Ou bebês? Você acha que é um quadro? Embaixo tem uma legenda.

– Talvez seja mais fácil ler o texto se o isolarmos – sugeriu Casper, pondo-se imediatamente a fazer isso.

Niels se aproximou para olhar sobre o ombro de Casper. O jovem se impacientou ao sentir na nuca a sua respiração.

– Vamos, mais rápido, Casper. É um *T*? O que é que está escrito? Tor...

– Acho que é "Thorvald".

Niels se inclinou mais um pouco sobre a tela.

– Não, "Thorvaldsen" – retificou Casper.

– Thorvaldsen? Acho que você tem razão.

O técnico em informática já havia aberto o navegador de internet e começado uma pesquisa.

– Bertel Thorvaldsen. Um dos maiores escultores, não só da Dinamarca mas do mundo. Artista do movimento neoclássico, executou a maior parte da sua obra em Roma. Participou notadamente da construção do túmulo do papa Pio VII, na Basílica de São Pedro. Há quem diga que não é por acaso que o perfil do papa apresenta uma semelhança impressionante com um certo H. C. Andersen, que ele conheceu algum tempo depois. Ele morreu de repente, no dia 24 de março de 1844, quando assistia a uma apresentação no Teatro Real. Perdeu os sentidos durante o primeiro movimento da *Sexta sinfonia* do compositor alemão Ferdinand Ries, executada na abertura da peça do dramaturgo austríaco Friedrich Halm intitulada *Griseldis...*

Niels o interrompeu.

– No Teatro Real?

– É o que está escrito. – Casper ergueu os olhos para ele. – O que é que você está pensando?

– O que é que eu estou pensando? Por que alguém se daria ao trabalho de ir recuperar no camarim de Dicte um cartão-postal com a escultura de Thorvaldsen? Eu me pergunto que ligação pode haver entre a morte de Thorvaldsen no Teatro Real e a de uma estrela do balé que trabalha no mesmo teatro cerca de setenta anos depois.

Casper balançou a cabeça, parecendo resignado.

– E o cartão-postal, o que é que ele representa, exatamente? – prosseguiu Niels. – Um anjo. Bebês.

Casper precisou de apenas alguns segundos para identificar a obra em questão na internet.

– Pronto! – Ele ampliou a foto do anjo. *"A Noite com seus filhos.* Relevo", leu ele secamente.

Niels leu em voz alta:

– O célebre relevo de Thorvaldsen, *A Noite com seus filhos, o Sono e a Morte.*

– Nos dias atuais o cartório nunca aceitaria esses prenomes – brincou Casper. – Sono Jensen, você pode imaginar? Nem mesmo como segundo prenome. Michael Morte Hansen – prosseguiu Casper até Niels lhe cortar a palavra.

– *A Noite com seus filhos. Natten med sine børn.*

– É o nome da obra.

– *Natten...*

– *Med...*

– *Sine...* – acrescentou Niels.

– *Børn* – concluiu Casper.

– NMSB.

Niels consultou o relógio: 15h45.

– Onde é que esse relevo está exposto?

Casper executou com virtuosismo alguns acordes no teclado do computador e então limpou a garganta.

– Adivinhe.

39

Cemitério de Frederiksberg – 15h45

O promotor andava com um passo resoluto. Com um macacão cáqui, o coveiro subiu os degraus e acendeu um cigarro. Dirigiu um sinal de cabeça para Hannah antes de se afastar na direção do que parecia um abrigo de jardim danificado. Ela se sentou num banco, descalçou as sandálias e enterrou os dedos no cascalho branco. Os últimos metros eram sempre os mais difíceis. Uma dezena de metros na alameda ladeada de túmulos, depois alguns passos à esquerda. Era ali que Johannes, seu filho morto, repousava, entre um resistente da Segunda Guerra Mundial e uma mulher chamada Olga Hansen, morta em 1991. Nos anos seguintes à morte de Johannes, Hannah fora muitas vezes se recolher à beira da sua sepultura. Não porque isso a aliviasse; apenas parecia uma coisa normal. Necessária. No ano anterior, no entanto, ela só fora ali duas ou três vezes. Tinha agora outras necessidades, sendo a mais importante delas aprender a viver com a sua dor. Hannah havia tomado consciência disso com o tempo: ela nunca se curaria dessa dor. Sua ferida fazia parte dela, a transformara, e agora era preciso aprender a se comportar como a pessoa nova que ela era. Aprender a apreciar a vida. Se é que isso era possível. Ela se ajoelhou diante do túmulo, uma simples pedra cinzenta do tamanho de uma bola de futebol, na qual estavam gravados um nome e duas datas. Sem flores, sem mensagem de adeus endereçada ao defunto numa placa.

– Como vai você, meu querido? – perguntou ela antes de murmurar: – Tenho uma pergunta a lhe fazer. Você quer saber?

Ela se virou ao ouvir vozes vindas de algum lugar atrás de si e percebeu um velho acompanhado do neto. O menino tinha uma rosa branca na mão e uma mochila nas costas.

– Você quer saber? – murmurou ela de novo, fixando o túmulo com o olhar. – Bom. Você escolheu morrer. Você não queria mais viver por causa da sua doença. Eu entendo. Mas não havia momentos em que...

Ela ficou em silêncio por um tempo. As palavras se recusavam a sair. Ela pegou um punhado de pedrinhas e as deixou escorrer entre os dedos e retornar ao solo com um ruído apaziguador de escoamento. Talvez tenha sido isso que lhe deu força para prosseguir.

– Não houve pelo menos um único momento em que a vida lhe pareceu bela? – murmurou ela. – Em que você disse: "Sou feliz por ter nascido". A vida é dura, mas não impossível. Você nunca pensou isso?

Silêncio. Depois o barulho do coveiro, que começou a cavar com a pá e o enxadão, e a voz do velho falando para o netinho: "Tenho certeza de que a mamãe está feliz lá onde ela está".

– Você está me ouvindo, Johannes? – disse suavemente Hannah. – Cometi um... crime pondo você no mundo? Não, não foi isso que vim lhe perguntar. Queria apenas saber se você teria desejado nunca ter nascido. Isso, é isso o que quero lhe perguntar, somente isso. Meu caro Johannes, meu filhinho adorado. Você teria preferido nunca ter vindo ao mundo?

Ela fechou os olhos. Desapareceu em si mesma. Os barulhos à volta dela sumiram. Restaram apenas o silêncio e a escuridão. E uma voz de criança que disse: "Sim".

40

Copenhague – 15h50

O Museu Thorvaldsen ficava bem diante do gabinete do primeiro-ministro e ao lado da Suprema Corte, em pleno coração do bairro que constituía o centro nervoso do Estado dinamarquês. E isso não era por acaso. As obras de Thorvaldsen eram célebres no mundo inteiro. As pessoas vinham de toda parte para se deixar envolver pela sua perturbadora escultura do Cristo. Com os olhos baixos, os braços abertos e as mãos estendidas, em cujas palmas se via o estigma causado pelos pregos dos romanos. Isso era praticamente tudo o que Niels sabia sobre o homenzinho que tinha esculpido o mármore em Roma durante quarenta anos. A porta estava fechada. No entanto, havia pessoas lá dentro. Homens, algumas mulheres. Ele bateu. Uma mulher uniformizada se voltou e balançou a cabeça para lhe dizer que o museu estava fechado. Ele bateu mais forte no vidro da porta. Ela se aproximou.

– Está fechado. Visita privada – informou ela.

Niels colou o distintivo da polícia contra o vidro. Durante alguns segundos ela o examinou atentamente, como se não estivesse ligando o jovem da foto ao homem que tinha diante de si.

– Abra a porta – ordenou.

Ela obedeceu. Ele entrou.

– Aconteceu alguma coisa? – indagou ela.

Niels examinou o lugar. Grupos de homens com roupas caríssimas circulavam ao lado de jovens magras de terninho. Tinham placas de plástico penduradas no pescoço. Bebidas e aperitivos estavam dispostos numa mesa coberta com uma toalha branca. Um pouco mais distante, um homem com uma roupa extravagante e um crachá onde se lia "Mærsk" saudou-o com a cabeça.

– Que tipo de visita privada é? – indagou Niels.

– É uma visita organizada pelo Ministério do Exterior – respondeu a jovem.

– O Ministério do Exterior?

– Uma delegação comercial europeia, me parece.

– Ninguém duvida que eles saberão apreciar Thorvaldsen.

Ela deu de ombros e dirigiu um sorriso profissional a um homem de aparência mediterrânea que passava por eles.

– *A Noite com seus filhos*. Onde posso encontrar essa escultura?

– Na galeria lateral. Sala número oito – indicou ela suspirando. – Posso lhe perguntar o que o traz aqui?

Niels ignorou a pergunta e consultou o relógio. Mais dez minutos. Ele tinha tempo. Desceu os degraus que levavam aos banheiros e ao vestiário. O lugar ideal para uma entrega. Seria ali que o encontro ia acontecer? Se é que ia mesmo acontecer um encontro.

Ele voltou à escada e foi encontrar a mulher de uniforme.

– Sim? – perguntou ela.

A moça já tinha dificuldade de dissimular a irritação.

– Quando essa visita foi organizada?

– Não sei. Há alguns dias, acho.

– E quem tem conhecimento dela são apenas as pessoas convidadas?

– Imagino que sim.

Niels se afastou. Por que justamente hoje?, perguntou-se ele. Por que aqui? O encontro teria sido cancelado depois da morte de Dicte? Mas, nesse caso, por que alguém teria corrido o risco de arrombar a porta para entrar no seu camarim e recuperar o cartão-postal? Não; de um jeito ou de outro, aquele cartão-postal devia ser importante. Talvez por causa do que ele representava? *A Noite com seus filhos, o Sono e a Morte*. A resposta estaria ali? Escondida em alguma parte da obra? Seria um código secreto? Uma mensagem criptografada? Mas por que àquela hora? Haveria alguma relação com a maneira como a luz solar ilumina a obra nesse momento do dia? Niels balançou a cabeça. Esse tipo de coisa só existia nos filmes americanos fantasiosos. Não na realidade. A realidade era sempre mais banal. E mais complexa.

Ouvindo falarem em francês atrás dele, Niels se voltou e descobriu dois homens que aparentavam estar aborrecidos. Um deles examinava o celular. Niels os observou. Nada, disse ele para si mesmo ao cabo de alguns segundos. Não havia neles nada que pudesse ligá-los a mensagens secretas num cartão-postal. Ele voltou ao corredor. O lugar era fresco e sem iluminação natural. O que era particularmente apreciável naquela canícula. Ele teria gostado de poder se estender por alguns instantes no chão de mármore e fechar os olhos, sentir a pele se refrescar em contato com os ladrilhos antigos. Em vez disso seguiu em frente, passou pelas obras e pelas pessoas que exibiam relógios de ouro, joias caras e diversos sotaques ingleses. Ninguém o notou. Ele estava cercado de pessoas acostumadas às multidões imensas e anônimas, a delegações onde todos sorriam e concordavam polidamente sem procurar saber a quem se dirigiam as amabilidades. Pessoas que consideravam o mundo o seu palco. Dicte teria relações entre elas? Certamente sim. O balé, a cultura elitista, Thorvaldsen, o dinheiro, os bancos. O que é que você está procurando, Niels?, perguntou-se. Procuro olhares nervosos, à espreita. O que é que você está procurando? Um assassino? Assassinos? O homem que tinha sequestrado Dicte, que a afogou e...

Ali. Na peça onde estava exposta a estátua do papa Pio VII. Um homem. Vestido com roupa quente demais para a estação. De paletó. Óculos escuros. Cabelos grisalhos. Uma pulseira de ouro. Cerca de um metro e oitenta e cinco. De compleição comum. O indivíduo que tinha sido filmado pela câmera de segurança. Seu físico correspondia ao daquele homem? Talvez. Não devia ser excluído.

Niels se postou na periferia do grupo, cruzou os braços e se esforçou para parecer tão cansado quanto o papa Pio VII, que fora imortalizado na pedra em posição sentada, com o olhar preso aos canais de Copenhague, enquanto com a mão direita ele abençoava Deus e todos os que passavam diante dele. O homem não parava de olhar o relógio. Niels o vigiava. É baixo demais, pensou ele. Mas e daí?

A guia estava explicando em inglês que o fato de confiarem a um protestante como Thorvaldsen a realização do túmulo de um papa revelava um grande reconhecimento. Niels a observava. Ela teria uns vinte anos, traços finos e – o que era surpreendente – usava meias cor da pele. Nesse calor? Quando se tratava da decoração das suas igrejas, o Vaticano se dispunha a fazer todas as concessões, explicou ela: homossexualidade, heresia e outros desvios. Risos. Ela levou o grupo para um pouco mais longe. Niels lançou um olhar para a saída. Uma mulher elegante alisava a minissaia azul-marinho. E o que estava fazendo o homem do Mærsk? Visitava sozinho a sala principal. Os homens sós. Sempre suspeitos. Logo ele próprio seria um deles. Ele teria de preparar a sua mala. Na verdade, o que ele fazia ali? De que modo a infelicidade de Dicte lhe dizia respeito?

Eu pulo com você.

Niels foi até o final do corredor e penetrou nas galerias secundárias. Sala 8. Não era o que ela lhe havia dito? Isso. No fundo, num cômodo menor que o novo quarto de Niels e Hannah, mas com pé-direito mais alto, ele acabou encontrando o relevo. *A Noite com seus filhos, o Sono e a Morte.* Exatamente como no cartão-postal. A escultura era tão detalhada que as asas do anjo pareciam quase reais. Com suas formas suaves e ligeiramente arredondadas, pareciam as asas de uma pomba. O anjo tinha os olhos fechados. Segurava nos braços dois bebês rechonchudos. A obra deve ter exigido anos de trabalho, pensou Niels.

De repente ele ouviu passos atrás de si. Baixou os olhos e se afastou, indo na outra direção, depois lançou um olhar sobre o ombro. Percebeu então um jovem de cabelo curto que lhe pareceu um tanto deslocado. No entanto, ele também usava um paletó e um crachá pendurado no pescoço. Era o seu homem. Niels estava convicto disso. O homem de cabelo curto já estava na sala quando a guia surgiu.

– Esse relevo, intitulado *A Noite com seus filhos*, é uma das obras mais importantes de Thorvaldsen – disse ela no seu inglês nobre, um inglês de Oxford ou de Cambridge. – Vocês podem adivinhar quem são esses filhos da Noite?

Os visitantes trocaram olhares. Provavelmente não estavam acostumados a ouvir esse tipo de pergunta.

– Os filhos da Noite. Alguém tem uma ideia? – indagou novamente a guia num tom insistente.

O homem de cabelo curto continuava ali.

– Sono – propôs um dos visitantes.

– Sim, está certo – confirmou a jovem antes de continuar: – O Sono é um dos filhos da noite. *Hypnos*, em grego. O outro é um pouco mais lúgubre.

Niels pensou em Vartov, o filósofo. No que supostamente havia dito Sócrates. Em como o sono sucede à vigília, a noite sucede ao dia. A morte torna-se vida.

– Ninguém?

Vamos, deem a resposta, vamos acabar logo com isso, pensou Niels, querendo vê-los bem longe.

– A Morte. Seu segundo filho não é outro senão a Morte. *Thanatos*. Os filhos da Noite são o Sono e a Morte.

Niels via curiosidade nos rostos. Com o que se parece a morte? Com uma criança adormecida com bochechas gordas e coxas roliças?

– Não se sabe com certeza, mas alguns estudiosos acham que Thorvaldsen executou esse relevo para tentar expressar o luto pelo seu filho Carlo Alberto, morto com apenas cinco anos. Por outro lado, nós sabemos que ele fez a escultura por encomenda de um almirante dinamarquês que tinha perdido a esposa, Cecília, e desejava lhe oferecer a sepultura mais bonita possível.

Subitamente Niels notou um homem de óculos escuros parado perto de uma das entradas da sala. Isso seria mais uma vez fruto da sua imaginação ou sua atitude tinha mesmo algo de incomum? Algo como impaciência. Niels recuou para trás da coluna. A guia continuava destilando suas informações:

– Trata-se de uma cópia. O original está conservado em outro lugar.

O coração de Niels deu um salto no peito.

– Na Igreja de Holmens, localizada um pouco mais distante, ao longo do canal pelo qual nós vamos passar quando essa visita acabar.

Niels a interrompeu:

– Com licença.

Ela se voltou. Seu sorriso desapareceu imediatamente, e as sobrancelhas se arquearam como as costas de um gato encolerizado.

– *A Noite com seus filhos* – disse ele apontando para o baixo-relevo. – Você disse que o original está na Igreja de Holmens?

16h04

Agora Niels tinha a igreja na sua mira. Provavelmente ele chegaria tarde demais. A pessoa com quem Dicte ia se encontrar já teria provavelmente ido embora há muito tempo. Ele atravessou correndo a praça do castelo, passou por um grupo de japoneses que, com a cabeça para trás, admirava a seta da igreja, espremendo os olhos. De longe ele viu que não havia ninguém postado na entrada da Igreja de Holmens. Ele atravessou a rua, com o tráfego adormecido pelo calor estival e com moças de bicicleta, uma atrás da outra, cabelos ao vento. Niels só viu o pedestre no momento em que o abalroou.

– Dá para prestar atenção? – berrou o outro segurando-o pelo braço.

A porta da igreja se abriu. Um jovem com boné de beisebol e enormes óculos escuros saiu de lá. Tinha uma das mãos enterrada no bolso. Niels soltou o braço e quis retomar sua corrida, mas o outro o segurou.

– Podia pelo menos pedir desculpa!

Niels lhe deu um soco na barriga e saiu correndo. Ouviu os insultos atrás de si, mas resolveu não prestar atenção neles. Normalmente não teria se comportado assim; jamais. Mas então teve vontade de dar meia-volta e ir dar um murro na cara daquele cretino, de moê-lo de pancadas pela sua atitude obstinada. Estava exasperado pela imbecilidade e arrogância de alguns concidadãos seus. Se ainda estiver ali quando eu voltar, passo as algemas nesse idiota e depois o jogo numa cela durante vinte e três horas; isso lhe dará uma lição, pensou ele reduzindo a velocidade.

O jovem de boné de beisebol e óculos escuros não estava nada apressado, e Niels ponderou que se chegasse correndo poderia chamar atenção, então parou diante da passagem com tachões. O homem prosseguiu seu caminho em direção à ponte, mas só depois de ter acendido um cigarro. Usava roupas caras: uma camisa clara, larga mas bem-talhada. Niels sabia que era um modelo da moda. Assim como seus óculos escuros e os sapatos. Um segundo homem saiu da igreja. Enquadrava-se perfeitamente na categoria favorita da polícia: meia-idade e só. O semáforo passou para o verde e Niels atravessou, lançando olhares discretos a esses dois suspeitos. Qual era o certo? O jovem que ele seguia à distância ou o homem de meia-idade que vinha na sua direção? Um metro e oitenta, medianamente corpulento. Niels conhecia muito bem aquele aspecto físico e também o que ele significava: não era um aspecto físico, mas uma linguagem codificada utilizada pela polícia para designar quem quer que fosse. Antes era um metro e oitenta, mas a altura padrão havia aumentado cinco centímetros, seguindo a evolução da altura média. Apesar de tudo, o aspecto físico correspondia mais ao do jovem.

– Com licença?

Um casal de turistas americanos acabara de abordar o mais velho dos dois. Niels os ouviu perguntar sobre o caminho para o metrô. No mesmo instante o jovem se voltou e percebeu Niels.

Ele tinha sido identificado. Podia ler isso nos seus olhos. Será que ele o havia encarado com uma insistência indevida? O jovem acelerou o passo. Sempre em direção à ponte. Niels o seguiu de longe. Quando ele se voltou novamente, Niels não fez nada para dissimular o seu interesse. Logo em seguida o suspeito começou a fugir. Atravessou a rua diante de um banco e se arremessou na direção da ponte. Niels ficou do outro lado. O tempo que ele poupou evitando a travessia lhe permitiu ficar no mesmo ponto do fugitivo. Este era veloz, tinha a metade da sua idade. Niels precisaria de ajuda se quisesse pegá-lo. Ele brandiu o distintivo de polícia e berrou:

– Polícia de Copenhague! – Depois mais uma vez – Polícia de Copenhague. Você está preso!

Um pouco mais longe, na ponte, um grupo de bancários se imobilizou e fez meia-volta. O jovem também parou de repente. Olhou para Niels, depois para os bancários. Eles iriam barrar o seu caminho?

Sem olhar para o celular, Niels fez uma ligação e começou a gritar tão forte que até os ciclistas que passavam pararam.

– Polícia! Você está preso! Deite-se no chão!

No mesmo instante o suspeito saiu correndo. Rápido como um relâmpago.

– Polícia de Copenhague – diz uma voz do outro lado da linha.

– Bentzon. Departamento de homicídios. Preciso de reforços na Ponte de Knippelsbro. Estou perseguindo um indivíduo de óculos escuros e boné que se dirige para Christianshavn.

Niels estava tão esbaforido que não ouviu a resposta. Os cinco bancários tinham certamente esperado ajudar as forças da lei, mas lhes faltou coragem na última hora, quando o jovem investiu na direção deles. Niels atravessou a rua. Um carro freou bruscamente. Ele enxugou o suor que escorria para dentro dos seus olhos.

– Polícia de Copenhague, pare! – gritou ele.

Dessa vez ele teve mais chance. Um ciclista impediu a passagem do fugitivo por um curto instante, longo o suficiente para atrasá-lo e permitir que Niels o pegasse. Ele o agarrou pelo pulso, mas o jovem conseguiu se libertar com uma facilidade desconcertante e lhe deu um pontapé. Enquanto isso os bancários estavam à volta deles. Precisavam se redimir. Não queriam contar à amável esposa, ao entrarem em casa, que não tinham tido coragem de ajudar um policial a pegar um fracote de boné de beisebol. Niels se levantou. Bem a tempo de ver o jovem dar alguns passos de impulso e pular sobre o parapeito.

Eu pulo com você, Dicte.

Eu nado bem, pensou Niels, enquanto suas mãos se agarravam ao aço brilhante. Vamos, pule. Mas seus punhos se recusavam a se abrir.

Ele ouviu sirenes gritando à distância e vozes atrás de si:

– Você está bem?

– Quem era ele?

– Precisa de ajuda?

O homem demorou a reaparecer. Teria nadado para debaixo da ponte?

– Seu lábio está sangrando.

Niels se virou. O ciclista que tinha acorrido em sua ajuda o examinava com um ar inquieto. Subitamente lhe veio à mente o segundo homem que ele havia visto sair da igreja. O que ele havia dito ao casal americano que queria se informar sobre um caminho? O metrô? "Sigam-me, estou indo para lá."

– Preciso da sua bicicleta – murmurou Niels limpando a boca com as costas da mão.

41

Hospital de Bispebjerg, Serviço de Psiquiatria Infantil – 16h10

Ele não parece psiquiatra. Essa foi a primeira coisa que me veio à cabeça quando o vi. Parece bastante descuidado com a barba. Seu olhar é muito fugidio. Parece mais um educador, um professor primário, talvez. Além disso, há alguma coisa fora do lugar na sua maneira de se vestir. Ele é muito desestruturado. As suas combinações de cores beiram o cômico. Calça marrom. Camisa xadrez vermelha. No entanto a sua voz é muito agradável. Uma voz cheia e profunda. Monótona. Eu gosto da monotonia. Mas às vezes ela pode ser um problema. Na verdade, ela tende a minar a minha atenção, a me ninar. Então eu bato em retirada com os meus pensamentos. Como neste momento.

– Sabe, não tem problema se você não falar, Silke. Vou insistir nisso. Tanta gente fala demais... – O humor é uma das suas armas principais. Entendi isso há muito tempo. – Você se fechou em si mesma. Perfeito! O principal é que você se sinta bem. Porque somente quando se sentir bem você encontrará forças para se abrir novamente para os outros. Você fará isso um dia. Quando estiver pronta.

Toda vez eu tenho direito à mesma arenga. Ele não quer me apressar. Não quer que eu tenha a impressão de que não sou normal. Ele se esforça para me devolver a segurança. Acha que vem daí o meu problema. Mas também nisso ele se engana. Ele não compreende. Ninguém compreende. Eu sei também como no seu mundo se chama o mal de que sofro. Transtorno de estresse pós-traumático. Eu o ouvi dizer isso para o papai. Uma síndrome de estresse causada pelo choque que sofri quando mamãe morreu e que acabou por se transformar numa doença crônica. O meu mutismo é um fenômeno raro, eu mesma tenho consciência disso. Pela sua duração excepcional.

– Você entende o que eu quero dizer, Silke? – prossegue ele.

Em contrapartida, ele nunca se cala. Na minha cabeça, começo a descrever o cômodo onde estamos. Tudo o que eu vejo ao meu redor. Minuciosamente. Sem me esquecer de nada. O grampeador na escrivaninha, a foto do menininho. O filho do psiquiatra, certamente. A moldura é de madeira vermelha. A escrivaninha é grande demais para o tamanho da sala, e na minha opinião ele deveria tê-la colocado perto da janela. Assim ele aproveitaria ao máximo a luz do sol. Nas paredes estão dependurados pôsteres com imagens de flores. Reproduções de quadros de Monet, talvez? As cores são alegres e otimistas. O computador, a impressora, os telefones. O relógio atrás dele, antigo, meio descombinado com o resto. Já estou aqui há vinte e dois minutos; vinte e dois minutos inúteis. Claro, não acho ruim ficar aqui. Pelo contrário, acho até divertido, vê-lo me examinar com seus graves olhos cinzentos. Gosto do seu olhar, há nele algo de apaziguador.

– Nós sabemos que nessa cabecinha tem alguém, Silke. Não somos idiotas. – Ele ri. Mais uma tentativa de me fazer reagir. – Você está aqui. Está presente. Bem na minha frente. Não tenho nenhuma dúvida.

Contemplo as paredes verde-claras, o chão de linóleo branco. E o móbile suspenso no teto, com seus personagens de desenhos animados: Homem-Aranha, Super-Homem, Pato Donald, Popeye e também um homem verde cujo nome eu não lembro, de músculos fortes e cabelos negros e lisos. Será esse o aspecto do Culpado atualmente? Será que na verdade ele é um camaleão capaz de mudar de aparência quando bem entender? Por que não? Ontem ele era grande, magro e de cabelos castanhos. Hoje é verde e musculoso. Pelo menos isso explicaria por que a polícia jamais conseguiu pôr as mãos nele durante todos esses anos.

– Já que você não quer falar, sou obrigado a fazer isso no seu lugar. – Mais uma vez o sorriso. – Porque, se precisarmos contar só com você, o ambiente não será muito alegre. Você concorda?

Com isso ele começou a me falar da mamãe. Como sempre faz. De como foi a sua morte. Ele não me poupa nenhum detalhe. É o seu modo de cuidar de mim, disse ele um dia para o papai. Obrigando-me a enfrentar a realidade da qual eu fujo. Mas eu não o ouço. Ele não sabe do que fala. Não me conhece. Papai é o único que me conhece, o único que me compreende. Os outros? Eu só quero que eles desapareçam da minha vida. Por que é tão difícil para eles entender isso? Já se passaram cinquenta e seis minutos quando ele finalmente limpa a garganta e me anuncia que a sessão terminou. Cinquenta e seis minutos na companhia de Aksel Schultz, um dos mais eminentes psiquiatras infantis da Escandinávia. Cinquenta e seis minutos que não serviram para nada. Ele poderia perfeitamente ter falado com a parede.

42

Praça Kongens-Nytorv – 16h20

Niels tinha certeza de que o ouvira mencionar o metrô, dizendo aos turistas americanos que estava indo justamente para lá. No entanto, foi no ponto de ônibus da Praça Kongens-Nytorv que ele percebeu – um inferno circulatório. O metrô estava se expandindo na cidade, deixando na sua esteira lugares devastados pelas obras. Antes de entender como funcionava o freio da bicicleta, Niels precisou por duas vezes usar a proteção do canteiro do metrô para reduzir a velocidade. A uns cem metros de distância, do outro lado do Teatro Real, ele viu o homem subir no ônibus 350S. E viu também atrás dele, estendida sobre a entrada principal do teatro, uma imensa faixa representando Dicte no papel principal de Giselle, com o corpo curvado sobre si mesmo, a cabeça ligeiramente erguida, contemplando público, que continuava vivo.

Eu pulo com você. Estou logo atrás de você, Dicte.

O ônibus 350S passou diante dos seus olhos. Niels enxugou a boca ensanguentada e partiu em sua perseguição. Quando fora a última vez que havia andado de bicicleta? Provavelmente quando tinha uns dez anos. O selim e o guidão estavam baixos demais. A cada pedalada seus joelhos batiam no guidão. O ônibus tomou a direção de Amager e parou no semáforo diante da Bolsa. Niels estava quase conseguindo alcançá-lo. Ao lado dele, rostos dissimulados atrás de óculos escuros, bonés e chapéus de sol de aba larga. O semáforo ficou verde. Pelo menos ele tinha certeza de que seguira o ônibus certo? O homem era o homem certo? Ele se livrou da bicicleta, arremeteu atrás de um caminhão que espalhava inseticida e correu na direção do ônibus.

– Polícia! – berrou esmurrando a porta traseira.

Os passageiros voltaram-se para ele. Um casal de turistas asiáticos apressou-se a desviar o olhar.

– Polícia! – gritou ele novamente, dessa vez tão forte que sua voz se partiu.

Atrás dele um carro buzinava em ritmo regular.

– Você não pode ficar assim no meio da rua! – disse o motorista.

Niels lhe mostrou o distintivo da polícia. Colou-o no vidro do ônibus, mas tudo o que recebeu foram olhares temerosos dos passageiros estupefatos. Ele correu até a frente e bateu na porta, que finalmente se abriu.

– O que é que está acontecendo? – retumbou o motorista.

– Polícia de Copenhague. Preciso subir. – Niels abriu passagem dentro do ônibus lotado exatamente no momento em que o tráfego voltou a andar. – Polícia! – gritou ele brandindo o emblema policial acima da cabeça. Os passageiros o encaravam. Como se não estivessem entendendo nada ou não compreendessem o que ele dizia. Uma garotinha começou a chorar em alguma parte do ônibus. A época em que a presença de um policial tranquilizava a população já havia passado.

– Afastem-se.

Ele tentou avançar, mas as pessoas estavam tão espremidas umas contra as outras que não podiam se mexer. Onde é que você está? O ônibus freou bruscamente. Diante dele uma mulher deve ter perdido o equilíbrio. Ali. Fora. O homem havia descido pela porta traseira quando Niels tinha subido pela dianteira. E corria agora na Ponte de Knippelsbro, em direção à Praça de Christianshavn.

– Motorista! Abra a porta! – gritou Niels, forçando a passagem.

A porta se abriu, não sem dificuldade. Ele se precipitou para fora do ônibus e tentou perseguir o homem. Mas não o via em parte alguma. No entanto, ele tinha estado ali dois segundos antes. Parecia que tinha sido devorado por um... O metrô, pensou Niels. Ele atravessou a praça. Desceu a escada pulando os degraus e chegou à plataforma. Examinou a multidão, esforçando-se para recuperar o fôlego. Homem por homem. Onde é que você está? Niels atravessou a multidão que se empurrava na plataforma para entrar no vagão. Ele vociferou. O calor havia subido à cabeça dos copenhaguenses? De qualquer forma, seu mau humor era palpável. As portas voltaram a se fechar em silêncio. O metrô entrou em movimento e num alto-falante uma voz simpática informou-lhes que a próxima parada seria na Ponte de Amagerbro.

– Polícia de Copenhague.

Mesma tática usada no ônibus: ele brandiu o distintivo da polícia com o braço para cima, bem à vista, caminhando entre os viajantes.

– O que é que está acontecendo?

Um homem bem-vestido que parecia um funcionário de escalão médio levantou calmamente os olhos do seu jornal, como se imaginando que Niels fosse perder tempo sentando-se ao seu lado para lhe detalhar todo o caso.

– Abram caminho! Polícia de Copenhague. – Dessa vez Niels não tinha intenção de perder de vista seu suspeito. Tanto pior para os passageiros que ele empurrava; a única coisa que importava era o homem não escapar. Ele estava dois vagões adiante. Dois vagões. Bem no fundo. Mais um vagão. O trem começou a diminuir a velocidade. O homem estava na outra extremidade. De perfil. Niels não podia ver seu rosto. Dez metros, oito. O vagão parou.

– Parem! – berrou ele.

As portas se afastaram, o homem saltou para a estação e desapareceu na multidão.

Amagerbro. Para Niels, o nome desse bairro tinha um gosto amargo. Ligava-se a uma série de lembranças ruins. Inclusive uma briga memorável que ele tinha tido com Kathrine alguns anos antes, na plataforma, em meio aos viajantes estupefatos. Do que ela o havia chamado? Lá! Na escadaria. O homem fugia muito rápido. Niels sentiu uma dor nas têmporas. Ele só estava se aguentando em pé graças à sua força de vontade. À sua consciência. À sua culpa. "Imbecil?" Não; não tinha sido esse o termo que ela usara. Foi algo mais sofisticado. Por que será que ele sempre tinha de se render ao encanto de mulheres sofisticadas? Inteligentes. Ele não devia ter se metido com Hannah. Eles pertenciam a mundos totalmente diferentes. O dele era... Amager Center. Um lugar insuportável. O inferno dos *shopping centers*. Teria sido "insuportável"? Então ele entrou na Amagerbrogade. Niels estava tendo dificuldade em segui-lo naquela rua. O fugitivo agora tinha a calma necessária para olhar sobre o ombro. Era um mau sinal, Niels sabia disso. O sinal de que ele tinha consciência de estar em vantagem, e por isso podia se permitir um pouco de curiosidade. Ausente. Isso, "ausente". Foi disso que ela o acusou. "Você é doentiamente ausente, Niels. Eu não aguento mais isso!" Eles passaram diante de uma igreja. Na calçada, homens de terno e gravata haviam instalado mesas e exibiam um sorriso radiante. Por que os fanáticos religiosos sempre têm dentes brancos?, perguntou-se Niels quando um deles avançou para ele agitando uma Bíblia. O McDonald's. Alguém tinha derrubado o prato na entrada. Todo o cardápio estava ali no chão: Coca-Cola, batatas fritas e um hambúrguer. Niels convocou suas últimas forças para passar sobre aquele panorama repulsivo. Suas últimas forças. Era exatamente o que ele sentia. Amagerbrogade. A rua comercial mais longa da Dinamarca. Invadida por uma bruma de calor e pelos gases de escapamento. Sirenes ressoavam atrás dele. Ao longe. Talvez os reforços que ele tinha solicitado há alguns longos minutos. Não importava... Niels havia feito daquilo um caso pessoal. Ele atravessou um sinal vermelho. Pessoas gritaram. Ele já não ouvia nada. O suspeito ia mais depressa agora. Sua vantagem era de uns cinquenta metros. Talvez cem. Quando ele olhou para trás, Niels resolveu mudar de tática. No último momento abaixou a cabeça e se escondeu atrás de um carro estacionado. Queria dar a impressão de ter ficado para trás. O homem observou a rua durante um instante. Não era preciso ser adivinho para saber o que ele pensava: ganhei; o idiota desistiu. Ele voltou a andar. Niels o seguiu. Discretamente. À distância. Rente aos carros e às paredes. Conseguiu diminuir um pouco o seu atraso. Não muito, mas o suficiente para ver o suspeito fazer a sua escolha numa bifurcação da rua. Depois, uns cem metros adiante, entrar numa casa. "Thingvalla Allé", indicava a placa. A rua tinha casas antigas. Niels limpou o sangue da boca. O homem não tinha notado que era seguido, Niels estava seguro disso. Ele não tinha nenhuma razão para se precipitar. Era correr risco sem nenhum motivo. Essa era uma regra fundamental que ele tinha aprendido na escola de polícia. Uma atitude arrojada assusta as pessoas, as pessoas assustadas reagem muitas vezes de modo agressivo, as pessoas agressivas são imprevisíveis, e as pessoas imprevisíveis são capazes de tudo: por exemplo, pegar uma faca ou apertar um gatilho.

43

Amager, Thingvalla Allé – 16h55

E agora? O que é que eu faço? Forço a porta? Niels tinha o respaldo da lei. Ele lhe havia pedido para parar, dissera claramente que era da polícia e precisava lhe fazer algumas perguntas. Ao lançar um olhar para além dos vidros empoeirados da cozinha, viu uma mulher de uns trinta anos com um bebê meio adormecido. Até mesmo a ouviu falar pela janela entreaberta: "Não. Você não está mais com fome, não é mesmo?" Ele apertou o botão da campainha. Era de latão, como se fazia cinquenta anos antes. Numa época em que as casas tinham duas portas, uma para as grandes ocasiões e outra para os dias comuns.

– Entre – disse ela.

Ela não precisou falar duas vezes. Niels entrou no vestíbulo, inspirou o odor de detergente e flores – ou de detergente com aroma floral. Ela chegou pela sala de estar. Não se espantou ao vê-lo. Como se o tivesse esperado o dia inteiro. Então era ali que morava o assassino de Dicte? Niels lhe apresentou o seu distintivo antes que ela tivesse tempo de abrir a boca.

– Polícia de Copenhague – disse ele com voz calma.

– Algum problema com o carro?

– Preciso falar com o seu marido.

– Allan está no porão. – Ela fez com a cabeça um sinal na direção da escada. – Algum problema com o carro?

– Obrigado.

Niels desceu os degraus. O homem estava de costas quando ele abriu a porta. Material de laboratório: globos de vidro, frascos de plástico, quatro geladeiras idênticas. Ou seriam *freezers*?

Allan estava na pia esvaziando alguma coisa. A água corria na torneira da pia de aço.

– Feche essa torneira, Allan.

– Você não tem direito de estar aqui – replicou ele.

– Direito? Eu fui convidado a entrar. Pela sua companheira.

– Você já ouviu falar de mandado de busca?

– São 16h57 e você está preso. – Niels armou o revólver. – Eu mandei você fechar a torneira.

Por fim o homem obedeceu. Virou-se. Niels notou suas mãos, coloridas por um produto que ele devia utilizar ali. Azul e vermelho. Como uma chama de maçarico.

– Você acha que fará falta ao seu filho quando for para a cadeia?

– Escute...

– Não, eles esquecem rapidamente nessa idade. Quando você se for, ele não vai nem mesmo saber quem você é.

Imediatamente o homem escondeu o rosto nas mãos. Seu dorso foi percorrido por um estremecimento. Estaria prestes a desmoronar? Sua companheira chamou do térreo:

– Allan! O que é que está acontecendo?

– Um instante – respondeu ele esforçando-se para controlar a voz.

Niels viu o peito do homem lutar para tentar retomar o controle da respiração. Ele tinha lágrimas nos olhos.

– Agora acalme-se – disse Niels aproximando-se.

– Não é droga – murmurou Allan.

Niels olhou em torno de si e viu seringas descartáveis e ampolas de vidro.

– É tudo legal. Eu sou técnico em laboratório. Sou autorizado...

Niels o cortou:

– O que foi que você administrou em Dicte ontem à noite?

– O quê? – Seus olhos reagiram atrás das lágrimas. Uma reação de surpresa. – Quem?

– Pare de se fazer de bobo. Dicte van Hauen. O que foi que você deu a ela?

– Eu não sei de quem você está falando.

– Você estava no apartamento de Dicte van Hauen ontem à noite.

– Não. Eu estava aqui em casa. – Ele balançou a cabeça. – Fizemos um churrasco com os vizinhos. Você pode perguntar a eles.

188

– Você passou um fim de tarde agradável com os seus vizinhos. Depois a noite caiu. Você transou com a mamãe ali e depois saiu. Para matar uma mulher. A que horas você voltou ao apartamento da Dicte? Às duas horas?

– Mas do que é que você está falando? Eu nunca encontro essas pessoas. Acontece de cruzar com elas quando volto, mas é só isso. Nunca chegamos a trocar uma palavra. Nada, mesmo.

Infelizmente, Niels podia ler no seu rosto que o homem dizia a verdade.

– Quem são essas pessoas que você não nunca encontra?

– Meus cli... – Ele não terminou a palavra.

Niels brandiu o revólver.

– Agora me escute com atenção, Allan. Basta eu fazer uma ligação e em cinco minutos já estarão desembarcando aqui dez agentes. Você será preso. Sua companheira também. Seu filho será confiado aos serviços de proteção da infância nos próximos quinze dias que vocês passarão sob vigilância. Claro, a sua casa será toda revistada.

– Meus clientes – completou Allan. – Eu nunca encontro os meus clientes.

– Seus clientes? Quem são eles?

Novo silêncio. Niels via que ele estava pensando. O que era preferível? Contar tudo ou tentar a sorte no tribunal?

– Tudo bem, Allan. Vou prender vocês dois. Vire-se...

A língua do homem se soltou subitamente:

– Tem um pouco de tudo. Sobretudo esportistas.

– Dopagem?

– Se é assim que você chama.

– Com quem você ia se encontrar?

– Não usamos nossos nomes. Nunca. Quando muito nos conhecemos de vista.

– Mas como? Como é que vocês fazem para se comunicar?

– Para passar o pedido, eles escrevem o que querem num cartão-postal e o colocam na entrada. Depois eu pego os cartões.

– Na entrada?

– Do Teatro Real.

– E depois a entrega acontece na igreja?

– Isso.

– Como é que você entra em contato com novos clientes?

Sem resposta. Ele estava pensando numa mentira.

Niels elevou a voz.

– Você tem um intermediário? Quem é?

– Já faz muito tempo.

– Isso não é resposta.

– Já faz muito tempo que ele foi embora. Era um ciclista espanhol. Ele saía com uma bailarina.

– Dicte?

– Não. Acho que o nome dela não era esse. Como eu disse, já faz muitos anos.

– E você fornecia anabolizantes a esse ciclista?

– Chame você como bem entender. Eles só querem realizar *performances*, divertir o público. Bater recordes. No Tour de France, nos cem metros. Para as bailarinas é principalmente uma questão de superar a dor... Ninguém se importa se algum esportista arruína a saúde para nos oferecer um pouco de diversão. Se eles correm até explodir, se morrem de exaustão...

– Allan...

– Por outro lado, eles não podem absolutamente ter acesso a nenhuma substância que os ajude a suportar os esforços repetidos.

Barulho de passos na escada. Choro de bebê. A companheira de Allan estava começando a descer.

– Um instante, querida! – gritou ele.

O barulho de passos cessou. Allan baixou o olhar.

– Seria melhor eu falar com um advogado – disse ele calmamente.

– Um advogado? Você quer falar com um advogado? – Niels pensou. Um advogado, um interrogatório, isso levaria dias. Talvez semanas. Não. – Eu estou disposto a esquecer tudo o que vi aqui.

Allan ergueu o olhar. Estupefato.

– Com uma condição: que você responda ao que eu lhe perguntar.

– Posso lhe dizer tudo o que você quiser, se você aceitar esquecer tudo.

– Hoje. Você tinha um encontro com Dicte.

– Eu não estou mentindo, acredite em mim. Nunca nos chamamos pelo nome. Eles põem um cartão-postal no grande painel de avisos que fica na entrada de serviço.

– Um cartão-postal?

– Thorvaldsen. *A Noite.*

– Quem teve essa ideia?

– Eles. Não fui eu.

– Tudo bem. Um cartão-postal com uma escultura de Thorvaldsen. O que é que eles escrevem?

– Usamos abreviações para designar cada produto.

– Por exemplo?

– *E* para EPO, que é como a gente se refere à eritropoetina.

Niels esperou alguns segundos. Allan tinha o olhar fixo no chão.

– E você? O que você escreve no cartão-postal?

– A data do encontro. E o preço.

– E normalmente quem pega o pedido?

– Uma moça.

– Dicte?

– Eu lhe disse...

– Você não utiliza nomes, eu entendi. Mas certamente vê a cara do cliente.

– Ela usava óculos escuros.

– Ora! Você viu as fotos hoje. Dicte van Hauen. Ela está morta.

Allan concordou.

– Pode ser ela. Não tenho certeza.

Novamente barulho de passos na escada.

– Allan? Está tudo bem?

Niels prosseguiu:

– Mas hoje foi outra pessoa?

– Foi. Nas duas últimas vezes. Um cara jovem. Com um relógio de luxo no pulso.

– Jovem, com óculos escuros, boné e relógio de luxo. Ele falou com você?

– Não. Não disse nada. Ele se limita a me entregar o dinheiro e eu lhe dou os frascos.

– Mais alguma coisa?

– Ele também é do balé. Disso pelo menos eu tenho certeza.

– Por quê?

– Eu sempre chego uma hora antes para inspecionar o ambiente.

Ele se calou. Niels o mandou continuar:

– Você chega uma hora antes para verificar se não há policiais por perto? E hoje o que foi que aconteceu?

– Ele chegou. Às três e quarenta. Estava nervoso e impaciente. Eu o vi fazer alongamentos.

– Na igreja? Ele fez alongamentos na igreja?

– Fora, apoiado no parapeito do canal. Ele devia estar com dor na parte de trás das coxas.

A mulher com o bebê continuava chamando. Niels refletiu. Ele devia prender esse vigarista.

– Nós tínhamos um acordo. Eu lhe contei tudo o que sei.

– E o que você entregou? EPO?

– Não. É isso mesmo que é interessante.

– O quê?

– Ela costumava comprar EPO comigo. Mas das últimas vezes...

Ele não terminou. Um silêncio estudado. Destinado a reforçar o tom dramático das revelações.

– Nas duas últimas vezes... – insistiu Niels. – Então, o que aconteceu? Esse sujeito comprou alguma coisa de você?

– Comprou.

– O quê?

– Ritalina.

– O que é isso?

– Ajuda a ficar desperto. É um estimulante. Em todo caso, é o efeito que ela tem em algumas pessoas.

– Outra coisa?

– A x 6. O *A* designa a adrenalina.

– E você forneceu adrenalina para ele? Isso é muito banal.

– E também amiodarona.

– E o que vem a ser isso?

– Misturada com adrenalina, é a solução usada nos hospitais para as reanimações.

Reanimação, pensou Niels. Então o assassinato de Dicte van Hauen tinha sido preparado nos menores detalhes. Foi previsto que ela seria afogada e reanimada. Ele consultou o relógio do celular. Quanto tempo havia decorrido desde que o jovem de boné tinha mergulhado no porto? Meia hora? Mais ou menos isso. Niels poderia estar no Teatro Real dentro de quinze minutos. Ele pensou no que o diretor de balé havia dito. Que todos os integrantes do corpo de baile participavam de *Giselle*. Todos, sem exceção. Até as crianças. O que significava que o assassino de Dicte estaria presente à noite no ensaio. E provavelmente não teria tempo de secar os cabelos; somente a roupa. De duas, uma: ou ele estaria impregnado do cheiro nauseante da água do porto ou não compareceria. Então Niels saberia quem era. Ele fez uma ligação.

– Nós temos um acordo – lembrou Allan, inquieto.

– Temos um acordo, Allan. Vou passar uma esponja desta vez. E quanto a você, trate de encontrar outro ganha-pão. Pense no seu filho. Vou voltar aqui para me certificar.

Enfim alguém respondeu do outro lado da linha:

– Táxi.

44

Bairro de Islands Brygge – 17h07

Hannah estava sentada na sala de estar. Contemplava o porto. Eles deveriam ter sido muito felizes juntos. Niels e ela. Ela pegou a pílula no bolso e a colocou sobre a mesa. A pílula que mataria seus filhos. Teria de tomá-la naquela noite. O mais tardar quando fosse para a cama. Mas como fazer uma coisa dessas? A pílula era arredondada, ligeiramente chata. Lembrava-lhe um pouco Saturno com seus anéis. Tolice. Ela se levantou. Não seriam os corpos celestes que resolveriam os seus problemas. Mas não era para essa noite que estava previsto um eclipse da Lua? Não, o eclipse da Lua seria no dia seguinte.

– Hannah, agora você precisa ser racional – disse ela em voz alta. – Precisa deixar o promotor se manifestar. É sempre assim que acontece nos filmes. A acusação em primeiro lugar, depois a defesa. – Ela se afastou para ceder lugar ao promotor.

– Meritíssimo. Membros do júri. Eu sei que o ato que Hannah Lund se prepara para realizar pode parecer horrível. Matar duas crianças inocentes.

Ela fez uma pausa durante a qual disse a si mesma que estava completamente louca, falando sozinha daquele jeito. Mas isso não era uma prova?

Ela limpou a garganta e depois retomou:

– Mas nós devemos nos ater aos fatos. E o fato é que ela traz em si uma doença hereditária. Uma doença tão insuportável que muitas vezes quem dela sofre põe fim à própria vida. O que sente a pessoa que tem essa doença? Eis a pergunta que vocês talvez se façam. É impossível para uma pessoa sã imaginar como é ter essa doença. No entanto, alguns doentes declararam ter a impressão de viver permanentemente num filme de terror. E a questão sobre a qual precisamos nos pronunciar hoje é saber se devemos ou não correr o risco de pôr no mundo uma pessoa que terá esse mal. Quanto a mim, a resposta é clara: isso significaria cometer um crime odioso. Logo será tarde demais. Se temos a possibilidade de agir, é agora. Se podemos impedir duas tragédias humanas, é agora. Vocês não acham, nessas condições, que é nosso dever intervir?

Ela olhou para a pílula.

45

Copenhague, ilha de Amager – 17h15

Ele tem intenção de recomeçar. Foi com essa ideia na cabeça que Niels subiu no táxi.

– Teatro Real, por favor. O mais rápido possível.

O motorista baixou o taxímetro.

Por que ele teria feito um novo pedido? Por que correria o risco de encontrar seu fornecedor no dia seguinte ao do assassinato se não estivesse planejando matar outra pessoa? Niels ligou para o teatro. Precisava falar com Frederik Have.

Vingança.

Todas as linhas estão ocupadas no momento. Sua ligação será posta em espera. Há quatro pessoas na sua frente. Obrigada pela paciência.

Um desejo de vingança tomou conta de Niels. Quem ele queria vingar? Dicte? Ou a sua motivação era puramente egoísta? Vingar-se daquele que fora a causa do seu primeiro fracasso. Ele havia conseguido salvar todos os demais, mas com Dicte ele tinha falhado. E agora chegara a hora do acerto de contas. Niels se imaginou arrastando o assassino de Dicte no teto do teatro, bem acima da Praça Kongens-Nytorv, com os cabelos cheios de algas e as roupas molhadas. O que havia afogado e depois reanimado. Que tinha posto em curto-circuito o curso racional dos seus pensamentos. Ele o lançaria do alto do teto e se deleitaria ao vê-lo cair. O que o sujeito gritaria para ele quando oscilasse no vazio? Que ninguém se suicide quando Niels Bentzon estiver vendo! O que o animava, na verdade? Cuidar do seu amor-próprio ou fazer justiça? Não. Trata-se de evitar que um novo assassinato seja cometido, concluiu Niels. E aquela era a melhor conclusão. A que o deixava sob uma luz favorável.

Ele aproveitou o tempo do trajeto para fazer duas coisas: esperar ser posto em comunicação com o diretor de balé e ler o livro que tinha encontrado debaixo da cama de Dicte. *Fédon*. Interessavam-no particularmente os trechos que ela havia sublinhado.

Há quatro pessoas na sua frente. Obrigada pela paciência.

O livro abordava o tema da morte. Naquela mulher, pensou Niels, tudo tinha relação com a morte. O balé *Giselle*: a história de uma mulher que morre e volta do além. Como havia acontecido com Dicte. Adrenalina e amiodarone. Os sinais do desfibrilador. E todos aqueles livros. Livros sobre a morte e o que há depois. Esse *Fédon*, que fala de um filósofo da Grécia Antiga condenado à morte que, na sua cela, prova a existência da alma. Logo antes de tomar veneno.

Há três pessoas na sua frente. Obrigada pela paciência.

Niels começou a ficar impaciente. Cada segundo perdido era tempo concedido ao assassino para se livrar da roupa e fazer desaparecerem todas as provas do seu ato.

Há três pessoas na sua frente. Obrigada pela paciência.

– Não dá para pegar a faixa de ônibus? – perguntou Niels.

– O senhor está com tanta pressa assim?

Ele apresentou ao motorista o distintivo da polícia. Sim. Niels estava com pressa. Dentro de poucos minutos ele pegaria o assassino de Dicte no palco do teatro e o levaria para outro tipo de palco. Um palco onde ele estaria com um promotor e um juiz. E provavelmente receberia uma pena de prisão perpétua.

O motorista deu de ombros e gesticulou na direção da faixa de ônibus, que estava tão lenta quanto a deles. Os copenhaguenses tinham terminado o dia de trabalho e pareciam ter decidido deixar coletivamente a cidade.

Há duas pessoas na sua frente. Obrigada pela paciência.

Niels retomou a leitura, mas não conseguia se concentrar. Uma nova ideia o atormentava: ele cumpriria a promessa feita a Dicte? Pularia, também ele? Sim. Só que a sua maneira de pular era levantar o véu sobre as circunstâncias da sua morte, prendendo o seu assassino.

Niels leu. Sócrates falava de beleza aos seus amigos. Dicte havia sublinhado todo o trecho. Ele precisou reler, porque não entendeu nada. Ou simplesmente se recusava a entender? Talvez. No entanto, Henrik Vartov lhe havia explicado que a ideia de beleza é inata em nós. Que independentemente do lugar do mundo em que estamos, de quem somos, da época em que vivemos, nós sabemos o que é a beleza. Como? Porque isso é inato. E a justiça? A mesma coisa. Nós a temos em nós.

Tolices.

Bobagens.

Há uma pessoa na sua frente. Obrigada pela paciência.

Niels sabia quem eram essas pessoas que monopolizavam as linhas do teatro: os jornalistas. Criaturas que se alimentavam de tragédias como aquela. Que ainda mantinham Dicte viva por alguns dias exibindo-a na primeira página dos seus jornalecos e que ganhavam dinheiro divulgando detalhes da sua vida particular.

– Teatro Real – anunciou uma voz do outro lado da linha.

Teatro Real – 17h27

Alguma vez aconteceu de a Praça Kongens-Nytorv não estar em obras?, perguntou-se Niels no momento em que saltou do táxi sem nem pegar o troco.

Como fora combinado, o diretor de balé esperava diante da entrada. Exibia um sorriso prudente, e seu olhar tinha readquirido a velha combatividade. Seguindo-o até o interior, Niels considerou: as humilhações que lhe infligira o diretor do teatro e o dia terrível que ele acabara de viver não o tinham abatido.

– O ensaio começou.

– Você reuniu todo o seu... – Niels procurou a palavra certa. – Grupo?

– Você está falando do quê?

Niels examinou o corredor para se assegurar de que ninguém os ouvia. Constatou que as coisas estavam voltando ao normal. Menos lágrimas, menos tristeza e mais concentração nos rostos. Ninguém é insubstituível, disse ele para si mesmo. A vida continua.

– Estou falando dos seus bailarinos. Pelo menos dos seus bailarinos do sexo masculino.

– Eles estão lá, sim. No palco. Ou nas coxias. Podemos ir mais depressa?

– Quero que você os reúna. Preciso falar com eles. Com todos eles.

– Amanhã de manhã seria o momento ideal.

– Agora.

– Mas nós temos ensaios.

– Tudo bem, o ensaio fica para mais tarde.

– Acho que você não está entendendo – protestou o diretor de balé. – É um ensaio geral. Já está no meio.

46

Bairro de Islands Brygge – 17h30

O promotor serenou. A quem ela se dirigia? A resposta era simples: às suas vozes interiores, que exigiam dela a concessão de uma chance à vida. Ela visava todos os que tinham esquecido seu filho desaparecido. As pessoas que fingiam compreender a dor dos outros.

Hannah se apoiou no espaldar do sofá e fechou os olhos por um instante. Ouviu uma voz na sua cabeça:

– A defesa quer tomar a palavra?

– Sim! – exclamou ela.

Hannah voltou a abrir os olhos. Percorreu com o olhar o cômodo vazio. Ela queria um cigarro. Ou uma taça de vinho. Ou os dois. Mas ficou sentada. Suas vontades esperariam.

– Meritíssimo – repetiu ela. – Caros jurados. Gostaria de lembrar a vocês o que está em jogo nesse caso. É da vida que estamos tratando. Do direito à vida. Ou de onde vem essa vida. Não, vou me exprimir de outro modo: somos nós que escolhemos nossos filhos? Ou são os filhos que nos escolhem? Quem pode responder a essa pergunta? A pergunta sobre a origem da vida. Ninguém, não é mesmo?

Hannah percebeu que se pusera de pé. Ou teria estado o tempo todo assim? Havia um zumbido na sua cabeça. Ela quase podia ouvi-lo. Era o seu cérebro que funcionava a todo vapor. Como um motor prestes a explodir. Ela prosseguiu:

– Trata-se também de nós. Nós, os seres humanos, achamos que temos o direito de conceder a vida ou de dar a morte. Reflitam sobre a nossa relação com a morte. Nós não hesitamos em favorecê-la. Mas a morte não precisa de nós. Ela sempre acaba impondo-se por si mesma. Por mais penosa que seja a vida, não nos compete infligir a morte. Ela chega no momento certo. Mas e quanto à vida? Por que devemos considerá-la de outra forma? Não deveríamos deixar que ela siga o seu curso? Não é isso que nós deveríamos fazer? Em vez de matá-la?

Silêncio no tribunal. Os jurados sustêm a respiração. Ouvem atentamente os argumentos da defesa.

– Doze semanas. Até doze semanas nós temos o direito de matar. Que paradoxo! Impor esse limite tem algum sentido? Um limite arbitrário fixado por uma cambada de políticos ignorantes. O que sabem eles sobre a origem da vida? Mas antes de qualquer outra coisa nós devemos nos fazer esta pergunta: como saber se essa ou aquela vida vale a pena? Existe uma fórmula matemática que permita calcular isso? Se recusamos o direito à vida às pessoas com deficiência mental, então o que acontece com os que têm limitações físicas? Fetos que sofrem de leves malformações? Devemos também recusar-lhes a vida? No final das contas, é uma questão de normalidade. O que é ser normal? Quem é capaz de dar uma definição precisa da normalidade? Talvez seja normal sofrer? Quem pode se vangloriar de ter sido feliz ao longo de toda a vida? São muitos os filósofos que renunciaram à vida. Kant. Schopenhauer. Para eles a vida era um inferno. A morte, uma libertação. Por isso teria sido preciso que eles não viessem ao mundo?

Hannah começou a caminhar pela sala. A dar voltas. Olhou pela janela, mas não viu nada além da sala do tribunal. O juiz a encarava, dando a entender que o tempo passava. Haveria ainda tempo suficiente para um último argumento?, pensou ela. Não, já não se tratava de argumentos. Mas de sentimentos. O advogado de defesa precisava agora fazer um apelo aos sentimentos dos jurados.

– Nós devemos escolher a morte ou a vida? Dois novos seres devem ver o sol nascer? Seres portadores de esperanças, de sonhos e de desejos. Seres que um dia talvez venham a realizar grandes coisas. Ou devemos cometer um duplo assassinato? Essa é a questão. É a própria essência desse processo. Não tenho nada mais a acrescentar.

47

Teatro Real – 18 horas

Niels só ouviu o final da frase. Talvez porque o diretor de balé sussurrasse. Ou porque ele estivesse impressionado com a música que subia do fosso da orquestra.

– ... então você pode se sentar onde quiser.

Niels passeou o olhar em torno de si. Não tanto nos balcões, no camarim real ou no lustre – tudo o que era vermelho e brilhava. Não; ele observou as pessoas. Os homens. Contou vinte pessoas na primeira fileira. Talvez fosse um deles que tinha ido buscar a adrenalina de Dicte. Ele poderia estar desse lado da cortina ou do outro lado. De qualquer forma, estava entre aquelas paredes. Eles tinham feito um acordo: quando o ensaio tivesse terminado, o diretor de balé reuniria todo mundo. Um bailarino atravessou o palco. Com negligência. Com o modo de andar dos jovens dos nossos tempos. Niels se perguntou se isso fazia parte do espetáculo. Sim. Todos os olhares estavam voltados para o palco e para o bailarino solitário. A música, embora discreta, guiava os seus passos. De repente ele se virou para o público num movimento inquieto e então se deixou cair silenciosamente no chão. A responsável por relações públicas se virou para Niels e lhe estendeu a mão.

– Podemos falar durante os ensaios, desde que seja murmurado – disse ela em voz baixa.

Como era mesmo que ela se chamava? Ida?

No palco, o bailarino se levantou lentamente. Só então Niels notou a sua roupa. Uma camisa. Um jaquetão. Uma calça cinza com pregas. Poderia ser um bancário. Como os que tinham tentado ajudá-lo na Ponte de Knippelsbro algumas horas antes. Ele conseguiria reconhecer o homem pelo seu modo de andar?

Niels o reviu correndo na ponte. Com passadas largas. Com movimentos flexíveis e no entanto masculinos. Ao contrário dos daquele que estava no palco. O bailarino que ele tinha diante de si era ligeiramente mais gracioso. À medida que a música ganhava volume, o palco se iluminava. A luz azul-clara revelou um cemitério. Um cemitério sem fim – era em todo caso a impressão que se tinha da sala. Pedras sepulcrais a perder de vista. Todas idênticas. Retângulos que saíam da terra. Niels se lembrou do que Lea lhe tinha dito. Que Giselle havia matado Dicte. Ele se debruçou.

– Thorvaldsen estava em que lugar quando morreu? – murmurou ele.

Ida ficou surpresa. Impressionada.

– Uau, isso eu não sei responder.

O diretor de balé se sentara na primeira fileira. O vizinho dele estava agitado. Não parava de se virar, de se levantar, de voltar a se sentar. Tinha a camisa para fora da calça. Estava com os nervos à flor da pele. Sua altura era a mesma daquele que saltara nas águas do porto.

– Quem é esse? – murmurou Niels.

– O diretor de cena. Está estreando. Já foi assistente em muitos espetáculos, mas é a primeira vez que tem a responsabilidade da encenação. – Ela se aproximou de Niels e acrescentou suavemente. – Ele teve muitas discussões com Dicte.

– A propósito do quê?

Ela deu de ombros.

– Não são só os bailarinos que correm riscos. Além disso, encenar um balé como *Giselle* é uma oportunidade excepcional para ele. Se o balé tem críticas negativas e desagrada ao público, receber outra incumbência da mesma importância é algo muito difícil. E talvez nunca aconteça. Por outro lado... – ela baixou a voz. – Por outro lado, se o balé é um sucesso, o mundo inteiro se abre para ele. De certo modo, o balé é universal. Não precisa de palavras. Todo mundo compreende.

Niels ouviu um homem limpar a garganta atrás de si. Ele se virou e viu um senhor idoso lhe fazer sinal para se calar levantando um indicador autoritário diante dos lábios. Lenço vermelho, cabelos brancos. No palco, a música passou a ter acordes inquietantes. Como num filme mudo. Foi então que ele a viu. Giselle. Lea Katz. Niels não a tinha visto entrar. De onde se encontrava, ela parecia estar nua, se diria que o seu véu nupcial era transparente. Seus seios roçavam o tecido. Então a música ficou mais alta. Impetuosa. Giselle desapareceu. Como um fantasma. E o homem começou a descrever círculos no palco. Tomado de terror. Depois correu e se refugiou na coxia.

– Antigamente se podiam ouvir os ratos gemendo antes da subida da cortina. Isto aqui fervilhava de ratos. Porque os canais, à volta do teatro, arrastavam...

Niels se voltou e observou o senhor de lenço vermelho. Este fez uma pausa e manteve o olhar fixo nele.

– Arrastavam excrementos humanos – disse ele sorrindo. Um sorriso de garoto num rosto de velho. Um velho que nunca havia renunciado ao descaramento juvenil. – Você é policial, não é?

– E o senhor?

– Eu dou cursos aqui – explicou ele.

No palco espalhou-se uma espessa fumaça branca. Os violinos estavam sempre em ação. Tocavam de modo brusco. Pulsavam. Como se para forçar a fumaça a se levantar. Houve murmúrios na primeira fileira. Niels reconheceu a voz do diretor de balé.

– O senhor a conhecia? – indagou Niels.

– Claro – respondeu o velho. – Dicte era única. Não era como as outras. Sua morte é uma perda enorme para o balé.

– E por que ela era diferente?

Ele ergueu os ombros.

– A maioria quer apenas se mostrar no palco. Realizar seu sonho de menina. Você pode perceber isso quando o público aplaude. Quer dizer, se elas têm essa sorte.

– O que acontece quando o público aplaude?

Ele se debruçou.

– Os peitos das meninas.

Niels baixou os olhos.

– Eles ficam duros. Você me entende?

Niels concordou e pensou por um instante em ir se sentar em outro lugar. Na primeira fileira havia silêncio novamente.

O velho murmurou:

– Elas ficam excitadas. Com os aplausos.

– Mas Dicte não era como elas?

– Dicte teria dançado até mesmo se não houvesse público para olhá-la. Era isso que a tornava sublime. Por isso ela era superior às outras.

Niels olhou para o palco. Mulheres surgiram da bruma que se agarrava ao chão. Inicialmente os braços, depois os corpos, que se elevaram sobre a fumaça como espíritos.

– Ela deve ter despertado muita inveja ao seu redor.

Ele sorriu.

– Você quer saber quem a matou antes que ela se jogasse no vazio?

Niels o observou com um ar embasbacado.

O velho deu de ombros.

– Aqui, nada é segredo – explicou ele antes de acrescentar: – E, ao mesmo tempo, tudo é segredo. – Ele se inclinou na direção de Niels e murmurou ao seu ouvido – Quando eu penso no libreto, fico impressionado de ver até que ponto ele reflete o modo que Dicte escolheu para pôr fim à vida.

Niels o interrompeu.

– O libreto?

– A história. A ação!

– Qual é a relação?

– *Giselle* fala de coisas perigosas. De todas essas realidades que nós afastamos, que nos recusamos a encarar ou que nos escapam. Da sexualidade. Da sexualidade feminina. Dos poderes ocultos que a natureza feminina encerra. Dos poderes de uma força terrível e incontrolável, mas ao mesmo tempo fascinantes e tentadores. *Giselle* só entrou no repertório do Teatro Real em 1946, sobretudo porque August Bournonville não gostava do libreto.

– E por quê?

– Ele o achava libertino. Imoral. Pense nas *willis*, por exemplo – disse ele apontando para o palco. – Essas criaturas noturnas que assombram embrenhadas nas florestas. Virgens frustradas, mortas antes de ser defloradas. E em Giselle, que morre de dor...

Niels lhe cortou a palavra:

– Então Giselle morre de dor? Ou se suicida? Como Dicte?

– Exatamente.

– O senhor quer dizer que...

– Que Dicte simplesmente transpôs o balé para a própria vida.

– Ela deu uma apresentação ao vivo?

– Diante do mundo inteiro – disse ele baixando o olhar. O velho tinha certamente passado toda a vida naquele teatro. Frequentava-o há mais tempo que todas as outras pessoas presentes ali naquela noite. E o próprio diretor de balé tinha comparado o balé a um mosteiro: um lugar onde as pessoas estão juntas o tempo todo. Niels se debruçou para o velho e disse em voz baixa:

– O escultor Thorvaldsen desmoronou neste teatro. Fulminado. Morto.

O homem, surpreso, ergueu o olhar.

– Dicte tinha no seu camarim um cartão-postal do relevo de Thorvaldsen *A Noite com seus filhos.*

– *O Sono e a Morte* – acrescentou o velho.

– Isso. Que também são tratados nesse balé. O sono. O sonho. A morte.

– E a ressurreição.

Todas as bailarinas estavam agora alinhadas. Lea se postava na frente. Niels tinha dificuldade em desviar o olhar dos seus movimentos cheios de graça. Do seu corpo quase nu.

– Dicte parecia muito interessada em tudo o que tratava da morte – sussurrou o velho. – E da ressurreição. – Niels se voltou para ele. O professor apontou para o palco. A música ganhou força novamente. – No segundo ato as virgens giram. Querem se vingar fazendo Albert dançar até a morte.

– Dançar até a morte?

– Ou então amar até a morte. O que é que você acha?

Niels olhou para o palco e para o único homem, cercado por virgens brancas. Por vampiras. Por criaturas da noite.

Atrás dele o velho recomeçou:

– É uma das modificações sugeridas por Dicte. Ela se inspirou numa adaptação célebre de Peter Schaufuss, na qual Giselle não morre de dor, mas se mata. Ela insistiu muito para que Giselle morresse desse modo.

– Pela própria mão?

– Isso, e o diretor de cena acabou aceitando. Mas a contragosto. Agora ele voltou à versão original. O coração dela para de bater sob a pressão da dor. É mais bonito. Mais simples. Mas muito menos complexo.

Niels o interrompeu:

– E os outros bailarinos?

– O que têm eles?

– Quando é que eles entram em cena?

– Eles não intervêm no segundo ato.

– Então onde eles estão agora?

O velho deu de ombros.

– Fumando no camarim, seguindo o balé nas coxias e esperando para voltar ao palco.

Os camarins. A oportunidade de se livrar das suas roupas molhadas, pensou Niels. E de fazer desaparecerem as provas.

– Com licença.

Niels se levantou, e Ida se voltou para ele. No momento em que ele deixava a sala, o diretor de balé cochichou no ouvido do diretor de cena.

48

Teatro Real – 19h30

Os guardas. Niels sempre se perguntava o que essas pessoas tinham feito para acabar atrás de uma tela de vigilância, comprimidas num uniforme, com um molho de chaves na mão.

– Sim? – disse ele com um ar que significava: espero que seja importante.

Niels lhe mostrou o distintivo, o que em geral tinha o efeito de suavizar os mais recalcitrantes.

– OK.

– Há mais ou menos uma hora... – Niels consultou o relógio. – Talvez uma hora e meia. Você viu quem entrou por essa porta?

– Vejo todos os que entram. É por isso que estou aqui.

– Estou procurando um homem que caiu vestido na água do porto.

– Isso não me diz nada.

– Calça branca. Boné.

– Não. Acho que não.

– Você se ausentou em algum momento?

– Não.

– Nem mesmo um instante?

Ele hesitou. O suficiente para que Niels soubesse que mentia quando respondeu:

– Não. Tenho certeza.

– Gostaria de ver os seus registros.

– Agora? Todos? Inclusive os das câmeras externas?

– Isso. Quero saber quem passou por este corredor de acesso.

– Na hora que o senhor falou?

– Isso. E há outras entradas?

Niels sabia perfeitamente que aquela pergunta era idiota. Se não soubesse, o sorriso do guarda lhe teria dado a entender.

– Há entradas e saídas por toda parte. Saídas de emergência, escadas de emergência, entradas do público, entradas do pessoal. Fazendo o trabalho em dupla, nós precisamos de mais de uma hora para fechar tudo.

Niels se decidiu e elevou a voz.

– Quero ver os registros correspondentes a esta entrada entre 16h15 e 17h15. Você tem o direito de passá-los em câmera acelerada.

Carros, táxis, fumantes, uma multidão de turistas – certamente os passageiros de um dos enormes barcos de cruzeiro que estavam atracados no cais de Langelinie. Mas nada do homem esfalfado e com roupas molhadas. Nada do jovem com boné preto de beisebol. Talvez ele tenha feito o caminho errado. Talvez o suspeito não tenha voltado diretamente para o teatro. Talvez ele tenha primeiro passado em casa para se trocar.

– Afaste-se.

Dessa vez Niels não se apressou. Estudou atentamente cada uma das pessoas que tinham usado aquele corredor de acesso; sua fisionomia, sua silhueta. Esforçou-se para se lembrar do passo do jovem que vira sair da igreja, do andar dele. Mas tinha quase certeza: nenhum dos homens que haviam sido filmados era o seu suspeito. Então ele viu o caminhão. Sem dúvida um veículo de mudança. Tinha permanecido estacionado diante da entrada durante mais de três minutos. Da primeira vez o guarda provavelmente havia passado essa sequência em câmera acelerada.

– Às 16h20 – comentou Niels olhando o relógio da tela. – Ele aparece na imagem às 16h20.

– Eu não sabia que era um caminhão de mudança extraviado que o senhor procurava.

– Não é nada disso. Mas ele esconde uma boa parte da calçada.

– Aonde é que o senhor quer chegar?

– Veja você mesmo. De 16h20, a hora em que o veículo chega, até 16h24, quando ele sai, um homem pode muito bem ter usado esse corredor de acesso contornando o caminhão sem que a câmera o filmasse.

O guarda não tinha a menor vontade de dar razão a Niels. Para encerrar a questão, se limitou a aquiescer.

– Durante exatamente quatro minutos as câmeras estavam inoperantes. Você concorda?

Novo silêncio.

– Admitamos que ele tenha chegado por aqui. – Niels apontou a tela com o dedo. – Que em seguida ele tenha passado atrás do caminhão. Qual seria a entrada mais próxima?

– A entrada da escola de balé.

– Do outro lado do corredor de acesso?

– Mas ela não fica aberta a essa hora.

– Ele não poderia ter a chave? Se ele trabalha aqui.

– Isso não é impossível.

– Nesse caso, pode-se entrar e chegar diretamente no prédio principal sem ter de sair? Quer dizer, sem passar por você?

49

Teatro Real – 20h19

O sol lançava seu brilho na fachada do teatro, onde o cartaz monumental de Dicte ainda estava afixado, como que para lembrar a todos o seu fim trágico. Niels seguiu o guarda. Os dois saíram da sombra e atravessaram a rua.

– É raro essa entrada ser utilizada – indicou o guarda. – A menos que se queira ir à escola de balé.

Niels inspecionou a escada e a calçada. Agachou-se até a altura dos degraus, roçou o mármore antigo. Lama, uma pequena quantidade, ainda úmida. O porto ficava bem no final da rua. A ponte não estava longe.

– Você tem uma chave universal?

O silêncio do guarda era eloquente: claro que ele tinha, mas não se dispunha a emprestá-la.

– Preciso ter acesso a todo o prédio – insistiu Niels.

E ele acabou obtendo o que queria. Não sem receber, ao passar pelo guarda, um grunhido contrariado e um olhar aborrecido.

– Obrigado. Eu me viro sozinho.

– O senhor pode se perder se não...

– Obrigado pela ajuda.

Niels entrou e esperou os olhos se habituarem à escuridão. Ali. No linóleo dos degraus: ínfimas marcas de sapatos. Ele passou o dedo sobre uma delas. Era fresca. Talvez fosse bom chamar os técnicos para que eles fizessem uma análise. Talvez ele devesse convocar Allan para uma sessão de identificação. Fazer com que todos os bailarinos se alinhassem. Estava muito perto do final.

Dentro de poucos minutos, tudo estaria terminado. Ele poria a mão no criminoso e poderia então lhe infligir a merecida punição.

Ao chegar ao primeiro andar, Niels foi recebido por um cheiro de comida. Lançou um olhar para uma sala de aula. Cartazes nas paredes. Um alfabeto. Num canto da sala, um clarão saía de uma geladeira aberta. Ele percorreu o corredor. Olhou pela janela. A passarela fechada que ligava a escola de balé ao teatro. Fora por ali que o homem tinha passado; ele havia subido a escada, atravessara a escola de balé e depois se servira da passarela para chegar ao teatro, onde, sem ter sido visto, pudera se desfazer das roupas molhadas e se misturar aos colegas. Niels acelerou o passo. Portanto, o assassino tinha se trocado. Havia participado do ensaio geral. Nesse mesmo momento ele devia estar fazendo as provas desaparecerem. Lá fora o guarda fumava um cigarro bem merecido na companhia de um operário. Eles estavam lado a lado. Sem falar. Niels atravessou a passarela e penetrou no teatro histórico. As diferenças arquitetônicas testemunhavam o desenvolvimento do prédio ao longo dos séculos. As extensões ecléticas eram como peças de Lego incompatíveis que tivessem sido juntadas à força.

Então foi por aqui que ele passou. Com as roupas molhadas. E depois? Os vestiários? Seria arriscar-se a ser visto. Pior. Sem dúvida o veriam. Não. Ele foi se trocar no seu camarim. E, a menos que tenha se livrado delas, suas roupas ainda deviam estar lá.

Niels transpôs outra porta e chegou a uma parte mais recente do teatro. Ali o cheiro era de abafamento, cimento e linóleo. O corredor desembocava num cômodo que tinha uma das paredes laterais recoberta por um espelho imenso, ao longo do qual corria uma barra de dança. Havia também um piano de cauda. Niels atravessou a sala de prática. No espelho, viu um homem andar ao lado dele. Tinha o ar recalcitrante, como um soldado que vai para o fronte. Então ele desviou o olhar do seu reflexo. No momento em que abriu a porta, ao chegar à outra extremidade, ouviu um barulho de máquina de costura. A sala de confecção. As costureiras estavam tão absortas no seu trabalho que nenhuma delas ergueu os olhos quando ele entrou, apesar de ter batido na porta para chamar a atenção delas.

– Os camarins, por favor?

– No andar de baixo – respondeu uma mulher sem se dar ao trabalho de retirar a agulha que prendia no canto da boca.

Ela apontou com o dedo uma escada. Suas colegas nem sequer reagiram. Estavam tão concentradas que ele poderia ter atravessado o cômodo sem que elas o notassem. No alto da escada Niels começou a perceber vagamente acordes de música vindos do palco. Então desceu e abriu a porta. Banheiros, vestiários, camarins. Ele tinha enfim encontrado. Ainda havia flores diante da porta de Dicte.

Alguns tinham deixado os sapatos no corredor, diante da porta. Niels os examinou. Os do suspeito ainda deviam estar molhados. Pelo menos úmidos. Havia tênis que podiam perfeitamente servir nele. Adidas. Nike. O homem não era muito maior que Niels, ou seja, devia ter talvez um metro e noventa de altura. Devia calçar um número grande. Niels notou um par de All-Star Converse tamanho quarenta e quatro na frente de uma das portas. Ele os ergueu. Não estavam úmidos. Ou talvez estivessem um pouco? Aproximou-os do nariz e cheirou. Não se poderia dizer que havia cheiro de mar. Então ele introduziu na fechadura a chave universal e abriu a porta. Acendeu a luz. O cômodo se parecia muito com o de Dicte. A cama, a escrivaninha, o armário, o painel de avisos, o espelho. Estava tudo ali. Ele encontrou outro par de calçados esportivos logo atrás da porta. Havia um pouco de areia nas solas. Areia seca. Que também poderia ser da praça em obras. A quem pertencia aquele camarim? Na escrivaninha havia um pedaço de papel onde haviam escrito uma mensagem para a arrumadeira: "Não se esqueça de limpar o espelho!!!" Embaixo, a mesma frase em inglês.

Niels passou para o camarim seguinte. Dirigiu-se diretamente para o armário e abriu uma a uma as portas, examinando atentamente. Nenhum boné de beisebol. Em compensação havia um par de óculos escuros, mas não correspondiam aos que ele procurava. A menos que... Era impossível determinar. De novo ele olhou para o espelho. Ou, mais exatamente: era como se o seu reflexo tivesse captado o seu olhar. Como se ele o observasse. Era inevitável. Havia espelhos por toda parte. Você está tateando no escuro. Volte para casa, Niels, resmungou ele.

De repente, passos. Imediatamente ele os associou a uma lembrança. Talvez a de Hannah indo e vindo na sala, de noite. Ou então a do barulho dos seus próprios passos quando ele se levantava e a deixava sozinha na cama. Porque ela já o havia abandonado há muito tempo para desaparecer em si mesma. Mas depois ele atentou para o inegável barulho de passos. Havia alguém no corredor. Duas moças que riam. Ele abriu a porta e saiu. Um barulho de porta se fechando um pouco mais longe. Ele parou diante do camarim de Dicte. No chão haviam depositado rosas e lilases ainda em botão. E também dentes-de-leão. Niels imaginou que deviam ser as integrantes mais jovens do balé que os tinham colhido lá embaixo. Ele chegou ao fim do corredor. Parou. O camarim de Dicte. Por que não? Não seria ali o melhor lugar para esconder as roupas molhadas? Uma porta que não seria aberta durante algum tempo, todos sabiam disso.

50

Teatro Real – 20h50

A lâmpada não acendeu quando Niels pressionou o interruptor. Durante um instante ele ficou imóvel na entrada e apurou o ouvido, sustendo a respiração. Pensou em fazer meia-volta, tatear procurando a maçaneta e abrir novamente a porta para aproveitar a luz do corredor. Mas continuava ouvindo as meninas falando. Era sobre o ensaio. E sobre Lea. Ele entendeu um pedaço de frase: "... não é como a Dicte". Finalmente optou por outra solução: seu celular. A luz da tela provavelmente lhe bastaria. Ele tirou o aparelho do bolso e abriu a capa. A luz era fraca. Como se devorada pela escuridão. Os contornos dos móveis apareceram lentamente. A escrivaninha, a cama, o armário. Ele examinou o chão, pensando na possibilidade de o assassino de Dicte ter jogado ali as roupas molhadas. Nesse momento percebeu que os passos se afastavam. Quis abrir a porta para aproveitar a luz. Agarrou a maçaneta. Mas ouviu atrás de si um barulho. Instintivamente ergueu os braços diante do rosto para se proteger. O golpe foi terrível. Niels tentou agarrar o braço do seu agressor. Torcê-lo. Mas o sujeito era ágil e conseguiu se livrar. Então ele bateu de novo. Dessa vez Niels não pôde se esquivar. Recebeu o golpe bem no rosto. Houve um estalido. Seco. Como uma torrada, pensou ele no momento em que desabou. Seu agressor aproveitou para abrir a porta e fugir. O que ele havia usado para golpeá-lo? Uma arma? Ele teria levado uma arma consigo?

Pare. Niels quis gritar, mas só conseguiu emitir uma espécie de assobio. Como um cisne furioso. Vamos, Niels.

Com muita dificuldade, conseguiu se levantar. Correndo, chegou à outra ponta do corredor e abriu brutalmente a porta da escada. Ouviu passos nos degraus, em algum lugar acima dele. Sim, ótimo. Suba. É para lá que eu tinha pensado em levar você, de qualquer forma. Quanto mais você subir, melhor será, pensou Niels lançando-se em perseguição. Era lá em cima que esse caso devia acabar. O suspeito, quem quer que seja ele, precisa seguir o mesmo caminho de Dicte.

Niels o ouviu trancar a porta atrás de si. Subiu correndo os últimos degraus e se lançou sobre a maçaneta. Bloqueada. Ele estava trancado. Então se afastou um passo para poder ter impulso e deu um pontapé na porta, que cedeu levando consigo um pedaço da guarnição. Madeira podre. Niels se precipitou no corredor. Deixou-se guiar pela música. Chegou a um cômodo onde se guardavam acessórios. Teve tempo apenas de ver o suspeito abrir a porta seguinte, na qual estava escrito "Palco antigo". Niels a transpôs por sua vez alguns segundos mais tarde. Do outro lado, foi recebido pela orquestra em pleno vigor. Diante dele, na coxia, quatro bailarinos lhe davam as costas. Seguiam concentrados o que acontecia no palco. O suspeito seria um deles? Niels contemplou os dorsos nus. Eles respiravam calmamente. O que estava mais perto dele se voltou, e seu rosto juvenil o examinou com um ar surpreso.

– Você viu alguém passar por essa porta um instante atrás?

O bailarino balançou a cabeça.

Uma única saída era possível. Niels foi por ali. Ela levava ao centro do teatro, onde as coxias terminavam numa parede negra. Ele ergueu os olhos. Dos dois lados, uma estreita escada metálica ziguezagueava em direção ao teto. Foi ali, a meia altura, que ele o viu. Niels bateu o joelho contra o guarda-corpo metálico ao tentar subir a escada pulando os degraus. Estava muito escuro. Os degraus eram pequenos demais. No primeiro patamar ele se chocou contra uma cama. Droga, quem poderia dormir aqui? O iluminador? Niels o ouviu correr na cornija acima dele. Lançou-se na escada seguinte. Agora os degraus não mediam mais de cinquenta centímetros de largura. Tinham sido projetados numa época em que as pessoas corpulentas eram raras. Quando pôs o pé na cornija, viu as fileiras de projetores. Havia algumas centenas. Ao passar na frente deles, sentiu o calor emanado. Quando já havia quase chegado ao alto, perdeu de vista o seu agressor. Abaixou os olhos e teve uma vertigem. Longe, mais abaixo, ele distinguiu Lea no palco. Sozinha. Não. As outras bailarinas surgiram subitamente da fumaça, atrás dela. Agora a música era lenta. Triste. Com a luz dos projetores dirigida para o palco e as paredes negras que o cercavam, ele não conseguia se orientar. No entanto, o assassino de Dicte devia estar ali. Em algum lugar. Não havia dúvida quanto a isso. Ele acabou encontrando outra escada, de degraus enferrujados. Precisou olhar onde punha os pés para não perder o equilíbrio. Estava acabando de chegar à última cornija quando recebeu um golpe violento no rosto. Dado por um objeto, desta vez.

– Pare!

Ele caiu. Não acabava nunca de cair. Pelo menos era a impressão que dava. Depois se arrebentou pesadamente. Não discerniu o barulho que seu corpo fez no momento em que bateu no chão. Em compensação, ouviu uma porta se abrir e viu passar uma silhueta.

51

Hospital de Bispebjerg, Serviço de Psiquiatria Infantil – 21h15

O silêncio gera um som que não sei descrever. Um leve zumbido que vem do corredor, me parece. Talvez de um aparelho funcionando. Um televisor ligado? A menos que esse som só exista na minha cabeça. Mudo de posição na cama. Foi isso que me acordou? Eu estava mesmo dormindo? Acendo o abajur. Sento-me por um instante antes de me levantar. As fotos estão expostas na mesa. Exatamente onde eu as deixei. Não toquei nelas desde a saída do policial. Cinco rostos. Cinco homens.

Quem é o Culpado?

Foi um deles que matou a minha mãe? É possível. Qual deles eu posso imaginar com uma faca na mão? O jovem? Não. O que parece um bancário? Pode ser. Seu rosto é frio, cínico. Talvez. Fecho os olhos. Não preciso mais ficar olhando durante muito tempo essas fotos. Os rostos já estão impressos no meu cérebro. Agora eu também posso ver mamãe. A minha bela mamãe. Nesse momento ela não está morta. Está na sala, bem viva, e briga com o bancário. Ela lhe diz que foi um mal-entendido. Ele fica louco de raiva. Grita que ela precisa deixar o papai, se divorciar; que é preciso que ela confesse tudo. Mas mamãe diz que não fará isso. Ela só quer que ele vá embora.

"Desapareça!", ela lhe diz. "É isso mesmo, desapareça!"

Estou escondida atrás da porta do meu quarto. Petrificada. Ouço tudo. Eles não me veem. Mas eu os espio pelo buraco da fechadura.

"Você precisa partir agora", grita mamãe. "Eu não quero mais ver você."

Mas ele não a escuta. Está cada vez mais furioso. Sacode-a violentamente. Mais uma vez. Então ela cai no chão. Na queda, derruba as cadeiras da cozinha.

Um frasco de vidro também cai e se quebra em mil pedaços. Mamãe chora. Eu bato na porta. Ou será que não fiz isso? Talvez eu tenha assistido calmamente à cena, com os olhos cheios de lágrimas. Ou talvez tenha voltado a me deitar, tenha coberto a cabeça com a colcha, tenha me refugiado no escuro.

"Pare!", grita mamãe quando ele volta de repente com uma faca na mão. De onde foi que ele saiu? Como ele pôde entrar na cozinha sem mamãe perceber? Por que ela não fugiu? Pela porta do terraço, em direção à rua, para pedir ajuda.

"Não", diz ela quando ele avança na sua direção com a faca na mão. Lentamente? Não; ele se precipita sobre ela, agarra-a pelos cabelos quando ela ainda está no chão, não a apunhala; puxa sua cabeça para trás, brutalmente, violentamente, descobre a sua garganta e enterra a lâmina bem atrás da orelha, profundamente; depois, com um gesto vivo, corta-lhe a garganta, talhando também a traqueia e o esôfago, os músculos e as veias, a carótida e...

Minha mãe olha fixamente para ele. Tenta dizer alguma coisa, mas as palavras se afogam no gorgolejo do seu sangue. Ele joga a faca para o lado e sai de casa. Ouço seus passos no corredor, a porta de entrada batendo. Então forço a porta do meu quarto. Olho para a mamãe, que corre em círculos dando gritos. Ela segura a garganta, como se quisesse evitar o desfecho fatal. Eu a vejo se acalmar pouco a pouco. Experimento uma espécie de alívio desagradável quando ela acaba se estatelando no chão. Olho-a nos olhos. Seu olhar se fixa. A vida a deixa. Lágrimas correm dos meus olhos e caem no rosto dela. Como se para lavar o sangue que há nele. E o silêncio que se segue. O silêncio. É o pior. Pior que o sangue. Pior que os gritos da mamãe. Porque o silêncio tenta me dizer algo. Que agora a minha vida é vazia de sentido.

52

Teatro Real – 22h55

– Você está bem?

Uma dor. Uma sensação estranha no meu rosto, um estremecimento, como se um lagarto corresse na minha pele, com toda a sua família. Niels tateou, procurando o celular. Na total escuridão. Em sua cabeça ele continuava ouvindo o barulho da porta que se abria e batia. Barulhos de passos na cornija metálica. Seus dedos tocaram alguma coisa dura. O celular. Ele o pegou e tentou ligá-lo. Tinha na boca um gosto de madeira.

– Você está me ouvindo? – Uma luz. Um clarão fraco, filtrado, mas suficiente para fazê-lo reagir. Ele estava estendido sobre os tacos do último andar do teatro.

– Foi o iluminador que encontrou o senhor.

Niels tentou se endireitar. O guarda o ajudou com a mão.

– O senhor caiu.

– Caí?

Niels balançou a cabeça.

– Você viu por onde ele fugiu?

– Quem? – indagou o guarda.

O outro homem olhava para ele com um ar embasbacado, como se tivesse acabado de descobrir uma nova espécie animal.

– Ora, o bailarino.

Eles evidentemente ignoravam de quem se tratava.

– O senhor teve sorte – disse-lhe o iluminador. – Muitas pessoas que caíram de lá morreram. Um único sobreviveu, porque estava bêbado.

– Me ajude a me levantar.

– Não seria melhor chamar uma ambulância?

Niels balançou a cabeça e se levantou sem a ajuda deles. Agora o palco lá embaixo estava no escuro. Durante quanto tempo ele tinha perdido a consciência?

– Que horas são?

– O senhor tem certeza de que está bem?

– Responda à minha pergunta – retorquiu Niels secamente.

– São quase onze da noite.

Quase onze horas. Ou seja, ele havia ficado inconsciente durante muitas...

– Existe outro meio de descer? – perguntou o guarda ao iluminador.

– Eu posso perfeitamente andar.

– O senhor devia ir checar se está realmente bem.

– Podemos passar sobre a sala – respondeu o técnico indicando-lhes o caminho.

Niels e o guarda seguiram os passos dele.

– Antigamente era aqui que ficavam os surdos – explicou o técnico abrindo a porta.

Eles entraram no forro abobadado que constituía o teto da sala.

– Tudo bem?

– Tudo bem.

O guarda pôs a mão no braço de Niels como se este fosse seu prisioneiro. O iluminador lhes designou um cubo de madeira que fez Niels pensar na Caaba de Meca.

– E dali se pode determinar a altura da luz. No passado queriam uma luz viva – disse ele sorrindo.

Eles desceram na penumbra por uma escada íngreme e fria que os levou para o saguão de entrada do teatro.

– Preciso voltar a ver o camarim de Dicte – anunciou Niels.

– Já não foi o bastante por esta noite? – disse-lhe o técnico em tom de censura.

Niels o fuzilou com o olhar.

– Você está falando com um policial.

– OK, tudo bem. Mas, de qualquer forma, é melhor se olhar no espelho antes de ir a qualquer lugar.

Normalmente, só a rainha podia utilizar aqueles banheiros, a julgar pelo que o iluminador tinha lhe contado antes de ir embora. Niels se olhou no espelho. Teve a impressão de estar olhando para um velho amigo desfigurado. Seu rosto tinha algo de familiar e ao mesmo tempo de estranho. Um corte corria na sua testa desde a base dos cabelos até a sobrancelha esquerda. Ele examinou o nariz. Não estava quebrado. Não lhe faltava nenhum dente. Em compensação, seus lábios estavam cortados, e um dos joelhos inchara. Tateou a maçã do rosto para ver se ali não havia fratura. Suavemente. A região doía, mas não havia fratura. Seu rosto era uma ruína. Lavou o rosto ensanguentado com a ajuda de uma toalha de papel. O sangue logo voltou a brotar. Sobretudo no corte da testa. Estava claro que era um corte profundo. Ele jogou água. Estava transpirando. O que mais doía era o rosto. Ele teria batido no chão depois de ter sido golpeado com um objeto na altura da orelha? Era isso que tinha acontecido? Ou teria sido o contrário? Ele pressionou contra o rosto uma toalha de papel úmida e foi encontrar o guarda. Então eles se dirigiram aos camarins.

– O senhor tem certeza de que está bem?

– Foi só uma pancada.

No camarim de Dicte a luz continuava não acendendo.

– Não daria para consertar a luz? – indagou Niels.

– Agora? Para isso é preciso chamar um eletricista.

– Não vale a pena. Só precisamos de uma lâmpada.

O guarda ficou por ali alguns segundos e depois saiu resmungando. Niels se sentou diante do espelho, no lugar onde Dicte se instalava toda noite, e contemplou seu rosto com a luz fraca vinda do corredor. O guarda voltou.

– Por enquanto o senhor vai ter de se virar com isto. – Niels recebeu em cheio no rosto o clarão de uma lanterna. – Vou até o depósito procurar uma lâmpada.

– Perfeito, obrigado.

Ele pegou a lanterna, que, como uma espada luminosa, rompia a escuridão. Seu olhar seguia o feixe de luz, que ele deslocava lentamente na parede, na estante, no chão, nas madeiras, no armário que abrigava as bailarinas, nas fotos afixadas no quadro de avisos. O cômodo não se parecia com aquele que ele havia examinado à luz do dia. Quando o sol se punha, tudo ficava diferente. A luz do crepúsculo dava vida a formas estranhas e a sombras grotescas e distorcidas.

O que ele tinha usado para golpear Niels? Um objeto que se quebrara.

Ele iluminou o chão. A escrivaninha. O espelho.

Um objeto que não tinha resistido ao choque.

Diante da porta.

Duro, e ao mesmo tempo... Um objeto de plástico? Que em seguida ele havia levado consigo quando fugira. Por quê?

Debaixo da mesa.

Niels se endireitou. Ali. Perto de um dos pés da mesa. Um pedaço de vidro. Ele o pegou. Sim, era mesmo vidro. Uma peça côncava com as bordas polidas. O vidro de um relógio? Ele o tinha golpeado com as costas da mão e o ferira com o relógio.

Niels pôs rapidamente no bolso a sua descoberta quando ouviu o guarda voltar praguejando.

– O senhor já vai ter luz aí.

– Obrigado. Mas não preciso mais.

53

Bairro de Islands Brygge – 23h56

Já se chegara ao veredito.

Ela se sentou. Enfim as suas dúvidas tinham desaparecido. Seus argumentos tinham sido expostos, analisados sob todos os ângulos. E agora só restava pronunciar a sentença: pena de morte.

Claro que Hannah não chorava, mas estava prestes a fazê-lo. De nada adianta chorar, a sentença foi pronunciada, lembrou-se ela. Só resta executá-la. Ela olhou a pílula que estava na mesa. Pensou em Saturno. Não, é apenas uma pílula. Uma cápsula de cianeto. Uma pílula de morte. Inclinando-se, ela estendeu a mão e pegou o comprimido. Examinou-o pensando: tanta morte concentrada numa coisa tão pequena. De repente ela se sentiu apaziguada. Lembrou-se do que o médico lhe tinha dito: "Quando a senhora a tiver ingerido, o aborto começará e não poderá ser interrompido". Essa informação tinha algo de tranquilizador. A pílula não se limitaria a matar os dois fetos nela contidos, ela também acabaria com as suas dúvidas. As dúvidas que estavam prestes a esgotá-la, a pôr em curto-circuito o seu cérebro, a destruir o ser humano que ela era. Finalmente elas iam morrer junto com os embriões. Sim, era assim que ela devia considerar a pílula. Como uma coisinha que lhe faria bem. Como uma boia salva-vidas.

Ela pôs na boca o comprimido, que engoliu com dois goles de água. Um para cada um de vocês, pensou. Depois desatou a chorar. Mas o choro a aliviou. Era como se as lágrimas levassem consigo as suas preocupações. O pesadelo que ela havia vivido nos últimos dias tinha enfim terminado.

A porta da entrada se abriu. Era Niels. Ela ficou sentada. Em silêncio. Preferia não ser notada. Ele cheirava a álcool. Ela detestava esse odor, que lhe lembrava o pai alcoólatra.

Hannah o ouviu entrar no banheiro, abrir a torneira, jogar as chaves na bancada da pia e depois ir para o quarto. Novamente ela se sentiu aliviada. Por constatar que também ele queria evitá-la. Isso era evidente, e assim era mais simples. Pois ele sabia que ela estava na sala. Como em todas as noites.

Ela ouviu seu corpo pesado desabar na cama. O estrado guinchou. Que horas eram? Ela esperou alguns minutos. Não demorou a ouvir um ronco. E então se levantou e foi para o quarto. Não para se deitar ao lado ele, mas para olhá-lo. Por quê? Tudo o que ela sabia era que aquilo tinha ligação com a pílula que ela havia tomado. E, num certo sentido, isso era suficiente. Ele tinha coberto a cabeça com o lençol. Ela já estava saindo quando notou o livro. *Fédon*. O famoso texto sobre as últimas horas de Sócrates. Nele o filósofo demonstra a imortalidade da alma. Ele o levara ali para ela? Desconfiava de alguma coisa? Tinha encontrado o teste de gravidez na lixeira? Não, ela havia tido o cuidado de escondê-lo no meio da borra do café e de folhas de salada. A nota da farmácia? Não. Ou talvez sim. Com Niels não se podia nunca saber. Devia ser assim com todos os policiais. Eles veem tudo, observam tudo. Se a razão não fosse essa, por que ele teria posto esse livro bem à vista no criado-mudo? *Fédon*. Claro que ela o conhecia. Escrito por Platão, o fiel discípulo de Sócrates. Ao folheá-lo, ela se impressionou com o frescor e a modernidade do texto. Provavelmente porque os filósofos da Grécia Antiga estavam na origem do sistema acadêmico em que ela se formara. Sócrates. Platão. Aristóteles. Ela percorreu as páginas. Fazia anos que o lera. Talvez no colegial? Era uma discussão ocorrida na cela de Sócrates, logo antes da sua execução. Depois da derrota catastrófica que Esparta infligira a Atenas, ele havia sido apontado como bode expiatório e condenado à morte. Ele fora um dos únicos a condenar essa guerra. Na sua cela, ele tranquiliza os amigos provando que a alma existe.

Hannah olhou por cima do ombro. Niels falava durante o sono. Ela pegou um maço de cigarros, fósforos, quatro velas e um cobertor, e foi ler na varanda. As quatro provas da imortalidade da alma, expostas por um dos cérebros mais brilhantes que a Terra conheceu. Um desses guias da humanidade encontrados uma vez a cada mil anos. Como Einstein. Hannah acendeu um cigarro e leu. Velozmente. Por que tão depressa? Ela havia previsto alguma coisa? Devorando as palavras, rememorou o pensamento cíclico: o sono se segue à vigília, que por sua vez se segue ao sono; o bom fica pior e o pior melhora; o grande fica menor e só pode ficar maior se em algum momento foi menor. É assim que a vida nasce da morte, e inversamente.

Por que Niels tinha colocado o livro bem à vista? No processo movido por Hannah, Sócrates era testemunha de acusação ou de defesa? Ele se pronunciava a favor ou contra a morte dos dois fetos?

Ela prosseguiu na sua leitura. Sofregamente. Como se tivesse a esperança de nela encontrar a resposta para os seus problemas. A segunda prova da imortalidade da alma: a reminiscência; a ideia de que alguns conhecimentos são inatos, como no filhote de cuco de que falara Eskild Weiss. Mais um cigarro. Sócrates tem razão? Sobre o que hoje nós qualificamos de revelação? Sim. Hannah mesma já a tivera muitas vezes. E, para ser honesta, a cada vez ficava com a impressão de que a coisa vinha de si mesma. Que a resposta sempre tinha estado dentro de si.

Ela pensou em entrar e acordar Niels. Que mensagem ele queria lhe transmitir com esse livro? Que também ele tinha uma palavra a dizer? Que ela havia negligenciado uma testemunha essencial? O pai das crianças? Esse livro era a sua contribuição para o processo? Sim, isso parecia razoável. Certamente era isso. Se assim era, o caso não estava encerrado. Novas vozes precisavam ser ouvidas. Novos...

Agora ela estava no banheiro. Fechou a porta atrás de si. Mergulhou a cabeça na pia e introduziu dois dedos na garganta. Não, três era melhor. Seu corpo resistiu. Recusava-se a vomitar. Mas ela insistiu. Enterrou os dedos, quase a mão inteira, tão longe na faringe que acabou vencendo a resistência do seu corpo. Há quanto tempo ela havia tomado a pílula? Já seria tarde demais? Não. Ela estava lá. No meio da bílis amarela e malcheirosa. A pílula. Ela levantou a cabeça. Estava molhada de suor. Sentia a garganta em fogo. Mas estava pronta para retomar o processo. A próxima testemunha que seria chamada a falar era Fédon.

Terça-feira, 14 de junho de 2011

54

Bairro de Islands Brygge – 8h55

Niels abriu os olhos e sentiu a pele se estirar dolorosamente em torno da boca e dos olhos. Era como se subitamente não houvesse pele suficiente para cobrir todo o rosto. Seus lábios estavam cortados, o nariz doía e um filete de sangue escorria da ferida que ele tinha na testa.

Ele se levantou e foi logo se examinar no espelho do banheiro. Constatou que seu rosto não havia melhorado durante a noite. A pele estava intumescida e coberta de hematomas. Ele passou uma água no rosto, e quando levantou a cabeça viu o reflexo de Hannah no espelho. Longos segundos transcorreram antes que um deles falasse.

– O que foi que aconteceu? – ela acabou por perguntar.

Niels se voltou e a examinou. Parecia que a vida estava prestes a deixá-la, que ela estava com alguma doença incurável. Não havia nada além de pele sobre seus ossos, e os olhos inteligentes estavam cercados de cansaço.

– Bati contra uma porta. Nada de grave – esquivou-se ele, esperando que ela se afastasse para deixá-lo passar. O que felizmente ela fez. Depois o seguiu até a sala. Lá fora os raios do sol matinal faziam cintilar as águas do porto, oferecendo um espetáculo deslumbrante que até algumas semanas atrás eles quase diariamente admiravam abraçados. Mas isso tinha sido antes de Hannah se afastar de Niels. Agora eles não viam ali mais que uma banal extensão de água. Nada mais.

– Por que você trouxe este livro para casa?

Ele olhou o livro de Dicte na mão dela e deu de ombros. Não tinha vontade de falar sobre o caso.

– Hannah...

– Isso não parece a marca de uma porta – disse ela, aproximando-se.

– O que é que você quer dizer?

– Essa marca. Aqui. Na sua bochecha.

Ele a deixou examinar seu rosto. Os dedos de Hannah roçaram a sua ferida. Com delicadeza. Meu Deus, como dói, mas como é bom. Ele fechou os olhos. Talvez fosse justamente o que era preciso: que ele ficasse desfigurado para que ela ousasse enfim tocá-lo. Se era assim, ele estava disposto a fazer esse sacrifício por uma simples carícia na face ou...

– O que é isso? – perguntou ela.

– O quê?

– É um círculo?

– Um círculo?

– Tem uma marca em forma de círculo no seu rosto.

Niels voltou ao banheiro para se ver no espelho. Inicialmente não percebeu nada de particular. Ou talvez. Sim, ela tinha razão. Atrás dos ferimentos, ou sob eles, havia um hematoma vermelho-violeta em forma de círculo. E no interior desse círculo, estrias minúsculas. Ele se lembrou do vidro que vira no camarim de Dicte.

– Você pode pegar a minha calça, por favor?

Ela fez isso. Entregou-lhe a calça com a ponta dos dedos. Como se fosse a roupa de um estranho. Ele tirou o vidro do bolso.

Era redondo.

– Parece que é de um relógio – obervou ela.

– Pode ser.

Hannah estava atrás de Niels. Ele aproximou do rosto o pedaço de vidro e constatou a perfeita coincidência com a marca. Um relógio na carne, pensou Niels. Marcado na minha pele.

– Por que você me disse que tinha batido numa porta quando na verdade bateram em você?

Ele se olhou novamente no espelho. Números romanos. O suspeito havia batido duas vezes nele. No primeiro golpe o vidro tinha se soltado. No segundo, o mais violento, o disco ficara marcado no seu rosto.

55

Bairro de Ydre Nørrebro – 11h15

Nørrebro. Ele quase nunca punha os pés nesse bairro. Muita violência, muito tiroteio. A se acreditar nos jornalistas, em breve será impossível passear ali sem levar uma bala na cabeça. Por causa das gangues de imigrantes e dos *bikers* aprendizes que querem ser notados. Mas naquele exato momento as ruas estavam bem pacíficas. Um homem com um cachorro passou bem perto do seu carro. Depois um casal de namorados. Ele os acompanhou com o olhar. O amor. Já não era mais que uma lembrança distante. Ele havia estacionado quase no mesmo lugar em que o fizera da última vez. Do carro tinha visto movimento na janela do apartamento. Bom sinal. Peter estava em casa.

Ele consultou o celular. Estavam registradas duas ligações de um número desconhecido. Fora isso, nada. Sim, o horário. Eram 11h17. Ele precisava estar na clínica à uma. Ergueu os olhos para o apartamento. Aparentemente era um apartamento comum, parecido com todos os outros. Com janelas escuras e paredes de tijolo escurecido pela fuligem. Mas o apartamento de Peter não tardaria a se distinguir dos demais. Passaria por uma transformação radical. Esse apartamento anônimo e calmo, como existiam milhares nos bairros populares de Copenhague, se tornaria a cena de um crime e ganharia a primeira página de todos os jornais. Logo colocariam fitas de plástico por toda parte, haveria luzes piscantes e veículos da polícia, jornalistas, câmeras.

Os jornalistas. O enorme interesse da mídia era um parâmetro que ele não havia levado em conta. Já imaginava os artigos nos jornais, as reportagens especiais nas cadeias de televisão. Ele seria descrito como um monstro. O monstro que tinha matado Peter V. Jensen. Seria qualificado de assassino impiedoso. Talvez até lhe dessem um apelido, a imprensa adorava esse tipo de coisa. O Assassino de Copenhague. O Afogador. Jack, o Estripador da Dinamarca. O Carrasco. Ele balançou a cabeça e tentou estancar o fluxo dos seus pensamentos. Mas era difícil. Seu cérebro não repousava há dias. Os medicamentos que tomava para permanecer desperto serviam também para outra coisa. Ele fechou os olhos e tentou relaxar. Precisava se acalmar, se quisesse evitar chamar atenção e ser bem-sucedido em sua missão. Abrindo a maleta, viu as seringas, vários anestésicos, tubos de borracha, algemas, uma máscara, um rolo de fita adesiva. Tudo havia sido previsto. Fora os sete ou oito minutos durante os quais poderia acontecer qualquer coisa, a situação não podia escapar ao seu controle. Sete ou oito minutos. Ele se esforçou para não pensar mais naquilo. Sempre havia um risco. O essencial era minimizá-lo preparando-se da melhor forma possível. O anestésico levaria cerca de sete minutos para agir totalmente, mas já ao final de cinquenta segundos Peter começaria a afundar e seria relativamente fácil controlá-lo. E a partir de então tudo seria mais simples. Peter ficaria à sua mercê. Evidentemente havia também fatores imponderáveis, como um amigo que poderia passar sem avisar. Talvez Peter até mesmo conseguisse fugir, como acontecera com Dicte. Não, isso não aconteceria. Não desta vez. Da última vez a sua sorte fora Dicte ter se atirado do alto da ponte. Se ele fosse idiota o suficiente para repetir um erro tão grotesco, aquilo certamente acabaria muito mal.

De repente a porta do prédio se abriu e a loira bonita saiu para a rua. Peter a observava pela janela do apartamento. Eles mandaram beijos um para o outro e trocaram olhares amorosos. Era enternecedor. Mas o importante era que isso parecia indicar que tão cedo eles não voltariam a se ver. Portanto, Peter ficaria sozinho em casa. Até o momento em que seu velho conhecido viesse bater na porta. Vamos logo, para que esperar? Ele abriu a porta e saiu do carro com a maleta na mão. Atravessou a rua e se dirigiu diretamente à porta de entrada. Depois tocou no mesmo apartamento que da última vez.

– Quem é?

– Bom dia, eu vou no número quatro, mas o interfone está quebrado.

A porta logo se abriu. Apesar da má reputação do bairro, as pessoas mostravam ter confiança. Ou talvez fossem acostumadas com panes no interfone.

Ele entrou no vestíbulo. Paredes imundas e cobertas de desenhos violentos. Jornais velhos jogados nos degraus. Ele subiu até o quarto andar, dessa vez sem ser perturbado. Esperou um pouco, o tempo suficiente para retomar o fôlego, depois tocou a campainha.

56

Centro de Copenhague – 11h34

Não havia um único cliente quando Niels entrou na loja. Evidentemente, os belos dias de verão não eram propícios à venda de relógios. A menos que a causa dessa desafeição fosse mais profunda, quem sabe?

– Posso ajudá-lo?

O relojoeiro falava em voz baixa. Como se tudo o que era dito naquela loja fosse confidencial.

– Talvez – respondeu Niels.

– O senhor procura alguma coisa específica?

Foi só nesse momento que o relojoeiro pareceu notar o seu rosto inchado. Ele baixou os olhos e provavelmente se perguntou se estaria lidando com um viciado. Niels lhe mostrou seu distintivo.

– Polícia de Copenhague.

– O que foi que aconteceu?

– Nada. Eu estou aqui por causa disto.

Ele apontou o rosto com o dedo.

O relojoeiro recuou instintivamente.

– Essa marca aqui, no meu rosto. Acho que foi feita com um relógio. Talvez o senhor soubesse me dizer de que tipo se trata. Eu também trouxe isto.

Niels tirou do bolso o vidro côncavo. O relojoeiro, afinal tranquilizado, se aproximou.

– Pode ser mesmo – murmurou ele. – É um relógio, sim.

– Que tipo de relógio?

– O senhor pode esperar um instante?

Dito isso, ele desapareceu nos fundos da loja. Niels tinha os olhos fixos no relógio dependurado na parede. Quando haviam decorrido cinquenta e cinco segundos, ele cogitou deixar a loja. Mas mudou de ideia ao ter um relance do seu reflexo no espelho. Era exatamente a marca de um relógio, sem nenhuma dúvida. Então por que não explorar esse indício?

– O senhor pode me seguir? Preciso ver isso com uma boa luz.

Niels contornou o balcão e depois o seguiu até os fundos da loja, onde estavam instalados um escritório e uma oficina. O relojoeiro se sentou a uma mesa equipada com uma bandeja de vidro iluminado por baixo.

– Vou precisar lhe pedir para se inclinar aqui em cima.

Niels fez isso. Ficou numa posição desconfortável em que não conseguiria se manter por muito tempo.

– Um pouco mais baixo.

Ele colou a face na bandeja e fechou os olhos para se proteger da luz ofuscante.

– Não hesite em me dizer se começar a queimar.

O relojoeiro estudou atentamente a marca na face de Niels.

– O senhor está vendo alguma coisa?

– Talvez.

– O quê?

– Um instante, por favor.

O homem se levantou e foi consultar um dos seus colegas. Niels se endireitou. Havia cartazes publicitários nas paredes. Omega. Seiko. O relojoeiro voltou, examinando o vidro de todos os ângulos.

– Parece um Eterna – anunciou ele, voltando-se para Niels. – O tipo de vidro, a forma e o diâmetro correspondem. Posso olhar uma última vez?

Niels colou novamente a face sobre a mesa.

– É isso mesmo. As horas são todas representadas por um traço simples. Só o número doze tem dois traços. Não se mexa.

Naquela posição desconfortável, Niels viu o relojoeiro ir procurar um catálogo.

– Isso – confirmou ele, voltando para perto de Niels.

Depois ele comparou a foto do catálogo com a marca na sua face.

– Que modelo é? – indagou Niels, endireitando-se.

– Acho que é este aqui. Tudo leva a crer. É um modelo que foi comercializado entre 1970 e 1975. Hoje em dia não é mais encontrado.

– Foi um relógio como esse que eu recebi na cara?

– A minha opinião é que sim – respondeu o relojoeiro. – Esse corresponde perfeitamente. Houve uma época em que o Relógio do Rei era desse modelo. Ou o Relógio da Rainha, como ele é chamado desde o início dos anos 1970. Depois eles passaram a ser Longines, Ole Mathiesen e...

– O Relógio do Rei?

– É uma recompensa concedida anualmente ao melhor integrante da Guarda Real.

57

Bairro de Ydre Nørrebro – 11h38

Ele detectou imediatamente a agitação no olhar de Peter. Uma leve palpitação no nível das pupilas. Peter teria pressentido alguma coisa? Seria possível que ele tivesse adivinhado o que o esperava? Não, era impossível. Talvez por causa do seu próprio estado nervoso ele tivesse tomado por aflição o que na verdade era surpresa.

– Parece que você está espantado por me ver – disse ele, sorrindo.

Peter concordou.

– Gostaria de conversar com você sobre uma coisa.

Peter hesitou. O que não era grave; ele tinha previsto essa hesitação.

– Ah, é?

– Tentei ligar para você.

– Aqui? Agora?

– Talvez seja o meu telefone que anda funcionando mal. Mas como estava passando por aqui... Bom, acho que posso ajudar você.

– Com o quê?

– Com os seus problemas. Posso entrar?

Nova hesitação.

– É só um minutinho.

Peter deu um passo para o lado a fim de deixá-lo entrar. Ele ficou extremamente aliviado. Tinha acabado de transpor um dos principais obstáculos. A ideia de que talvez fosse preciso forçar a passagem, com todos os riscos que isso implicava, absolutamente não o encantava. Do ponto de vista físico, Peter estava longe de ser uma força da natureza, mas isso não significava que ele não constituiria um adversário temível, e bastaria um pouco de tumulto na escada, gritos e pedidos de socorro para chamar a atenção dos vizinhos, talvez da polícia. Mas felizmente essa hipótese não se concretizou.

– Obrigado. Muito simpático da sua parte.

Um quarto e sala, escuro e exíguo. Móveis baratos, um assoalho de tacos gastos, paredes nuas. Uma mesa era dominada por um terrário em cujo interior se via uma serpente imóvel.

– É uma cobra-coral – disse Peter rindo. – Dei a ela o nome de Hitler.

– Ah, tá.

Peter tinha problemas – ligados ao acidente sofrido quando tinha dez anos – que o impediam de trabalhar, daí a angústia e a depressão. Naquele momento ele parecia bem. Estava apaixonado, e tinha todas as razões para sorrir. Um pôster imenso cobria quase a totalidade de uma parede.

– Você conhece L. A. Ring? – perguntou-lhe Peter.

Eles contemplaram juntos o pôster que representava uma velha sentada sobre a sua trouxa, à beira da estrada, depois de um pesado dia de trabalho, com os braços caídos, exaurida. Ela havia desistido. Sobre a sua cabeça planava o anjo da morte, à espreita, pronto para levá-la.

– Não – respondeu ele.

– É uma ampliação – explicou Peter. – O título do quadro é *Crepúsculo. A velha senhora e a Morte*. É de 1887. O instante que precede a morte dela.

– Macabro demais. Por que você o pendurou na sua casa?

Peter o examinou com um olhar breve e intenso.

– Ele representa o que eu sinto. A morte está constantemente presente ao meu lado, desde que sofri o acidente.

Peter se virou e entrou na cozinha. Pôs água no fogo para o café e então tirou xícaras e colheres.

– Só tenho café – gritou ele.

– Perfeito.

– Com leite?

– Não, obrigado.

Ele dispunha de alguns segundos sozinho na sala de estar. Precisava aproveitá-los. Então abriu a maleta e retirou uma seringa. Sete a oito minutos. Essas palavras ressoavam na sua cabeça, mas ele conseguiu ignorá-las. Era preciso se concentrar na sua missão. Por ora a única coisa que contava era a quetamina. Oito mililitros. Por via intramuscular. Para injetar diretamente no trapézio. Com a ajuda de uma agulha curta, vinte e cinco milímetros, para evitar que ela chegue ao pulmão. Esse anestésico de uma eficácia temível tinha na Dinamarca uma reputação ruim por causa da tendência inconveniente a provocar pesadelos terríveis no paciente. Pesadelos, pensou ele. Neste momento é a menor das preocupações de Peter. Ele se postou em emboscada atrás da porta e esperou. Peter voltou com um prato entre as mãos.

– Estou curioso. Como é que você espera me ajudar?

Ele enterrou a seringa exatamente onde era preciso: no alto do ombro, entre a coluna vertebral e a omoplata; injetou nele toda a dose de quetamina com uma única pressão. A bandeja com as xícaras de café caiu no chão com um estrondo. Cacos de porcelana se espalharam por toda parte. No momento Peter não reagiu. Talvez ele simplesmente não tenha compreendido o que havia acontecido. Talvez se recusasse a compreender. Um antigo conhecido toca a campainha e anuncia que quer ajudá-lo; ele o faz entrar, oferece-lhe um café e de repente ele lhe finca uma seringa no ombro como se ele fosse um animal que seria abatido.

– Que porra é essa? – exclamou Peter tateando o ombro. – O que é isso? – Ele viu a seringa. – Você injetou alguma coisa em mim. – Não havia o menor indício de cólera na sua voz, apenas estupefação. – Você injetou alguma coisa.

– Não – retorquiu ele dissimulando a seringa atrás das costas.

– Sim.

– Não, você está enganado.

Ele se esforçou para prolongar aquela conversa absurda. Precisava ganhar tempo, o tempo levado pela quetamina para se insinuar profundamente no seu corpo, entorpecê-lo, intoxicá-lo.

– Por que você fez isso? O que é que está acontecendo?

A pergunta de Peter ficou sem resposta. Agora a cólera começava a dominá-lo. Ele seria incapaz de contê-la por muito tempo.

– Droga, o que é que está acontecendo, merda?!

A porta. Era preciso impedir que Peter saísse. Isso era primordial. O homem se precipitou para guardar a saída e evitou na passagem um violento pontapé acompanhado de um berro bestial do seu anfitrião.

– O que é que está acontecendo? – urrou ele voltando ao ataque.

Desta vez Peter acertou o alvo: o rosto de seu oponente.

Ele sentiu uma dor forte no lábio e também o gosto de sangue na boca. Mas não se desconcentrou:

– Calma, Peter. Foi um mal-entendido.

– Você está gozando da minha cara?

O anestésico começava a fazer efeito. O olhar de Peter se tornara vago e agitado; seus movimentos, desajeitados. De repente, tomado de pânico, correu até a mesa, talvez esperando encontrar ali uma arma ou um telefone com o qual pudesse pedir ajuda. Inútil. Lançou outro ataque, mas seus braços trêmulos só atingiram o ar. As pernas começaram a fraquejar, e seus braços tornaram-se rígidos. Cambaleava como um bêbado. Cambaleava. O navio tinha começado a se encher de água. Em pouco tempo ele iria naufragar.

Em pouco tempo.

– O que é que você fez comigo? – disse ele com uma voz já anasalada e velada.

Depois de um último ataque resignado e fadado ao fracasso, Peter desmoronou nos seus braços.

Em pouco tempo.

Ele o pegou e, com um movimento rápido, passou-lhe uma rasteira. Eles caíram no chão com um barulho surdo. Peter ficou por baixo. Tinha espuma no canto dos lábios, e seus olhos estavam semicerrados. Outra característica da quetamina é provocar um estado próximo do transe e salivação excessiva. Ele não tinha mais nenhuma razão para mantê-lo no chão. Os músculos de Peter se relaxaram lentamente. Sua respiração era sacudida e brusca. Ele parecia um soldado agonizante no campo de batalha. A diferença é que não tinha sucumbido a uma saraivada de balas, e sim a uma forte dose de anestésico. Seus olhos se reviravam. Peter lutava, sem convicção. Já havia desistido há muito tempo. Compreendera que não tinha escolha.

Em pouco tempo.

– Me larga, filho da puta – resmungou ele num último sobressalto desesperado, como um peixe que se debate no chão. – Me larga.

Em pouco tempo.

Então Peter naufragou.

Ele o abandonou no chão e se levantou. Respirou fundo e se esforçou para fazer baixar a própria pulsação. Nada estava ganho por enquanto. A coisa só ia começar agora.

Agora. Ele lançou um olhar para o relógio. Precisava deixar o apartamento no máximo ao meio-dia e meia.

58

Bairro de Islands Brygge – 11h42

Sair para o terraço lhe fez um bem enorme; sentir no rosto o ar fresco, contemplar a rua lá embaixo ou a vida seguindo imperturbavelmente o seu curso. A vida, pensou ela. Ou a morte.

Hannah telefonou para o Rigshospitalet e pediu para falar com a clínica de ginecologia. Foi uma voz de mulher idosa que lhe respondeu. Uma mulher experiente, sem dúvida, a quem nada podia surpreender.

– Eu me chamo Hannah Lund. Estou ligando porque quero abortar cirurgicamente.

– Ah?

– Sim. Inicialmente estava previsto que eu abortasse com medicação, mas...

– Aqui? No Rigshospitalet?

– Isso.

– Então a senhora tem uma ficha conosco?

– Tenho.

– E como a senhora me disse que se chama?

– Hannah.

– A senhora pode me dar o seu número da previdência social?

Hannah lhe disse o número e depois esperou. Seguiu-se uma breve pausa, durante a qual ela ouviu a sua interlocutora digitar num teclado.

– Uma vez que a senhora já veio aqui, o aborto pode ser feito a partir de amanhã. Ao meio-dia. Fica bom para a senhora?

– Perfeito – respondeu Hannah.

– Venha um pouco antes. Quando chegar, dirija-se à recepção no saguão principal. Eles lhe indicarão o caminho. Antes da intervenção lhe farão uma nova ultrassonografia.

– Tudo bem.

– E é importante que a senhora esteja em jejum. Certo?

– Claro.

– Perfeito. Eu lhe desejo boa sorte – concluiu a mulher antes de desligar.

Hannah pôs o celular no bolso. Quanto tempo havia durado aquela conversa? Um minuto? Talvez dois? Dois minutos era o tempo necessário para programar uma dupla morte. Um minuto por morte.

Ela observou o trânsito, pessoas saindo dos veículos, gente se dirigindo a um destino qualquer; jovens mamães com carrinhos de bebê, irradiando felicidade. Por que eu fiz essa ligação?, ela se perguntou. Por que o método importa tanto? Como o modo de execução da sentença. Porque o juiz não é o carrasco, pensou ela. O papel do juiz é julgar. Cabe a outras pessoas executar a decisão dele. E é melhor que seja assim.

Ela pousou o olhar no livro que havia deixado na mesa do terraço. Pensou nas reflexões de Sócrates sobre a alma. Chegara a hora de ouvir a última testemunha.

59

Centro de Copenhague – 11h46

– Você disse na primeira metade dos anos 1970?

– Isso, Casper. Os membros da Guarda Real que ganharam o Relógio do Rei entre 1970 e 1975. Encontre a relação para mim.

– Para quando você quer...

– Para agora – cortou Niels quando passava diante da praça da prefeitura, no bairro H. C. Andersens, dirigindo-se à ilha de Amager.

Casper prometeu entrar em contato com ele quando tivesse conseguido a relação. E cumpriu sua palavra. Ligou alguns instantes mais tarde, quando Niels fazia uma conversão à esquerda na rua Stormgade, em direção ao Palácio de Christiansborg.

– Posso falar?

– Pode.

– Rune Toft, 1970. Søren Elmkvist, 1971. Mogens N. Brink, 1972. Allan K. Andersen, 1973. Filip Sølvgren, 1974. Bjarne Fjord Jensen, 1975. Era só isso que você queria?

– Era. Obrigado – disse Niels. – Me mande a lista por SMS.

Ele desligou e rumou a toda velocidade para a praça do Palácio de Christiansborg. Alguns Guardas da Paz estavam a postos no seu lugar habitual e contribuíam para um mundo um pouco mais pacífico. A paz, pensou Niels, vislumbrando no espelho retrovisor o reflexo do seu rosto desfigurado. Não será agora.

A profecia de Sommersted sobre a queda do diretor de balé ainda não se realizara. Mas, a julgar pela expressão estampada no seu rosto, era apenas questão de tempo. Niels bateu na porta. Frederik Have ergueu o olhar.

– Tenho um nome – anunciou Niels sem se sentar.

– O seu rosto. O que foi que...

– Um sobrenome. Do homem que eu procuro. Ou melhor, tenho cinco. – Ele passou o celular para o diretor de balé e lhe mostrou a mensagem de Casper. – Algum desses nomes lhe diz alguma coisa?

– Joachim.

– Joachim?

– Joachim Elmkvist. Søren Elmkvist era o pai dele – explicou o diretor de balé, devolvendo-lhe o telefone. – Morreu há alguns anos, acho. Sequelas de um câncer. Antes disso ele ocupava não sei mais que cargo na Defesa.

– Na Guarda Real?

– Talvez.

– Onde é que eu posso encontrar esse Joachim?

– A esta hora ele deve estar lá embaixo, preparando-se para ensaiar. Você quer que eu me informe? Eu posso ligar.

– Não, eu mesmo vou verificar.

Chegando ao corredor, Niels ouviu o diretor de balé oferecendo-se para acompanhá-lo. Mas ele não se deu ao trabalho de responder. Depois de ter se informado sobre o caminho com uma mulher com quem cruzou no corredor, ele se viu cercado de umas vinte bailarinas num elevador previsto para tolerar uma carga máxima de mil e seiscentos quilos. Então precisou apenas seguir o grupo até o seu hábitat natural: a sala de ensaio. Não entrou imediatamente. Durante alguns instantes ficou vendo-os se aquecer por trás da parede de vidro. Examinou os rostos masculinos. Daqui a pouco seus pulsos estarão presos por algemas, pensou Niels perguntando-se qual deles o golpeara na véspera e tinha levado Dicte a se jogar no vazio. Arrastarei você para fora do Teatro Real. Envergonhado, você seguirá de olhos baixos.

Niels bateu na porta e em seguida abriu-a. Ele passou em revista os rostos. Somente duas bailarinas ergueram os olhos.

– Joachim Elmkvist – disse ele em voz alta.

Sem resposta.

Ele olhou novamente. Só uma das bailarinas parecia preocupada.

– Ele não está aqui.

– Não veio hoje?

– E também não atende ao telefone.

– Alguém sabe onde está Joachim Elmkvist?

Na última fileira uma jovem acenou com a cabeça. Tinha cabelos escuros e bem-cuidados. Talvez fosse de origem mediterrânea.

– Você conhece Joachim? Onde é que ele está?

Ela se aproximou. Com um passo prudente, como se o ato de andar lhe doesse. Talvez fosse o caso. Talvez elas ignorassem a dor unicamente quando dançavam. Sentindo o mal-estar da jovem em face da ideia de precisar falar diante dos demais, ele levou-a para o corredor. Ao fechar a porta, fez sinal para o professor prosseguir o seu trabalho. A música reiniciou.

– Vocês saíam juntos? – indagou Niels. – Joachim e você?

– Sim. Rompemos há três semanas.

– E Dicte? Que tipo de relação ele tinha com ela?

Ela deu de ombros.

– O senhor acha que ele tem alguma coisa a ver com o caso?

– Eles eram próximos? Dormiam juntos?

Ela balançou a cabeça.

– Eles se interessavam por essas besteiras de vida depois da morte. Os dois.

– O que é que você quer dizer?

– Eu sou da Jutlândia. De Aarhus. Tenho os pés no chão.

– Você está escondendo muito bem o seu jogo. Tem mais alguma coisa que você esconde?

Ela sorriu pela primeira vez.

– Dicte e Joachim – recomeçou Niels. – Eles eram ambos obcecados pela morte?

– Pela morte e por viagens astrais – disse ela num tom sarcástico. – Até quando transávamos, era sempre uma coisa complicada. Eu não conseguia acompanhá-lo. O senhor entende o que eu digo?

Ela sorriu com malícia.

– Complicado? Em que sentido?

– Reter a respiração até... enfim, o senhor sabe.

– O que mais?

– Meditação interior. Fechar os olhos e pensar em planar sobre o corpo. Esse tipo de coisa.

– E Dicte?

– Foi ela quem o converteu, e não o contrário. A má influência foi ela.

Niels a observou durante alguns segundos.

– Você sabe onde posso encontrá-lo?

– Não. Não tenho a menor ideia.

– E se eu a levasse para a delegacia e a fizesse refletir durante vinte e quatro horas numa cela gelada?

Ela engoliu em seco.

– Nós vivíamos juntos em Vesterbro, num apartamento sublocado, mas ele ia precisar sair de lá no início deste mês.

– Então onde ele poderia estar? Na casa da mãe? De alguma ex? Na casa de quem?

– Talvez na casa do Lennart. Não sei.

– Lennart?

– Um ex-bailarino. Desistiu há doze anos.

– Desistiu?

– Ele deixou a escola de balé. É um derrotado de primeira, mas quando Joachim tem problemas procura esse cara. Mesmo para problemas financeiros.

– E onde é que ele mora, esse Lennart?

– Na Jægersborggadade. Esqueci o número, mas o sobrenome dele é Møller.

– Obrigado – murmurou Niels antes de sair correndo.

Ele deveria chamar a Central e pedir que lançassem um aviso de busca. Mas não. Ia se encarregar sozinho do caso. Poria nele as algemas, apertando-as bastante para que penetrassem na carne, depois o levaria diante de si pela cidade inteira, como faziam os generais romanos que, depois de uma vitória, desfilavam até o Fórum exibindo o chefe inimigo numa gaiola. Seria assim. De Nørrebro até a prefeitura, bem no meio da rua. Ele caminharia atrás do assassino de Dicte, e os habitantes de Copenhague poderiam constatar de uma vez por todas as consequências de levar uma infeliz a se suicidar diante dos olhos de Niels Bentzon.

– Dicte – ele se ouviu dizer no momento em que se sentava no carro. E quando recuou na rua e acionou a luz intermitente no teto do carro, acrescentou: – Vou pular com você.

60

Bairro de Ydre Nørrebro – 11h55

O que é que se sente?

Esse pensamento havia sem dúvida passado pela sua cabeça: como deve se sentir alguém que acorda com a cabeça apertada num gastalho de aço, amordaçado e com pés e mãos atados, incapaz de fazer o menor movimento? O horror se estendia como um véu nos olhos desvairados de Peter. Ele emitia gemidos quase inaudíveis que exprimiam o seu terror com mais eloquência do que teriam logrado as palavras.

– Calma. De qualquer maneira, ninguém pode ouvir você.

Isso não serviu para acalmá-lo. Peter continuava resmungando.

– Eu preciso matar você, mas a sua morte não será inútil. Preciso de você. Você tem de me ajudar.

Ele acabou de esvaziar a maleta e preparou a bacia com água. Olhou para Peter e se perguntou se tinha pena dele. A resposta foi não. Ele não podia deixar o menor sentimento de compaixão interferir no que estava fazendo. O sucesso da sua missão era muito mais importante.

Passos na escada.

Ele os ouviu nitidamente. Imaginou que a porta se abria e a loira bonita irrompia de repente na sala, examinava com horror a terrível visão oferecida a ela; que ele era obrigado a se precipitar sobre ela e matá-la diante dos olhos de um Peter apavorado; que ela se debatia; que ele a imobilizava, fechava as mãos em torno do pescoço dela e então apertava. Não era absolutamente a trama desejada, longe disso, mas se fosse necessário ele não hesitaria. Talvez pudesse até mesmo utilizá-la em seguida... se por acaso malograsse com Peter. Será? Não. Precisava ser uma pessoa que já tivesse estado no além. Uma pessoa capaz de em seguida voltar ao corpo. Uma pessoa dotada dessa rara capacidade. Sim, pessoas para quem o reino dos mortos não era um território desconhecido.

Ele ouviu os passos continuarem sua subida e se afastarem. Então estava novamente sozinho com Peter, no seu pequeno universo de angústia e morte iminente.

– Vou tentar agir o mais rápido possível – anunciou ele. – Prometo que você não vai sentir nada.

Por que ele disse isso? Que coisa mais absurda! Ele não tinha a menor ideia do que a pessoa podia sentir quando estava se afogando. Mas, de qualquer forma, tratava-se de Peter. Eles tinham tido uma relação particular, ele sempre achara isso. Uma relação de confiança, próxima da amizade. Ele gostava muito de Peter, estimava-o desde o primeiro encontro dos dois. Peter não era como todo mundo, ele ocultava seus sentimentos; não ousava mostrar quando estava feliz, quando estava triste e quando – como acontecia frequentemente – achava a vida insuportável. Pensar na natureza depressiva de Peter o fez recuperar o ânimo. Talvez ele lhe prestasse um favor mantendo a sua cabeça na água até sobrevir a morte. Não, esse raciocínio era idiota. Claro que ele não faria um favor a Peter matando-o. Sobretudo porque a vida dele estava prestes a mudar. Peter tinha encontrado uma mulher. Durante o espaço de alguns segundos ele sentiu uma certa tristeza ao pensar na bela loira que descobriria o seu cadáver. Ninguém merece encontrar a pessoa amada assassinada. Ninguém merece sofrer a esse ponto. Ele afastou esse pensamento da mente. Não devia refletir. A reflexão é uma maldição. Nunca traz nada de bom. Era preciso agir, e logo.

– Vou agir o mais rápido possível – repetiu ele, aproximando-se de Peter e pegando a sua cabeça. – Prometo. Isso não vai demorar. Tenho uma missão extremamente importante para confiar a você. Está entendendo?

Peter emitiu um som.

– Você precisa me escutar. Pode fazer isso?

Peter tentou mexer a cabeça.

Ele consultou o celular. Quase meio-dia. Já não havia um instante a perder. Dentro de uma boa meia hora Peter precisaria ter sido enviado para o além e voltado de lá. Muitas vezes, talvez. E por fim ele o mataria definitivamente.

– Vou explicar o que espero de você.

61

Bairro de Nørrebro – 12h15

Niels se sentiu tomado pela cólera no momento em que saiu do carro. Calma, disse ele para si mesmo. Relaxe. O que é que o pôs nesse estado? Joachim Elmkvist, indiscutivelmente. O homem que ele tinha perseguido e que não hesitara em empurrá-lo no vazio quando ele por fim o alcançara. Mas talvez a razão da sua cólera fosse mais profunda. Sua vida sentimental andava péssima. Kathrine já havia saído da sua vida, o que na verdade era uma boa coisa, já que eles se devoravam mutuamente. No entanto, ele sempre sentia a falta dela. Quanto a Hannah, ela estava se dirigindo para um buraco negro de onde ele nunca poderia tirá-la. E se havia sido por causa dele que as coisas tinham dado errado? E se na realidade fosse ele o agente da infecção? Agora que se dirigia ao número 12 da rua Jægersborggade, ele disse a si mesmo que talvez devesse levar um crachá com uma mensagem de advertência acompanhada de uma caveira, semelhante às que vemos nos maços de cigarros: "Atenção, na melhor das hipóteses as relações com Niels Bentzon não levam a nada; na pior hipótese, lesam gravemente a saúde".

O número da dezena havia desaparecido, mas como ele tinha acabado de passar pelo 10 e notou o 14 um pouco mais longe, supôs que estava no endereço certo. O nome não estava indicado no interfone, apenas "3º andar, à esquerda". Niels já ia apertar a campainha, mas mudou de ideia. Se Joachim estivesse em casa, provavelmente não hesitaria em fugir. Talvez pegasse a escada de serviço.

Próximo à porta ele notou um grande respiradouro aberto de onde escapava uma música pop. *"Kun for mig. Kun for mig."* "Só para mim. Só para mim", berrava o cantor. Niels bateu no vidro aberto.

– Sim?

Baixaram o volume. Ele deu uma olhada no interior e viu uma espécie de oficina onde um homem com macacão de trabalho estava consertando um abajur.

– Niels Bentzon, polícia de Copenhague. Você é o zelador?

– Sou.

– Tem acesso a todos os apartamentos?

– Tecnicamente, sim; legalmente, não.

– Vamos nos limitar ao aspecto técnico. Eu queria que você me fizesse entrar no prédio. E num apartamento do terceiro andar.

O zelador hesitou. Niels já esperava ter de enfrentar uma chuva de protestos. Os homens encarregados do molho de chaves tendem a ser recalcitrantes. Mas quando ele apresentou o distintivo de policial, o zelador se limitou a balançar a cabeça e então se levantou.

Niels falou em voz baixa:

– Você vai poder voltar à sua oficina assim que tiver aberto a porta para mim.

– Não é melhor bater antes?

– Faça o que eu lhe disse.

– Tudo bem.

O zelador deslizou a chave na fechadura e abriu a porta. Niels entrou no apartamento sem se anunciar, ignorando os regulamentos feitos pelos burocratas do passado e evidentemente destinados a ser contornados quando as circunstâncias exigissem.

– Joachim? – chamou ele com uma voz destituída de cólera. – É a polícia de Copenhague.

Nenhuma resposta.

– Joachim?

Ele olhou à sua volta. A sala de estar tinha móveis em mau estado que pareciam ter sido garimpados aleatoriamente. Um cheiro agridoce de maconha e cigarro flutuava no ar. Em cima da mesa Niels notou uma mancha de vinho e a foto de um canguru. No chão havia uma garrafa caída e outra mancha de vinho que tinha dado ao taco uma cor violeta. Foi somente depois de vários segundos que Niels viu num canto do cômodo o corpo enrodilhado num saco de dormir.

– Joachim Elmkvist?

Ele se aproximou e sacudiu o dorminhoco.

Olhar sonolento, pupilas contraídas, voz fraca.

– O que é que está acontecendo?

Niels soube imediatamente que não era Joachim. O jovem que ele tinha sob os olhos era pálido demais, fraco demais; um verdadeiro farrapo humano adepto da maconha.

– Lennart? Você é Lennart?

– O quê?

Ele tentou se sentar, mas acabou ficando numa posição estranha, encostado num canto da parede.

– Niels Bentzon, polícia de Copenhague.

– Eu já paguei minha pena.

– Não duvido. Estou aqui à procura de Joachim Elmkvist.

– Não conheço.

Niels suspirou e se controlou para não lhe dar um pontapé no meio das pernas. "Não conheço" era uma resposta comum entre os pequenos delinquentes.

– Tá bom – disse Niels, apoderando-se de um quadradinho embalado em papel-alumínio que fora abandonado na mesa. Havia ali dez gramas, talvez um pouco mais; em todo caso, o suficiente para prendê-lo. – Admitamos que sim, mas nesse caso vou precisar pedir para vir comigo.

– Droga, cara, que saco!

Virando a cabeça, Niels viu uma sacola sobre uma poltrona arruinada. Foi até lá para revistá-la enquanto Lennart dizia coisas disparatadas.

– Ei, cara! – exclamou ele várias vezes, mas Niels não prestava atenção aos seus protestos.

Na sacola ele encontrou roupas esportivas – de marca –, um *nécessaire* contendo uma escova de dentes e gel para o cabelo, e por fim um cartão da previdência social no nome de Joachim Elmkvist.

– Onde é que ele está?

– Já disse, eu...

– Cala a boca! – Niels se surpreendeu com a brutalidade da sua reação. – Agora você vai me responder: onde é que ele está? Quando é que ele volta?

– Não sei de nada – foi a sua resposta, seguida de uma conversa sem pé nem cabeça sobre o fato de os policiais não terem o direito de irromper na casa dele nem de atormentá-lo com suas perguntas.

Niels abriu o bolso lateral da sacola: uma nota amassada de cem coroas, comprimidos para dor de cabeça, preservativos, outro cartão da previdência social e um cartão onde estava escrito "Sleep" em tinta azul. *Sleep*. Niels pensou. Ele se lembrava de ter visto um cartão parecido no apartamento de Dicte. "Clínica de Sono de Copenhague", cujo logotipo era uma meia-lua. No número 17 da rua

Sølvgade. Ele virou o cartão. Nas costas estavam impressos os dias da semana e linhas para anotar as sessões. No dia 14 de junho, às 13 horas. Hoje. Ele verificou a hora no seu telefone. Já era meio-dia e meia. Talvez ainda não fosse tarde demais.

– Você me acompanha, Lennart.

– O quê? Por quê?

Niels tirou o espertinho do seu saco de dormir. Seu corpo era leve como o de um recém-nascido.

– Me larga!

Ele o arrastou pelo chão da sala de estar. Lennart protestava infantilmente.

– Pelo menos deixa eu me vestir. Não fiz nada.

– É possível. Mas sei que assim que eu virar as costas você vai ligar para Joachim e vai avisá-lo...

Lennart o interrompeu:

– Não, cara. Palavra.

– Posso ver seu telefone?

Lennart o olhou bem nos olhos. Não parecia nada disposto a obedecer.

Niels se debruçou sobre ele.

– O seu telefone. Agora!

Lennart se levantou e foi procurar o telefone no bolso da calça jeans, embolada no chão do banheiro.

– Vou levá-lo comigo, e se você for bonzinho eu devolvo.

62

Bairro de Ydre Nørrebro – 12h28

– Vamos! Você consegue – gritou ele para Peter antes de usar o desfibrilador para tentar novamente fazer seu coração voltar a bater. – Acorde, Peter. Vamos, meu amigo...

Ele percebeu pelo seu tom de voz que já havia começado a entrar em pânico. Estava falando mais fino, sua voz parecia de outra pessoa. Peter o olhava fixamente. Pelo menos era o que parecia. Como se lhe perguntasse: Por quê? Por que você me matou? Ele quase podia ouvir essas perguntas. Não. Era o pânico que estava fazendo com que ele perdesse a razão. Peter estava morto. Tinha os olhos vazios. Ele fez outra tentativa com o desfibrilador. O corpo sem vida de Peter subiu antes de cair, inerte. Não, pensou ele. Não! Ele não podia falhar. Peter era provavelmente a sua última chance. Ele precisava voltar à vida, voltar dos mortos e lhe dizer que a havia encontrado. A adrenalina. Um miligrama. Diretamente numa veia. Ou no coração? Isso era arriscado, ele sabia. Mas não havia alternativa. Ele pôs uma agulha comprida na extremidade da sua seringa de adrenalina. Devia enterrá-la abaixo do esterno, em direção ao ombro esquerdo. Depois não poderia de forma alguma se esquecer de puxar o êmbolo para aspirar um pouco de sangue no tubo.

Ele transpirava. As gotas de suor caíam no corpo de Peter como uma chuva fina. Ele teria se enganado com os frascos? Não, isso era impossível. Verificara tudo duas vezes. A adrenalina não teve nenhum efeito, ele não tardou a constatar isso. Peter estava morto. Não! Massagem cardíaca.

– Vamos, murmurou ele. – Acorde, abra os olhos e me conte o que você viu.

Seu olhar buscou o relógio de parede quando, inconscientemente, ele virou a cabeça de Peter por não suportar a sua visão. A ideia de que ele acabara de afogar mais uma pessoa só lhe inspirava aversão. Eram 12h35. Logo seria a hora da sua consulta na clínica. Ele já havia ficado ali mais tempo que o previsto.

– Vamos – repetiu, dessa vez dirigindo-se a si mesmo.

Retomou a massagem cardíaca. Contava mentalmente. Estava na trigésima compressão. Provavelmente estava apoiando forte demais. Passou à etapa seguinte: boca a boca. Inclinar a cabeça para trás, erguer o queixo, sobretudo se certificar de que as vias respiratórias estejam bem livres, evitar mandar o ar para o estômago. Os lábios de Peter já estavam frios, mortos. Não, pensou ele desesperado. Vamos. Massagem cardíaca. Ainda mais brutal. Desfibrilador. Nenhuma reação. Nenhum sinal de vida. Eram 12h42. Consumado. Seu cérebro tinha se rendido à evidência, mas suas mãos ainda continuaram obstinando-se em vão durante alguns minutos. Era como se ele estivesse tentando trazer à vida um boneco. Enfim ele pousou a cabeça de Peter no chão, fechou seus olhos e conteve as lágrimas. Depois se levantou, juntou suas coisas na maleta. Mecanicamente. Tinha deixado impressões digitais em algum lugar? Não, havia tomado o cuidado de limpar tudo com álcool enquanto Peter estava inconsciente. Nenhum vestígio. Ele contemplou o pôster na parede. L. A. Ring. A velha que esperava a morte. Então se lembrou do que Peter lhe havia dito. "É o que eu sinto. A morte está constantemente presente ao meu lado."

63

Sleep – Clínica de Sono de Copenhague – 13h07

Niels tinha guardado o revólver sob a camisa, nas costas, firmado pelo cós da calça, mas o aço frio lhe irritava a pele. Ele não pôde deixar de prestar atenção à conversa da secretária. No entanto, havia outras coisas mais interessantes para ouvir em torno dele: o rádio, no qual se falava dos efeitos do calor intenso sobre o ânimo; a mulher na rua, que não parava de perguntar ao marido por que ele tinha medo dela, o que o deixava irritado. Mas o que realmente atiçou a sua curiosidade foi o fato de que a secretária se esforçava para que sua conversa não fosse ouvida. Ela falava em voz baixa, com uma das mãos diante da boca, e sorria para Niels com um ar desolado. Como se fosse proibido falar sobre os problemas particulares na recepção da clínica.

– Ligo para você quando tiver terminado – murmurou ela antes de acrescentar: – Não, agora eu não posso. Você sabe muito bem.

Enfim ela desligou. Outro sorriso desolado.

– Ah, esses aborrescentes...

Niels se aproximou da mesa e lhe mostrou o distintivo.

– Joachim Elmkvist está em consulta aqui na clínica neste momento?

– Eu...

– Limite-se a responder à minha pergunta. Ele está aqui?

Niels se voltou ao ouvir abrir-se a porta do consultório. Tinha a mão nas costas, fechada sobre a coronha do revólver. A secretária se levantou. Uma mulher de uns cinquenta anos apareceu, seguida de um homem mais ou menos da mesma idade que vestia um jaleco branco. Ambos pareciam muito cansados.

– Adam. Esse senhor é policial. Quer ver o Joachim.

Ele se dirigiu a Niels.

– Policial... – repetiu Adam.

– Ele está aqui agora?

– Não. Um instante. – Adam Bergman se virou. – Nos vemos na semana que vem?

– Obrigada.

A mulher sorriu. Eles trocaram um aperto de mãos, e ela saiu do consultório com seu jaleco claro no braço.

– O senhor está procurando Joachim?

– Ele não tinha uma consulta marcada hoje?

– É?

Adam Bergman dirigiu o olhar para a secretária. Niels sacou o cartão do bolso e estendeu-o.

– Joachim cancelou – disse ela por fim. – Como já fez na semana passada, aliás. Por causa dos ensaios no teatro.

Niels podia confiar neles? Sim, eles não tinham nenhum motivo para proteger Joachim.

– Presumo que isso se relacione com Dicte van Hauen – arriscou Bergman.

– Isso mesmo. Eles eram ambos pacientes seus, não é verdade?

– Sim, eram. É terrível o que aconteceu com Dicte. Nós ficamos chocados com a notícia.

Niels baixou o olhar. Como se fosse ele que estivesse de luto. Que a tivesse perdido. Como se fosse para ele que os dois estivessem apresentando as condolências. Quando voltou a erguer o olhar, o médico tinha a mão estendida.

– Adam Bergman.

Niels lhe apertou a mão.

– Niels Bentzon. Polícia criminal.

Ao ouvir isso, Adam Bergman consultou o relógio e suspirou.

– Eu tenho outro paciente às...

– Vou apenas lhe fazer algumas perguntas.

Niels o examinou com insistência. Ele tinha óculos de leitura na ponta do nariz, vestia um jaleco branco e uma camisa azul, e a pele ao redor dos olhos era enrugada. Um fumante, pensou Niels.

– Bom, nesse caso, se pudermos fazer alguma coisa para ajudar a polícia...

Ele o convidou para entrar no consultório e lhe indicou uma poltrona. Niels ouviu a secretária sussurrar-lhe alguma coisa antes que ele fechasse a porta.

– Eu ligo daqui a pouco – disse ele e fechou a porta. – O senhor pode me dar dois minutinhos? Preciso fazer uma ligação.

– Claro.

Ele pegou o celular que estava sobre a escrivaninha e saiu da sala, deixando Niels sozinho. O ambiente era mais parecido com o consultório de um psicanalista que com o de um médico: duas poltronas Børge Mogensen de couro dispostas uma diante da outra, dos dois lados de uma mesa onde cabiam apenas uma caixa de lenços de papel e duas xícaras de café. Nas paredes, diplomas de diversas universidades tornavam óbvio que Adam Bergman era um especialista em sono reconhecido mundialmente. Um diploma com moldura pomposa indicava que ele também era médico do exército em Nordsjœlland.

– Quer se sentar?

Bergman tinha voltado.

– Sim, obrigado. – Niels se sentou numa das poltronas. – As pessoas vêm aqui para dormir?

– Algumas sim. Mas em geral nós nos limitamos a conversar. Tudo depende da gravidade dos seus problemas.

– E o Joachim?

– O senhor quer saber se ele dormia aqui?

– Sim.

– Só uma vez.

– E Dicte van Hauen?

Adam Bergman se sentou, inclinou-se na poltrona e examinou Niels de um modo que o levou a se perguntar se ele parecia cansado.

– Dicte veio me ver porque não tinha uma única noite de sono completa havia um ano.

– Isso é muito comum. A maioria das pessoas não levanta uma ou duas vezes durante a noite?

O médico limpou a garganta e esboçou um sorriso.

– A insônia pode ter graves consequências para a nossa saúde. É durante as fases de sono profundo que as nossas defesas imunitárias se desenvolvem. Setenta e duas horas sem sono podem ser suficientes para enlouquecer a maioria das pessoas. Mais quarenta e oito horas, e é a vida que corre perigo.

– Então o senhor não ficou particularmente admirado quando soube que ela se suicidou?

– Na verdade não.

– O sofrimento dela era tão grande assim?

– Dicte só raramente atingia o que chamamos de sono paradoxal, a fase mais profunda e mais importante. Essa fase que, numa pessoa normal, ocorre cem minutos depois de a pessoa ter adormecido. Mas na maior parte do tempo o sono dela correspondia ao que nós chamamos de MPS: movimentos periódicos do sono. Durante esses movimentos se poderia dizer que a pessoa recebe violentas descargas elétricas. Acredite: Dicte sofria de graves perturbações de sono.

– E Joachim Elmkvist? Qual dos dois o procurou primeiro?

– Dicte.

– E foi ela que em seguida recomendou o senhor a Joachim?

– Foi.

– Ambos bailarinos. E se tratavam com o senhor. Por quê?

Bergman avaliou Niels com o olhar.

– Dicte van Hauen morreu – disse Niels.

– O que não implica o encerramento do segredo médico.

– Estou só tentando descobrir por que ela está morta.

O médico pareceu surpreso.

– Achei que ela havia suicidado. Ela não se jogou?

Niels mudou de posição na poltrona. O médico registrou seu movimento nervoso.

– Ela saltou, de fato. Mas estava drogada. E nua. Estava fugindo de alguém.

– Fugindo de alguém? Mas quem?

– Joachim.

– Joachim Elmkvist? Por que ele teria...

O médico se calou e cruzou as mãos atrás da nuca, parecendo refletir.

– Alguma coisa a estava atormentado? – perguntou Niels.

– Dicte foi vítima de um acidente na infância. Esse acontecimento continuava a perturbá-la.

Niels lembrou-se do rosto de Dicte. Um detalhe lhe veio à memória: a cicatriz na têmpora, que o médico-legista lhe havia mostrado; a cicatriz sobre a qual sua família se recusava a falar.

– Havia uma cicatriz na têmpora dela.

Adam Bergman fixou Niels nos olhos.

– Sim, havia.

– O que foi que aconteceu com ela?

– Meu dever de confidencialidade...

Niels lhe cortou a palavra:

– Acaba aqui. Com a suspeita de assassinato. Além disso...

Bergman concluiu a frase no lugar de Niels:

– Além disso, ela já não está mais aqui para me processar? É o que o senhor quer dizer?

– O senhor falou com Dicte. Cuidou dela. Não espera que se faça justiça nesse caso?

Bergman respirou fundo e olhou pela janela, enquanto refletia. Ele iria romper o juramento sagrado dos médicos?

– Quem sabe se outros não sofrerão a mesma morte?

Bergman concordou. Ele esperava esse argumento. Hesitou ainda por alguns segundos. Depois falou:

– Dicte esteve morta durante quase dez minutos.

– Morta?

– Isso. Ela teve uma parada cardíaca. Depois de receber um golpe na cabeça.

– Como foi que isso aconteceu?

Adam Bergman suspirou. Niels podia ver como aquilo estava sendo difícil para ele.

– O que quer que tenha acontecido nesse dia, são fatos já prescritos.

– Seu pai lhe deu uma surra.

– Deve ter sido com muita força – constatou Niels.

O médico deu de ombros.

– Que idade tinha ela?

– Mais ou menos nove anos.

– Isso deve ter sido anotado no registro médico dela.

– Não. Eu verifiquei. Não há nenhuma menção em nenhuma parte.

– O senhor tem certeza de que isso realmente aconteceu? – indagou Niels.

– O senhor acha que ela pode ter inventado?

– Inventado, exagerado, enganado. Ela não teria ficado automaticamente em observação, nesse caso?

– Realmente, o procedimento é esse. A menos que...

– A menos que...?

– A menos que isso tenha acontecido no exterior ou que alguém tenha cuidado para o fato não ser divulgado.

– Isso é possível? Quer dizer, guardar em segredo um acidente tão grave?

– Pode ser. Ela dizia que seu pai era amigo de um homem da polícia, e que esse amigo os tinha ajudado.

Niels logo pensou em Sommersted.

– Então o pai dela a esbofeteia.

– Ela cai acidentalmente.

– E tem uma parada cardíaca?

– Isso. É reanimada no local pelo médico da família.

– Ele quer fazer um relatório?

– E a história é abafada graças à intervenção de um amigo policial.

– E ela falou só com o senhor sobre o caso?

– Só comigo.

– Que ela tinha ficado em estado de morte clínica durante dez minutos.

– Quase dez.

Niels repetiu:

– Quase dez minutos. E qual é a relação disso com a insônia?

Bergman limpou a garganta e respondeu:

– Em alguns casos, as experiências de morte iminente podem... – Ele se calou. – O senhor conhece essa expressão?

– Conheço. Minha mulher teve uma – explicou Niels. Ele se arrependeu imediatamente de ter feito essa confidência. Recordar aqueles acontecimentos dolorosos era muito penoso.

– Essas experiências podem frequentemente, por razões que nós desconhecemos, ter repercussões sobre a qualidade do sono.

Niels pensou em Hannah e nos seus problemas de insônia.

– Talvez seja o caso da sua esposa? – indagou Bergman.

Niels concordou.

– Insônia crônica?

A Niels não agradava ver os papéis invertidos. No entanto, ele respondeu:

– Não sei se é crônica, mas já dura muito tempo.

– E quanto tempo durou a parada cardíaca?

Niels se serviu da caixa de lenços de papel e enxugou a testa, que transpirava. Bergman voltou a falar:

– É um assunto delicado. Entendo perfeitamente que o senhor não tenha vontade de falar nisso.

– O coração dela parou de bater três vezes durante a mesma noite. No total foram vinte minutos – disse Niels, endireitando-se na poltrona. – E Joachim Elmkvist?

– O senhor quer saber se ele também viveu uma experiência de morte iminente?

– Exatamente.

Adam Bergman respirou fundo.

– O senhor sabe que podem cassar a minha licença por isso.

– Mas, por outro lado, o senhor também pode salvar uma vida.

O médico balançou a cabeça.

– Não fui eu quem lhe passou essas informações. De acordo?

– De acordo.

– E eu também não quero ser chamado a testemunhar.

– O senhor tem a minha palavra.

Ele balançou novamente a cabeça.

– Dicte e Joachim brincavam com a morte.

– Brincavam? Como assim?

– Eles provocavam o que chamavam de paradas cardíacas controladas. Depois, passados alguns minutos, se reanimavam. Mas as paradas cardíacas controladas não existem. O senhor entende?

– Eles falaram com o senhor sobre isso?

– Dicte me falou. Joachim não era tão expansivo quanto ela. Eles esperavam ser tratados.

– Ser tratados? Do quê?

– Dos problemas de ritmo do sono que tinham resultado das suas experiências idiotas.

Niels sentiu que o médico estava contendo a cólera. Brincar com a vida. Uma ideia inadmissível no seu universo.

– Então, Dicte viveu uma experiência de morte iminente na infância. Depois ficou obcecada pela morte. Começou a brincar de se suicidar e ser reanimada. Com a ajuda de adrenalina, imagino.

– Ela nunca quis entrar em detalhes.

– Só disse que tinha experimentado a morte.

O médico concordou.

– Mas como é que eles faziam?

Bergman deu de ombros.

– De qualquer forma, Joachim acabou ficando com problemas de sono?

– Problemas de sono. Crises de angústia. Palpitações.

O médico observou Niels durante alguns segundos. Estava pensando. Ele teria alguma informação que seu dever de reserva lhe proibia revelar mas cujo conhecimento lhe pesava demais?

– Outras pessoas participavam dessas experiências com Dicte e Joachim?

O médico assentiu.

– Quem?

Silêncio. Ele suspirou.

– Preciso lhe lembrar que outros inocentes correm risco de morrer se nós não pusermos um ponto final nessas práticas?

– Ela tinha um sonho.

– Que confidenciou ao senhor?

– Sim.

– Um sonho sobre o quê?

O médico respirou fundo.

– Seria melhor eu pôr a fita para o senhor escutar.

Na verdade, tratava-se de um arquivo de áudio. Os dossiês de todos os pacientes estavam armazenados no *notebook* dele. Um modelo particularmente caro. Era a primeira vez que Niels via um computador com acabamento em couro. Parecia couro de crocodilo, pensou ele enquanto Bergman procurava o arquivo de áudio.

– O registro dura cerca de cinco minutos.

– Perfeito.

O médico aumentou o volume. Ouviu-se inicialmente alguém tossir, depois vozes:

Bergman: Você está bem?

Dicte: Estou. Quer dizer, não. Estou cansada.

Bergman: Mas você sonhou esta noite?

Dicte: Como é que você sabe?

Bergman: Você me disse ao telefone.

Dicte: Eu fiz isso? Mesmo? Decididamente, estou me esquecendo de tudo.

Niels estava concentrado. Era a primeira vez que ele ouvia a voz de Dicte. Ela se exprimia de um jeito distinto. Difícil de identificar. Sua voz era daquele tipo que dá vontade de fechar os olhos e se deixar embalar pela sua sonoridade.

Bergman: Isso acontece frequentemente com as pessoas que dormem pouco, como você. A falta de sono afeta a memória.

Dicte: Eu sei.

Bergman: Mas, se você sonhou, isso é um bom sinal. Significa que seu sono foi mais profundo que nos últimos meses.

Dicte: Mas eu não consegui voltar a dormir em seguida.

Bergman: Por quê?

Dicte: Por causa do meu sonho. Foi...

Bergman: Um pesadelo.

Dicte hesitou. Niels ouviu a pele nua das pernas dela roçarem contra o couro da poltrona quando ela mudou de posição. A poltrona em que ele estava sentado naquele momento.

Dicte: Eu não sei...

Bergman: Você não sabe se foi um pesadelo ou se quer me contar seu sonho?

Dicte: Se quero contar.

Bergman: Dicte, eu sou contido pelo sigilo profissional. Tudo o que você disser ficará entre você e mim. E, se você quiser que eu a ajude, preciso saber o que a perturba. O seu trabalho, as suas preocupações, o que você come, o que você bebe, tudo o que pode ter um impacto sobre a qualidade do seu sono...

Dicte (interrompendo-o): Sonhei com o lugar onde nós nos reunimos.

Bergman: Nós?

Dicte: Sim, nós. O nosso grupo.

Bergman: O seu grupo? Você está falando de Joachim e de quando vocês se encontram para brincar com a morte?

Dicte: Não. (Ela ri alto.) Nós somos bem mais numerosos. Na ilha de Amager há uma velha zona industrial...

Niels ergueu os olhos e fitou o médico. Por que lhe parecera que Bergman acabava de ter uma revelação? Ele se concentrou novamente na voz de Dicte.

Dicte: Diante de uma fábrica velha, perto dos trilhos do metrô. Mas no meu sonho eu nunca chegava a encontrar.

Bergman: Você estava perdida?

Dicte: Estava sendo perseguida.

Bergman: Pelo mesmo homem?

Dicte: Sempre ele.

Niels se mexeu na poltrona.

– Quem é esse homem que a persegue? – indagou ele.

Bergman apertou o botão de *pause* e limpou a garganta.

– Desde que ela viveu a sua primeira experiência com a morte...

– Na infância?

– Na infância, sim. Já dessa vez ela havia tido a sensação de que alguém a perseguia. É um assunto tabu – comentou Bergman. Ele hesitou por um momento e depois prosseguiu. – Mas o fato é que muitas pessoas vivem experiências negativas de morte iminente.

– O senhor quer dizer que não acontece nada?

– Não. Eles têm um vislumbre de inferno em vez de paraíso. Um mundo de trevas e de horror, de estranhas criaturas com chifres, a destruição da Terra... – Bergman se calou e observou Niels por cima dos óculos. – E a sua mulher? Ela viu alguma coisa?

Niels hesitou.

– Viu.

– Algo negativo?

– Não.

– Melhor assim. Era isso que motivava Dicte. Ela queria encontrar um caminho.

– Um caminho?

– Um caminho fora do seu corpo que não levasse ao inferno.

Niels não pôde evitar emitir um assobio exasperado e balançar a cabeça.

– O senhor não acredita? – perguntou o médico.

Niels apontou o computador.

– O que é que ela diz além disso? Ela fala do lugar onde eles se encontravam?

Bergman retomou a gravação.

Dicte: Eu sei que não posso escapar dele. Mas me escondo nessas fábricas abandonadas...

Bergman: Que existem realmente ou que você inventou no seu sonho?

Dicte: Tudo é real.

Bergman: Com exceção desse homem que a persegue.

Dicte: Não. Ele também é real.

(Silêncio. Bergman limpa a garganta.)

Dicte: Sei o que o senhor vai me dizer.

Bergman: O que é que eu vou dizer, segundo você?

Dicte: Que a falta de sono alterou a minha capacidade de discernimento.

Bergman: E?

Dicte: Eu sei que alguém não gosta de mim.

Bergman: Quem?

(Silêncio.)

Bergman: Quem não gosta de você?

(Silêncio. Bergman suspira com impaciência.)

Bergman: O seu sonho. Me conte mais. O que acontece depois?

Dicte: Eu preciso ir encontrar os outros. No nosso local. Vejo a luz de lá. Mas ela fica se deslocando o tempo todo.

Bergman: Que luz?

Dicte: Uma lâmpada que acendemos de noite quando estamos lá. Na verdade, são duas lâmpadas vermelhas.

Bergman: E depois, o que acontece?

Dicte: Eu grito meu codinome, que só os outros conhecem. Para eles virem me salvar.

Bergman: Um codinome?

Dicte: Giselle.

Bergman: Isso é uma coisa que você inventou no seu sonho ou é um nome que você utiliza de verdade?

(Silêncio.)

Bergman: E depois?

Dicte: Depois eu corro. Eu sei que estou morta. E sei que vou para o inferno se ele conseguir me agarrar.

Bergman: Quem?

(Silêncio.)

Bergman: Quem é essa pessoa que não deve agarrar você, Dicte?

Dicte: Eu preciso chegar na porta.

Bergman: Na porta?

Dicte: A porta do Aqueronte.

Niels se endireitou bruscamente.
– Echelon? Ela disse "echelon"?
Bergman esboçou um sorriso.
– Não. Aqueronte. É um rio da Grécia. Na mitologia, ele costeia os infernos. O senhor se lembra da história da moeda que punham na boca dos defuntos?
– A moeda destinada a Caronte?
– Exatamente. Para permitir que a sua alma atingisse em segurança a morada dos mortos.

64

Sleep – Clínica de Sono de Copenhague – 14h05

O silêncio. Esse silêncio tão particular que sempre reinava no seu consultório depois da saída de um paciente. Agradável, vibrante, como se uma parte da pessoa tivesse ficado na sala. Adam Bergman se levantou, foi até a janela e olhou para fora. Viu o policial atravessar a rua e entrar no carro. Sabia que aquele homem passaria as próximas horas tentando encontrar o lugar que Dicte havia descrito.

Ele voltou à escrivaninha e leu o número de telefone que estava ali. O telefone de Hannah Lund. Que lhe fora servido numa bandeja. Quando Niels Bentzon já ia transpor a porta, ele parou e lhe pediu para ligar para a sua mulher. Para ajudá-la. Para falar com ela. Sobre o sono. Sobre o sono e sobre a morte, claro. Ele não deixaria de fazer isso. Afinal de contas, Hannah Lund sempre fora a número dois da sua lista.

65

Hospital de Bispebjerg, Serviço de Psiquiatria Infantil – 16h47

Qual será a pena para o Culpado, se algum dia o encontrarem? Que pena ele merece? Houve uma época em que eu me fazia essa pergunta frequentemente. A prisão me parecia ser uma sanção insuficiente. Era preciso que ele morresse do mesmo modo que a mamãe. Degolado. Depois, porém, me convenci de que até mesmo a morte era suave demais para um monstro como ele. Isso foi depois que eu li *O estrangeiro*, de Camus, que conta a história de um empregado de escritório, Meursault, que assassina um árabe na praia, na Argélia. Quase ao acaso. Quase para apenas saber o que sentimos quando matamos um ser humano. Depois do crime, Meursault é julgado e condenado à morte, uma sanção que ele aceita plenamente. E no final do romance, enquanto está à espera da execução, ele tem uma longa conversa com um padre, com quem ele na verdade não tem a menor vontade de falar. Esse padre, que tenta em vão fazer com que ele tome consciência da gravidade do seu crime, constata que nós somos todos condenados à morte. *Nós somos todos condenados à morte.* E ele tem razão. Assim, condenar um homem à pena capital equivale a apenas precipitar o inevitável. A morte em si mesma não constitui absolutamente uma pena, e o Culpado não sofreria com essa sentença. Eis a conclusão a que eu cheguei então.

Estou na cama, de olhos fechados, e me sinto doente. Fisicamente. Tenho as articulações doloridas. Os ombros, os cotovelos, os joelhos. Estou enjoada. Será que tenho febre? Sinto falta do papai. Ele não veio hoje. Nem sequer ligou. Eu abro os olhos e examino o teto. Vejo placas brancas e quadradas. Contemplo a lâmpada amarela.

Depois penso num castigo mais justo para infligir ao Culpado. Não bastava que ele morresse; Camus me havia convencido disso. Não. O Culpado devia sofrer como eu mesma tinha sofrido naquele dia e como nunca mais deixei de sofrer. Era preciso privá-lo dos seus entes queridos. Essa era a única punição imaginável. Seus filhos, se ele tivesse filhos. Sua mulher ou seus pais. Eles deviam ter a garganta cortada diante dele. Ele devia ver o sangue jorrar da garganta deles e a vida deixá-los pouco a pouco. Ele devia se debruçar sobre eles e ler o terror em seus olhos. Era preciso que ele tivesse a sensação de que a sua vida desmoronava como uma torre velha. Que ele tivesse a impressão de se ver só e abandonado no meio de cinzas fumegantes. Como eu.

Mas eu parei de pensar assim. Agora só me interessa uma coisa.

Quem é o Culpado?

Eu quero saber.

Passos no corredor. Reconheço o andar. Sento-me na cama e apuro o ouvido. É ele. É o papai. Enfim. Mas ele anda mais rápido que habitualmente. Como se alguma coisa não estivesse bem.

66

Hospital de Bispebjerg, Serviço de Psiquiatria Infantil – 16h57

Adam Bergman detestava aquele lugar. Detestava ver aqueles corredores desertos, detestava o cheiro daquelas pessoas incapazes de se comportar como seres humanos. Detestava o som dos próprios passos no chão de linóleo; os olhares dos médicos e das enfermeiras, sempre otimistas e cheios de esperança apesar da crueldade deste mundo. Ele detestava a ideia de um lugar exclusivamente para crianças onde as tentativas de suicídio eram moeda corrente, onde o encanamento era dissimulado por paredes divisórias, para evitar enforcamentos e onde as barras das cortinas eram finas demais para suportar o peso de um corpinho. Um lugar onde cordões e cintos de todos os tipos eram proibidos. Mas o que ele mais detestava era que sua filha vivesse naquele lugar, que ela fizesse parte dele e que ele não pudesse mais se comunicar com ela.

Seu cansaço tinha desaparecido. Evaporara-se no instante em que aquele policial lhe havia entregue Hannah Lund, e no seu lugar ficara uma espécie de exaltação. Mas uma exaltação com traços de angústia. Era a sua última chance, ele sabia. Era ela que ele devia enviar para o além a fim de descobrir quem havia matado sua mulher.

Ao chegar diante da porta, ele parou por um momento. Estava escrito "Silke Bergman" em letras verde-claras. Ele respirou fundo. Precisava se recompor. Como todas as vezes.

Depois, abriu a porta e entrou no quarto da filha.

– Boa tarde, Silke.

Ela estava sentada na cama, com a cabeça apoiada na parede. Mesmo sem perceber o menor sinal de reação no seu rosto, ele sabia que ela estava feliz por vê-lo. Ele sentia isso. Como sempre.

– Você está bem, minha querida? Acaba de cochilar?

Todas aquelas perguntas. Por que ele as fazia? Talvez fosse melhor, de agora em diante, ele se sentar sem dizer nada. Já que o mutismo era a linguagem que ela preferia, talvez fosse melhor assim. Para os dois.

– Meu deus, que dia! – disse ele, assim como poderia ter dito qualquer outra coisa. Ele se sentou na beirada da cama. – Se você soubesse quantas pessoas têm problemas com o sono!

Ele a olhou nos olhos, nos seus belos olhos castanhos, herdados da mãe. Estava irritado com a filha? Não, nesse dia não. Felizmente. Ele ficava contrariado consigo mesmo quando se sentia assim, o que vinha acontecendo com frequência crescente. Tinha vontade de sacudi-la, de gritar com ela para forçá-la a dizer alguma coisa. Quanto tempo aquilo ainda iria durar?

Que sentido havia em passar os dias olhando para o vazio? Ela era realmente incapaz de perceber isso? Mas nesse dia não. Nesse dia ele não estava com raiva dela. Pelo contrário. O simples fato de vê-la o revigorou, lhe deu coragem de continuar, de ir até o fim com o seu projeto. Com Hannah Lund. Por Silke. Era por ela que ele fazia tudo aquilo. Para salvá-la. Para libertar a sua filha da prisão em que estava fechada. Ele a tomou nos braços e a apertou contra si.

– Fique firme, minha querida. Você precisa ser forte. Pode ser que não me veja durante alguns dias. Tenho uma coisa a fazer. Por você. – Ele tomou entre as mãos o rosto da filha. Captou o seu olhar. – Você entende, Silke? Tudo vai se resolver daqui a pouco, eu prometo. Você está me ouvindo? Eu amo você. Tudo o que eu faço é por você. Quero que saiba disso.

Eles ficaram sentados assim durante alguns minutos. Até o momento em que ele se levantou e saiu do quarto. Antes de fechar a porta atrás de si, ele se voltou e lançou um olhar para a filha. Ela o observava. Ele acreditou ter detectado um sorriso nos lábios dela. Ela teria entendido o que ele lhe havia dito? Ao fechar a porta, seus olhos se encheram de lágrimas. Possivelmente ele acabava de vê-la pela última vez.

Parte II

O LIVRO DAS ALMAS

Minha alma tem sede de Deus,
Do Deus vivo;
Quando entrarei e me apresentarei
Ante a face de Deus?

Salmos 42:3

1

Ilha de Amager – 22h30

Desde o início da noite Niels havia esperado que o sol se pusesse e as luzes se acendessem. Até aquele momento não tinha visto a luz vermelha referida por Dicte, somente os tijolos marrons que um dia haviam sido vermelhos, na época da construção do prédio, cento e cinquenta anos antes. A fumaça vinda da fábrica de colas fortes e da fundição, assim como a poeira levantada quando dos trabalhos de demolição, tinham acrescentado uma última camada de cor àquele vestígio da antiga fábrica. Ela fora transferida para o exterior, para países onde os trabalhadores não se beneficiam de nenhuma cobertura médica e onde por isso é mais fácil deixá-los respirar os vapores e outras fumaças tóxicas. Agora havia na área estúdios de fotógrafos e *designers*, além de escritórios de informática. O que mais ela havia dito? Que o seu grupo tinha o costume de se reunir ali. Com Joachim. Que ela acreditava ser seu amigo. Frequentemente as vítimas confiavam nos seus assassinos. Como Dicte confiara em Joachim. E ela havia falado também do Aqueronte. E não do Echelon. Ela lhe parecera apaziguada quando pronunciara essa palavra. Como se tivesse tido o direito a uma breve pausa no meio do seu pesadelo.

O prédio industrial perto do metrô. Niels estava no último andar de uma ruína que ficava bem em frente da via aérea do metrô e parecia corresponder à descrição. Ele vigiava os arredores pelas janelas de vidros quebrados quando, de repente, viu uma luz vermelha se acender entre dois prédios.

Enquanto se dirigia para o lugar de onde parecia vir a música – na verdade um simples som de baixos –, uma porta se abriu à sua frente, um pouco adiante, e uma mulher saiu titubeando. Ela não tardou a perder o equilíbrio, e, se sua mão esquerda não estivesse agarrada com uma força surpreendente à balaustrada de ferro, ela teria rolado os quatro degraus externos do prédio. Ela ria estrondosamente. Cocaína, calculou Niels enquanto a mulher se levantava com um olhar vago, pelo qual se via que ela não controlava mais nada. Álcool mais cocaína, retificou Niels.

– É você? – indagou ela apertando as pálpebras.

– Você quem? – respondeu Niels.

Ela saiu da penumbra, na luz avermelhada filtrada pela janela. Sua roupa, ou melhor, a espécie de lençol enrolado no seu corpo, era transparente. Ela não tinha nada por baixo.

– Não é você, de qualquer forma.

– Sem dúvida.

Ela balançou a cabeça e começou um monólogo incompreensível. Estava tão fora de órbita que já não se lembrava da presença de Niels. Ele subiu os quatro degraus enferrujados e empurrou a porta. Chegou a um vestíbulo onde velhos esquis de *telemark*, pelo menos trinta pares, estavam empilhados num canto. Duas jovens saíram do banheiro. Niels as seguiu pelo prédio antigo. Ao pé das paredes havia velas alinhadas, a maioria delas consumidas até a base. Bem ao fundo brilhavam duas velhas lâmpadas vermelhas que datavam da época em que se projetavam filmes em câmaras escuras. As jovens andavam na direção da música e da luz. Dicte havia falado de uma porta no fundo da fábrica desativada. Ali. As duas lâmpadas vermelhas, na verdade lampiões em forma de pagode.

"Aqueronte." A letra era infantil, irregular. Aquilo parecia obra de uma criança. A madeira da porta estava carcomida; as ferragens, enferrujadas; a pintura tinha sido levada pela chuva. Niels bateu. Dois golpes enérgicos. Nem prudentes nem tímidos. Queria dar a impressão de conhecer o lugar, de fazer parte dele. Ou talvez sua finalidade fosse apenas combater o nervoso que ele sentia aumentar cada vez mais. Que lugar era aquele? O que se fazia do outro lado da porta? Não demoraram a abri-la para ele. Os gonzos emitiram um rangido desagradável.

– Quem é que você está procurando?

Um jovem alto apareceu na moldura da porta e examinou Niels com frieza. Seu rosto, muito banal, se escondia parcialmente atrás de uma franja negra.

– Caronte.

Novamente aquele olhar inquisidor, quase rancoroso. No entanto ele acabou abrindo a porta. Niels entrou. Seus olhos levaram alguns segundos para se habituar à débil luz das velas. Lá fora a noite estava mais clara.

– Você pode deixar suas roupas aqui.

Ele lhe indicou o canto do cômodo.

Minhas roupas?, pensou Niels, mas absteve-se de fazer qualquer comentário. As únicas roupas que ele vestia eram uma calça e uma camisa.

– É a primeira vez que você vem?

Niels resolveu optar pelo sim.

Seria melhor não tentar se fazer passar por mais experiente, pois ele não tardaria a ser desmascarado.

O homem sorriu e se aproximou dele.

– Posso jurar que já vi você em algum lugar.

– Ah, não sei...

O outro cortou sua palavra:

– Na televisão?

– Não.

Ele inclinou a cabeça e o observou por um longo tempo.

– Quem foi que o convidou?

– Dicte.

– Não conhecemos ninguém com esse nome aqui.

– Giselle – Niels se apressou a corrigir.

A expressão frívola e impertinente que o homem tinha exibido até então desapareceu num instante. De repente ele parecia temeroso.

– Você a conhecia? – indagou ele.

– Conhecia.

– Sabe o que aconteceu com ela?

– E quem não sabe? É o principal assunto de todos os jornais.

– Espere aqui. Não. Vou lhe pedir para esperar lá fora – murmurou ele, voltando a abrir a porta pela qual Niels acabara de entrar.

Niels saiu, e o outro fechou novamente a porta. Ele estava sozinho na noite de verão. Ouvia o ritmo de música tecno vinda de um local vizinho. Então seu instinto de policial falou alto. Ele sentiu um impulso irreprimível de ligar para Leon e lhe pedir para mandar evacuar aquela discoteca clandestina, apagar a luz e quebrar as portas. Já soava nos seus ouvidos o barulho dos gonzos arrancados e das madeiras arrebentadas. Ele pensou nessas portas condenadas a ficar eternamente abertas. Leon e seus homens se divertiriam como crianças, ele não tinha dúvida quanto a isso. A limpeza dos antros de toxicômanos e a expulsão de marginais que ocupam ilegalmente terrenos da comunidade eram algumas das tarefas prediletas de Leon. Confiar a ele essa missão equivaleria a agitar um pedaço de carne diante do focinho de um lobo esfomeado. E o resultado era garantido: gritos, protestos, prisões em massa. E como epílogo, queixas sobre brutalidade policial e prisões sumárias. Leon era sem dúvida o policial dinamarquês que tinha em seu ativo o maior número de queixas, o que ele parecia considerar uma honra.

Niels observou atentamente a área industrial abandonada que se estendia diante de si. Os vestígios de um mundo transformado. Alguém tinha acendido uma grande fogueira na grama alta diante da fábrica em ruínas. O metrô passou na via aérea, iluminando por um breve instante alguns jovens que dormiam sobre cobertas e uma tenda armada ao pé da parede. Um cachorro começou a uivar por ali. Depois o metrô se distanciou, e a escuridão voltou a dominar.

– Você conhecia Giselle?

Niels não tinha ouvido a porta se abrir. Ele se voltou. Ela estava a apenas alguns centímetros dele. Uma mulher magra de cabelos curtos, que devia estar perto dos trinta anos e cuja altura não passava da metade do peito dele.

– Eu a conhecia, sim.

– Como?

– Ela me ajudou. Depois de um acidente.

– Que tipo de acidente?

– Um acidente de trânsito.

– Ela não me falou disso.

Niels olhou para o chão. Não sabia mais o que devia dizer. Sacudiu a cabeça.

– Não me admiro. Ela era uma pessoa leal.

Ela repetiu:

– Leal?

– Eu estava num trabalho que precisava ser mantido em sigilo absoluto.

– E o que era?

– O meu trabalho?

– É.

– Giselle me prometeu que aqui ninguém me faria esse tipo de pergunta – respondeu Niels em voz baixa.

Ela sorriu.

– Me fale então do seu acidente – disse ela.

– Foi um acidente de trânsito...

Ela o interrompeu:

– Quem dirigia era você?

– Não. Eu fui atingido por um carro.

– Conte como foi.

– Era uma passagem de nível. O motorista não tinha percebido que um trem estava se aproximando. O carro dele foi abalroado e projetado...

– E atingiu você?

– Isso.

Ela inspirou profundamente e depois voltou a entrar. Niels a acompanhou, e ela fechou a porta depois que ele passou.

– Eu posso ver?

– Ver o quê?

– As cicatrizes.

Niels hesitou por um segundo. A última coisa que ele queria fazer era ficar seminu. Mas já era tarde demais para recuar. Devia haver outro modo de esclarecer esse caso.

Eu pulo com você. Eu sigo você, Dicte.

Ele pensou nela, na sua nudez, na sua palidez no momento em que mergulhara na morte. E sem saber por quê, pensou também em Hannah. Tirou a camisa e se virou para apresentar o dorso à mulher. O homem que o tinha recebido um pouco antes aproximou uma vela. Niels sentiu o calor da chama na pele nua. A mulher deslizou os dedos pela cicatriz e depois pela omoplata até o meio das costas, onde a carne tinha sido rasgada e depois costurada.

– Quero ver o peito.

Ele se virou e ela examinou a cicatriz do peito, com avidez, como se se deleitasse com aquilo. Roçou novamente a sua pele. Uma sensação estranha começou a tomar conta dele. Como se de repente ele sentisse desejo por aquela mulher.

– Você não está habituado a ser tocado nas cicatrizes – murmurou ela.

– Não.

– Sinto tensão nos seus antigos ferimentos. Nosso corpo tem memória.

Ela retirou a mão. Talvez aquilo fosse uma mensagem codificada. De qualquer forma, Niels teve impressão de que acabara de ser aceito.

– Normalmente nós deixamos toda a roupa aqui – informou ela em voz baixa. – Mas como é a primeira vez que você vem, vamos primeiro descer para encontrar os outros. Tudo bem?

– Tá bom.

– Aqui nós não usamos o nosso nome, e sim o elemento que melhor nos caracteriza.

– Entendi.

– Eu sou Neve – disse ela. – Qual é o seu elemento?

– É...

Niels pensou. Não tinha a menor ideia do que devia responder.

– Você não é obrigado a resolver isso agora. Deixe o seu elemento chegar até você. Eu só fiz essa pergunta por achar que você já o tivesse descoberto.

– Não, ainda não.

– Tudo bem. Então vamos.

O homem atrás dela abriu uma porta de correr. A rodinha deslizou pelo trilho emitindo um ruído de estrada de ferro antiga.

– Me dê a sua mão – murmurou ela. – Você está nervoso?

– Estou.

– Não vai lhe acontecer nada de mal. Só coisas bonitas. Você confia em mim?

– Confio – respondeu Niels sentindo a mão da mulher se fechar sobre a sua.

A mão dela era de criança. Seca e quente, frágil; despertava uma vontade de protegê-la.

– Me siga.

O homem foi na frente deles com a vela. Sua silhueta movia-se como uma coruja, escura e viva na noite. Niels se deixou guiar pela jovem, que continuava segurando a sua mão. O eco dos passos deles no chão de cimento ressoou por muito tempo; o corredor devia ser estreito. Ele tinha impressão de que descia um declive suave. Seus pensamentos foram interrompidos por uma voz:

– Sua mão está tremendo – observou ela.

– Um pouco.

– Já vamos chegar. É bom para os olhos se acostumarem a enxergar no escuro.

Ela parou. Niels ouviu um barulho de chave na fechadura e novamente o de uma porta de correr. Sentiu um cheiro de óleo. Óleo de máquina?

– Preste atenção, tem um degrauzinho – preveniu-lhe ela puxando suavemente a sua mão.

À medida que os olhos de Niels se acomodavam à escuridão, pouco a pouco foram surgindo silhuetas. Aparentemente a maioria era de mulheres. Elas estavam sentadas, enroladas em lençóis.

– Sente-se aqui. Vamos começar daqui a pouco – disse a mulher que se chamava Neve.

Ela soltou a sua mão e o ajudou a se sentar em alguma coisa macia. Uma almofada de espuma de náilon, pensou ele.

– Aqui tem também um lençol. Quando se sentir à vontade, pode tirar a roupa. A nudez faz parte do ritual. A alma já está fechada num corpo, por isso não vale a pena pôr outra camada. – Ela se aninhou contra Niels. – No final é como bonecas russas – murmurou ela. – Empilham-se camadas, e assim acaba ficando uma pessoa numa pessoa numa pessoa.

Joachim estava lá? Impossível saber. A única fonte de luz vinha de algumas velas distribuídas ao longo da parede gélida. Entretanto, isso era suficiente para avaliar o tamanho do lugar: talvez duzentos ou trezentos metros quadrados, provavelmente um antigo depósito. Niels notou que não havia janelas. Embora a voz que vinha do alto-falante fosse doce e hipnótica, ele teve um choque no momento em que ela rompeu o silêncio:

– Podemos começar.

2

Bairro de Islands Brygge – 22h34

A mulher que ia salvar Silke – Hannah Lund era o seu nome – estava no terraço contemplando o crepúsculo. Se realmente fosse ela. Adam Bergman tinha dificuldade em distingui-la. O que ele via não era mais que uma silhueta. Ela estaria sozinha em casa? Talvez. Ele não podia ter certeza. Todas as janelas do apartamento estavam iluminadas. Ele deixaria a luz acesa em todos os cômodos se estivesse sozinho em casa? Sem dúvida não. Ele passava a maioria das noites sozinho no escuro, na companhia dos seus pensamentos; reflexões sobre a alma, principalmente. A alma. Essa palavra ressoava permanentemente na sua cabeça. Uma palavra, uma ideia cuja simples evocação fazia fugirem correndo todos os cientistas. Inclusive ele. Até o dia em que ouvira falar do dr. Ian Stevenson e das suas pesquisas inovadoras sobre a reencarnação. Stevenson era um pesquisador altamente respeitado, que tinha dirigido com brilho o Departamento de Psiquiatria da Universidade da Virgínia. Na sua célebre obra intitulada *Reencarnação e biologia: a encruzilhada dos caminhos*, ele relatava com os menores detalhes o testemunho de nada menos de duzentos e vinte e cinco crianças que diziam ter lembranças de uma vida anterior. Os trabalhos de Stevenson visavam antes de mais nada pôr em evidência casos de correlação entre deformidades existentes em crianças e lesões que elas haviam sofrido durante a vida passada. E os resultados obtidos eram estarrecedores. Quase tanto quanto a incapacidade dos seus detratores de oporem argumentos convincentes para refutar as teorias dele sobre a reencarnação. Havia entre outros o exemplo de uma criança do Sri Lanka, Indika Ishwara, que aos três anos tinha começado a falar da sua vida passada numa aldeia distante. Indika tinha sido levada a essa aldeia, e os aldeões, ao vê-la, logo reconheceram nela o jovem Dharshana, um rapaz falecido aos onze anos alguns anos antes. Depois Indika tinha designado os membros da sua família e descrevera a aldeia, sem nunca ter posto os pés nela. E o caso da criança do Sri Lanka não era de modo algum único. Stevenson havia levantado mais de três mil, que ele havia estudado escrupulosamente.

Ian Stevenson tinha igualmente descoberto uma ligação impressionante entre as fobias e as circunstâncias nas quais essas pessoas haviam morrido numa vida anterior. Se tivessem morrido afogadas, por exemplo, elas tinham frequentemente fobia de água na nova vida. Se tinham morrido num acidente de trânsito, quase sempre tinham medo de veículos. Assim, de acordo com Stevenson, uma fobia podia ter raízes numa existência passada. De qual fobia a sua mulher sofreria se reencarnasse? De facas ou de amantes?

Adam Bergman afastou essa ideia. Agora a sua vida era dedicada inteiramente a Silke. Ele só tinha um objetivo: salvá-la, livrá-la da prisão mental em que estava encarcerada. Sim, era assim que via as coisas. Ele preparava uma fuga. A felicidade de Silke era tudo o que contava. E Bergman devia pôr as mãos na única testemunha capaz de dizer quem era o assassino. Uma testemunha que estava no além.

A mulher do terraço tinha desaparecido. Bergman saiu do carro e se recriminou pela falta de atenção. Ele hesitou. Deveria bater na sua porta? O que ele diria? Já era tarde. Mas talvez houvesse uma possibilidade: dizer-lhe apenas a verdade. Eu sou um pesquisador especialista em sono e conheci seu marido por ocasião de uma investigação. Ele me falou dos seus problemas de insônia e me pediu para entrar em contato com a senhora. Depois disso ele daria uma desculpa para justificar o horário tardio. Ele conhecia alguém que morava no mesmo prédio? Ele passava no bairro por acaso? Em seguida ela abriria a porta. Não, era muito arriscado. E se ela não estivesse sozinha? Devia haver um meio melhor.

De repente a porta do prédio se abriu e Hannah Lund apareceu. Então Adam Bergman teve certeza: era ela. Ele tinha visto a foto dela no site do Instituto Niels Bohr. Ela passou sob uma lâmpada da rua. Tinha na mão um objeto. O que seria? Ele não conseguiu ver. Uma caixa? Ela vinha a uns trinta metros de distância do seu carro. Ele a observou. Teve um instante de pânico. Era preciso fazer alguma coisa. Parecer ocupado. Do contrário ela acharia suspeito o seu comportamento. Ninguém ficava esperando de braços cruzados no meio da noite ao lado de um carro estacionado. Ele tirou o celular do bolso e, sem perdê-la de vista, fingiu estar digitando um SMS. Ela foi para a esquerda. Avançava com um passo rápido e resoluto.

A cabeça ligeiramente inclinada para baixo, o olhar preso ao livro. Ela lia andando. Era uma boa notícia. Estaria menos atenta, e por isso ele poderia dominá-la com mais facilidade. Ele a seguiu até cerca de dez metros de distância, já com a maleta de medicamentos na mão. Dentro havia seis diferentes anestésicos poderosos. Em grandes quantidades, suficientes para deixar dez homens dormindo durante muitos dias. Mas como faria? Então ele teve outra ideia: daria meia-volta e a seguiria de carro, depois emparelharia com ela e lhe pediria uma informação. Perguntaria sobre um caminho. Ou então fingiria que a reconhecera. E, quando ela se aproximasse, ele a poria à força no carro e dirigiria. Não; a rua estava cheia de gente. E ele não podia absolutamente subestimá-la. Quando cometera esse erro, ele jurou que jamais o repetiria. Ela atravessou a rua e continuou andando na outra calçada. Finalmente ele desistiu de voltar para o carro. Quem sabe não surgiria uma oportunidade inesperada? Ela caminhava cinco metros à frente dele. Quatro. Estava totalmente absorta na leitura. Por várias vezes quase tropeçou num obstáculo. Postes de iluminação, latas de lixo. Três metros. Dois. Agora ele podia tocá-la. Precisava apenas estender o braço para acariciar seu cabelo, seus ombros nus, a nuca e os braços. Até de costas não era difícil entender por que ela havia agradado ao policial. Sua silhueta era sedutora. Apesar dos movimentos desajeitados e estranhos. Ou talvez exatamente por causa desse jeito canhestro. Havia uma certa leveza no seu andar. Ela transmitia uma determinação serena e cheia de encanto. Ele observou sua pele bronzeada e lisa. *Desejo.* Era isso que ela lhe inspirava? Desejo? Não, ele não podia se distrair. Então tratou de logo afastar essa ideia da mente. Viu o parque um pouco mais adiante. Sombrio. Com suas grandes árvores e seus arbustos. O lugar ideal para passar à ação. Quando estivesse no parque, ele a agarraria e a arrastaria em meio à vegetação cerrada, colaria a mão na sua boca e lhe injetaria o anestésico. Ela era frágil e provavelmente ofereceria apenas uma pequena resistência. Então ela dormiria e ele a dissimularia nas moitas e iria pegar o carro, e... De repente ela parou. Exatamente diante dele. Ele prosseguiu e a ultrapassou. Não havia tido escolha. Se não continuasse, seria notado. Ela entrou numa pizzaria. Ele diminuiu o passo, esperou alguns instantes para se assegurar de que ela não sairia, depois fez meia-volta e retornou. Pela porta aberta a ouviu pedir duas pizzas. Duas. Portanto, ela não estava só. Depois disso ele a seguiu no caminho de volta, mas a rua estava muito iluminada, por isso ele achou mais prudente ir embora. Esperar uma ocasião em que ela estivesse sozinha. Ou encontrar um meio de atraí-la para fora. Pois era preciso de qualquer modo que fosse naquela noite. Seu tempo era escasso. A polícia não demoraria a desmascará-lo. Silke não podia esperar.

3

Bairro de Islands Brygge – 22h34

"Fome" não era a palavra adequada para descrever o que Hannah experimentava. Era outra coisa. Algo mais forte, existencial; uma vontade quase assustadora de comer, de empanturrar seu corpo com enormes quantidades de comida em muito pouco tempo, como na época em que estava grávida de Johannes. Mas isso passara logo. Ao cabo de algumas semanas, esses impulsos desapareceram tão rapidamente quanto haviam chegado. Fora isso, ela não tinha praticamente nenhuma lembrança da primeira gravidez. A maioria delas devia ter fugido para o fundo da sua memória a fim de dar lugar às lembranças do suicídio.

– Com molho apimentado e alho? – perguntou o moço moreno atrás do balcão. – Nas duas pizzas?

– Isso, por favor – respondeu ela.

Hannah foi esperar perto da janela. O calor do forno de pedra havia enevoado os ladrilhos. Um homem olhava. Seria ela que ele estava encarando daquele jeito? Depois ele desapareceu. Atrás do balcão os italianos falavam alto. Parecia que estavam brigando. Um deles não parava de gritar "Não". Ele gotejava suor. O processo, pensou ela. Já era hora de retomar a sessão. Ela baixou os olhos para o livro. *Fédon*. Uma voz tomou a palavra na sua cabeça: Meritíssimo, Vossa Excelência pediu para ouvir o pai das crianças. Infelizmente ele não pôde estar presente hoje. Mas teve o cuidado de chamar a atenção para o livro que está na minha mão. Trata-se de uma prova; uma prova que deve inocentar a acusada. Ou, mais exatamente, quatro provas. Quatro argumentos que demonstram a existência da alma. Assim como a sua imortalidade. Mas qual é a relação disso com o caso que nos preocupa? É o que provavelmente Vossa Excelência se pergunta. Por isso vou explicar: isso significa simplesmente que é absurdo tentar matar uma entidade que não pode morrer. Essas duas almas encontrarão outros dois corpos em que nascerão. Sócrates nos diz que são as almas que escolhem o corpo dentro do qual virão ao mundo, que não somos nós que escolhemos ter filhos. Mas como renunciar a algo que não temos a possibilidade de escolher? Vossa Excelência entende o que eu quero dizer? Este livro que tenho na mão é a prova. A prova da imortalidade da alma. E a prova de que essas crianças devem viver. *Viver.* O promotor balança a cabeça, e um rumor percorre a sala. Um livro velho, de mais de dois mil anos, exclama alguém na assistência. O que ele pode provar?

– Dentro de dois minutos elas estarão prontas.

Hannah ergueu a cabeça.

– As suas pizzas. Vão chegar num instante.

– Obrigada.

A fome voltou ao ataque. Num espaço de alguns minutos Hannah Lund a havia ocultado completamente. O processo a empurrara para o segundo plano. Ela fechou o livro e pensou na página que faltava. Abriu-o de novo. Onde estaria a página? Ela virou algumas folhas.

– Pronto, madame – disse o italiano colocando as pizzas no balcão diante dela.

– Obrigada.

Uma página tinha sido arrancada. Por quê?, perguntou-se ela. Porque é nela que está a última prova. A que determinará se as crianças devem ou não devem viver.

4

Ilha de Amager – 23h05

– Posso me deitar ao seu lado?

Era novamente ela. Neve. Já havia desenrolado o seu colchonete e se deitara. Niels teve a impressão de que era a voz dela que saía do alto-falante e lhes dissera para se deitarem de costas. Mas ela não podia estar em dois lugares ao mesmo tempo. Seria talvez uma gravação.

"Estou lhes oferecendo um curso de preparação para a morte", anunciou rindo a voz. "Dedicado aos primeiros minutos do périplo da alma. Nós os conhecemos bem. Por outro lado, não sabemos grande coisa sobre o que acontece depois. No entanto, é necessário nos prepararmos antes de uma viagem longa. Mesmo quando partimos para o desconhecido."

Não, não era a voz de Neve. Mas Niels tinha certeza de que a conhecia. Porém não conseguia localizá-la. A mulher começou a acariciar o seu peito. Tinha a mão quente. Neve tépida, pensou Niels antes de ela lhe sugerir num murmúrio:

– Agora tire a roupa.

– Eu conheço essa voz.

– Claro que conhece – sussurrou Neve.

A voz feminina prosseguia:

"Nós enfrentamos as mesmas dificuldades dos primeiros astronautas antes da sua partida para o espaço. Como se preparar para uma viagem quando sabemos tão pouco sobre o lugar que será o nosso destino?"

Niels apurou os ouvidos e se esforçou para identificá-la.

"Mas nem por isso devemos desistir de nos prepararmos. A maioria das religiões proclama a existência da alma. Sejam as religiões naturais ou as grandes religiões mundiais. No judaísmo encontramos, por exemplo, nos profetas Jeremias e Ezequiel, a ideia de que os homens têm razões para esperar que sua alma sobreviva depois de morrerem. No islã, o próprio Alá recebe as almas dos seres puros quando eles morrem. Mas são sobretudo o budismo e o hinduísmo que dão uma grande ênfase à alma. Para os hindus, o objetivo supremo é escapar à reencarnação. Eles acham que uma alma está em viagem permanente e que somente quando atinge a *moksha* ela pode se libertar do ciclo eterno dos renascimentos. Assim, a *moksha* é o fim último a que o homem deve chegar. Mas as religiões se limitam a imaginar o que pode ser a morte. Na realidade, existem milhares e milhares de relatos de pessoas que voltaram do além. Essa preparação para a viagem da alma que vamos fazer agora é exclusivamente baseada nas minhas lembranças pessoais. Porque eu já encarei a morte três vezes."

Então Niels reconheceu a voz. Era a voz de Dicte.

"Em tempo terrestre eu só morri alguns minutos no total. Mas a lembrança que eu guardo se estende por uma duração bem maior. Por horas. Talvez dias."

– É uma simples preparação, você não precisa ficar nervoso – murmurou Neve, levantando a camisa de Niels.

Niels percebeu que Neve estava nua quando ela se ergueu. Os pensamentos se agitavam na sua mente enquanto Dicte continuava falando. Ele tentou se concentrar, mas Neve levantou a sua camisa acima da cabeça. As palavras que saíam do alto-falante, em alguma parte da sala, não tinham para ele nenhum sentido.

O que importava era o corpo e o prazer, dar ao seu corpo o que ele reclamava, o êxtase, a liberação de energia. Niels se esforçava para distinguir os traços das pessoas que o cercavam. Joachim estaria ali?

"... e dar à alma o que lhe pertence", disse a voz de Dicte.

– Não há nenhuma razão para ter medo – sussurrou Neve. – Ninguém pode ver você. O respeito ao anonimato é um dos nossos princípios. Ninguém sabe quem são os outros participantes. Não tenha receio de nada – disse ela.

Seus olhos tinham se acostumado à escuridão. Podia ser que os homens fossem em maior número do que lhe parecera. Talvez cinco. E uma dezena de mulheres. Deve haver outro meio de pegar Joachim, pensou Niels. Ele poderia perfeitamente esperar na saída. Ou chamar Leon. Mas o que ele estava fazendo ali, deitado ao lado de uma mulher nua?

"Agora chegou o momento de me seguir", disse a voz de Dicte no alto-falante.

Eu pulo com você.

Niels estava prestes a cumprir sua promessa. Seria por isso que ele não havia fugido quando Neve começou a se masturbar? Ele ouviu seus gemidinhos e sentiu o braço dela contra o seu, fazendo pequenos movimentos regulares.

"Feche os olhos. Imagine que você está flutuando no ar, logo acima do seu corpo. Se estender o braço, você pode quase tocá-lo. Se abrir os olhos, não verá nada mais que o teto, sempre. Mas você não vai abrir. Você vai planar", ordenou Dicte. "Seu corpo estremece. Faça vibrar o seu corpo. Deixe o êxtase invadir você. Sinta. Você está leve. Já não pesa nada."

Neve pegou a mão de Niels e logo a largou. Depois começou a desabotoar a calça dele.

– Relaxe. Vai dar tudo certo – murmurou ela.

Ela pegou o sexo de Niels.

– Calma. Assim.

Ela deslizou a mão até a base.

"Seu corpo inteiro vibra. É a sua alma que o puxa para si. Que faz palpitar o envoltório dela. Que brinca com ele. Quando partirmos também será assim. Nós nos aproximamos da etapa seguinte. É importante não gozar agora... Ainda não. Você não deve transpor o limite. Consegue fazer isso? Beirar o prazer sem ceder à tentação? Se ceder, você vai desabar; sua energia se extinguirá, e você ficará pesado. É absolutamente necessário evitar que isso aconteça. Brinque consigo mesmo. E quando sentir vir o gozo, segure a respiração. Inspire profundamente..."

Ouve-se Dicte inspirar profundamente. Niels pensa na preparação para o parto, embora nunca tivesse assistido a uma sessão e nunca tivesse tido a oportunidade de fazer isso. Mas vira num filme.

– Inspire profundamente. Segure a respiração.

Ele ouviu à sua volta os outros expirando e depois inspirando.

"Devemos suspender a respiração pelo maior tempo possível. Mas você não deve ocultar o seu prazer. Pare de se concentrar no fato de que o seu corpo reclama oxigênio. No lugar disso, concentre-se no gozo supremo. Retenha a respiração. Perfeito. Continue. Sinta como você se aproxima do êxtase. Retenha a respiração. Agora você está leve. Saboreie esse instante."

Niels ouviu uma mulher emitir sons breves. Sons de gozo.

Eu pulo com você.

"Pare", ordenou Dicte.

Durante alguns segundos a sala ficou silenciosa.

"Agora vamos recomeçar. Isso foi somente um aquecimento. Dessa vez nós vamos interromper a respiração por bem mais tempo. Até deixarmos de sentir o corpo."

– Vamos, agora você faz parte dos nossos – disse Neve.

Quando ela pegou suavemente o seu sexo, ele pensou em Hannah.

– Descanse a cabeça. Isso é só uma preparação.

– O que é que acontece depois da preparação? – indagou Niels quase sussurrando.

A voz de Dicte tinha voltado a falar. De excitação, de êxtase, de libertação da alma.

– Isso fica para outro dia. Hoje à noite nós estamos aqui só para nos divertir-mos – murmurou Neve.

Niels sentiu seu membro se dilatar na mão dela. Talvez fosse melhor se aban-donar e aproveitar, como Neve lhe aconselhava.

"Você, você que me ouve neste momento", sussurrou Dicte. "Isso. Você. Deite--se confortavelmente. Isso é indispensável, se você quer esquecer o seu corpo."

– Você está bem instalado? – perguntou Neve.

– Estou.

– Acho que você está começando a relaxar – ela cochichou no seu ouvido. – Tente nos seguir. Faça o que Giselle diz. É fantástico, você vai ver. Você não terá mais medo da morte. – Ela deixou o seu pênis para lhe acariciar a coxa. – Sinta os meus dedos.

"Agora vamos inspirar profundamente. Vamos reter essa inspiração durante quase dez minutos. Nós somos perfeitamente capazes disso. Basta pensar em outra coisa. Concentrar-se no desejo em vez de na dor."

Niels interrompeu a respiração. Por quê? Por que ele estava ali? Ele pode-ria ter transmitido um aviso de busca para Joachim. Não havia necessidade de encontrá-lo naquela noite.

Eu pulo com você.

O que ele faria a seguir? Ele saltaria. Dicte ficaria contente de vê-lo ali? Dei-tado no chão, com a mão de uma desconhecida na sua coxa enquanto ele retinha a respiração. Ela acharia que ele tinha cumprido a promessa feita na ponte? Era verdade o que dizia a voz de Dicte. Não se pensava mais na falta de oxigênio. Em compensação, o seu coração acelerava. Mas o desejo, o êxtase, se propagava no seu corpo. Agora ele sentia picadinhas na superfície da pele.

"É a sua alma que se prepara para voar", explicou a voz de Dicte.

Niels nunca havia experimentado nada parecido com aquilo. Ele tinha a im-pressão de não pesar nada. Não sentia mais o colchonete sob o corpo. Suas costas tinham se tornado insensíveis. Como se ele tivesse desaparecido. Ele tinha agora a impressão de subir, como bolhas de champanhe.

Ele estava de olhos fechados. Imaginou, como Dicte lhe havia recomendado, que flutuava sobre o próprio corpo. Nada mais fácil, pois era exatamente a impressão que tinha. Como se estivesse planando. Ele continuava retendo a respiração. De repente, para além das suas pálpebras fechadas, ele viu acima de si o teto explodir num clarão. Pelo espaço de alguns instantes não compreendeu o que ia acontecer. Até abrir os olhos e perceber no chão um projetor que lançava imagens vibrantes no teto. Então ele autorizou seus pulmões a respirar. Neve havia desaparecido. Ele baixou o olhar para a parte inferior do seu corpo. Sua calça estava desabotoada e meio descida.

"Quando o seu corpo enfim relaxar completamente, você só terá de se deixar levar", disse Dicte. "Como num rio. Você pode lutar, se agarrar a um galho. Mas não faça isso de modo algum."

No teto, acima deles, um cano emitiu um assobio. Uma partícula de luz foi projetada ao longe. Numa tela magnífica. Niels observou em torno de si. Agora já podia distinguir os participantes. Seus corpos nus. Uma mulher estava deitada sobre um homem. E contra a parede da frente: Joachim. Niels abotoou a calça. Buscou com os olhos a camisa. Mas Joachim também o havia visto; ele era o único na sala que se levantara.

"A tela", disse a voz de Dicte. "A tela será a primeira coisa que você verá, se superar o medo que..."

Niels já não escutava. Joachim estava de pé, sempre nu em pelo. Preparava-se para fugir.

Joachim afastou a jovem que tentava segurá-lo.

– O que foi que aconteceu?

Ela já estava sentada. Durante esse tempo a voz de Dicte continuava transmitindo calmamente suas instruções. Joachim abriu a porta e fugiu. Niels desistiu de encontrar a camisa e os sapatos e se lançou por sua vez no corredor escuro. Com a luz do projetor, viu Joachim pegar a bolsa e os sapatos no lugar onde eles tinham sido guardados. O jovem deu uma olhada sobre o ombro e abandonou a ideia de pôr a calça; deu um pontapé na porta e se precipitou para fora.

5

Ilha de Amager – 23h55

Eles corriam por uma grama alta. Era a terceira vez que Niels o perseguia. Mas naquela noite ele não escaparia. Joachim, o bailarino. Vivo. Ágil. Da primeira vez ele tinha escorregado por entre seus dedos, saltando sem a menor hesitação de uma ponte para desaparecer nas águas do porto. Da segunda vez ele se escondera na penumbra, no camarim de Dicte. Niels pensou num animal, numa hiena, enquanto passava correndo diante das tendas armadas nas imediações da fábrica em ruínas. Um animal dotado de visão noturna. Encurralado e agressivo. Era o que ele parecia quando Niels olhou para ele. O metrô passava na via aérea, iluminando o seu rosto e o corpo nu.

– Polícia de Copenhague! – gritou Niels tirando do bolso o telefone para pedir reforços.

Como já devia ter feito há muito tempo.

Joachim pôs a bolsa no ombro. Niels podia pegá-lo em alguns segundos. A visão oferecida a ele era incrível. O corpo branco do brilhante bailarino com uma mochila preta nas costas. Joachim escalou a cerca de arame. Niels conseguiu agarrar o seu tornozelo. Era um tornozelo fino. Mas em pânico e combativo. Era como se ele tivesse pegado o casco de um cervo. Ele recebeu no rosto um golpe de calcanhar e abriu a mão.

– Joachim!

Niels o ouviu voltar para o prédio. Joachim estava desesperado, não pensava mais. Tinha perdido completamente a lucidez. A menos que existisse uma segunda escada do outro lado do prédio, não havia ali nenhuma saída. Niels endireitou o corpo. Limpou o sangue que tinha no rosto, escalou por sua vez a cerca de arame e penetrou na fábrica desativada.

Talvez fosse melhor esperar fora e vigiar a saída. Não havia nenhuma escada. No entanto ele começou a subir. No primeiro andar parou para retomar o fôlego antes de seguir. Desta vez em silêncio. Ele acabara de ouvir um som metálico no segundo andar. Voltou a subir, segurando-se na proteção. Era evidente que a fábrica servia há muito tempo de refúgio para moradores de rua. Era um lugar onde eles podiam passar a noite ao abrigo da chuva e do vento, e também de uma sociedade que eles não compreendiam. No verão, o mau cheiro dos excrementos era tão forte que eles preferiam dormir fora. Ao contornar uma coluna, Niels viu Joachim inclinado sobre uma máquina fotográfica que ele tentava quebrar para retirar o filme de dentro dela.

Ele ergueu os olhos.

– Joachim. Desta vez acabou.

Antes mesmo que ele tivesse tido tempo de concluir a frase, o jovem se levantou e pegou um velho cano de água. Foi só nesse momento que Niels se rendeu à evidência: aquele sujeito o mataria, se tivesse chance. Estava disposto a matar ou morrer para proteger o seu segredo. Joachim se precipitou sobre ele, golpeando o ar com o cano enferrujado. Niels se esquivou dando um passo para o lado e depois o agarrou por trás.

– Agora chega! – gritou ele apertando-lhe a garganta com o antebraço. – Entendeu? Chega!

Mas em vez de se submeter, Joachim lhe deu outro pontapé. Ele tinha mais força nas pernas que Niels. E era bem mais flexível. Não desistiria enquanto tivesse condições físicas de lutar. Niels o soltou e decidiu enfrentá--lo. Joachim deu um salto, mas o primeiro golpe do policial já estava a meio caminho e o atingiu lateralmente logo acima da cintura. Depois houve um segundo. Pesado. E um terceiro, que incidiu no seu peito, mas deixou em Niels uma dor violenta que se estendia da mão até o ombro. Então ele atingiu com o cotovelo o rosto do bailarino. O golpe o derrubou. Niels se debruçou sobre ele. Joachim tinha a respiração suspensa. Seus pulmões não tardaram a se encher de oxigênio; e ele, a recuperar o ânimo. Niels se perguntou que osso de Joachim ele teria de quebrar para deixá-lo definitivamente fora de combate, então recuou para tomar impulso e bateu com toda a força contra o seu peito. Com o calcanhar.

– Quer que eu continue? Da próxima vez será o seu braço. Depois vou me ocupar dos joelhos.

– Idiota – resmungou Joachim quando finalmente recuperou um pouco de fôlego.

Ele cuspiu sangue. Tinha provavelmente um pulmão perfurado. Precisava ser transportado para um hospital. Mas não sem antes ter falado.

– Continuo?

– Eu não tenho medo de morrer.

– Então por que você foge?

O bailarino virou de lado e levou os joelhos até o peito, como um bebê que se prepara para dormir.

– Me responda!

– Você não tem nenhum poder. Nem sobre Dicte nem sobre mim.

– Dicte está morta!

Ele exibiu um sorriso estranho. Ou era um esgar de dor. Niels não pôde saber ao certo.

– Era você? Na noite...

Joachim o interrompeu:

– Você decididamente não entendeu nada.

– O que foi que eu não entendi?

– Não entendeu nada.

– É por isso que você estava perseguindo Dicte na noite em que ela pulou?

Ele balançou a cabeça.

– Eu não persegui Dicte. Nem estava lá.

– Então quem era?

– Quem lhe disse que ela estava sendo perseguida?

– Se ninguém a perseguia, por que ela estava fugindo?

Niels se sentou bem perto do rosto do jovem.

– Vamos ver o que tem nesse vídeo. Vamos assistir? Você parecia aflito para apagá-lo.

– Seu...

Joachim tentou se empertigar. Mas a dor era forte demais. Enquanto ligava para a Central, Niels remexia na mochila. Desprendeu-se de dentro dela um cheiro de chá. Ou de canela.

– Central – respondeu uma voz gélida do outro lado da linha.

– Aqui é Bentzon. Mando minhas coordenadas. Estou na companhia de um indivíduo suspeito de um caso de homicídio e vou precisar de reforços.

Joachim resmungou:

– Ela não foi assassinada.

Niels prosseguiu:

– Mande também uma ambulância.

Dito isso ele desligou. Em seguida pôs o celular no chão de cimento e pegou a câmera. Um modelo antigo. A lente estava rachada e faltava um pedaço de plástico. Ele tentou em vão fazê-la funcionar.

– São vídeos particulares – resmungou Joachim.

– Eram. Agora estão à disposição da justiça.

– Você não sabe no que está se metendo.

– Então me explique. Assim eu poderei protegê-lo.

Joachim quis sorrir, mas com isso só conseguiu fazer a dor voltar ao seu peito.

Niels tentou novamente ligar a câmera. Descarregada. Ao longe soaram sirenes.

– Vou levar isso – disse ele. – Os outros não vão demorar a chegar. Você quer falar alguma coisa antes de eu ir embora?

Joachim o olhou bem nos olhos e balançou a cabeça.

– Me prometa uma coisa.

– O quê?

Fazendo um esforço sobre-humano, ele conseguiu se sentar.

– Você precisa ficar deitado – recomendou Niels.

Ele percebeu pelo tom da própria voz que estava com pena do jovem.

– Prometa que a minha mãe nunca os verá.

– O quê? Os vídeos? Me diga o que há neles. É Dicte?

– Você me promete isso?

– Depende. Se houver um crime...

De repente Joachim se levantou, arquejante. Niels pensou em segurá-lo, depois ponderou: ele não irá a parte alguma. O jovem começou a correr.

– Não! – Quando entendeu qual era a sua intenção, ele começou a persegui-lo. Mas Joachim já estava diante das janelas com vidros quebrados. Chegavam até ele apenas os gritos de Niels:

– Pare!

Então ele pulou. Como Dicte. Com elegância. O salto de um anjo. Os braços ao longo do corpo, a cabeça erguida. Com dignidade. Niels viu sua cabeça e os ombros passarem pelos restos de vidraça. A sequência ocorreu muito rapidamente, como se a última fase do salto tivesse se passado em câmera acelerada.

Quando Niels chegou à janela, Joachim já havia se espatifado no chão. Sua cabeça se chocara contra um bloco de concreto, e um filete espesso de sangue escorria de um ferimento atrás da orelha.

Eu pulo com você.

Mas tampouco desta vez Niels pulou. Em vez disso ele atravessou o andar correndo e desceu rapidamente a escada. Eu vou pela escada, não pulo com ninguém, pensou ele. Todo mundo escapa pelos meus dedos. Dicte. Hannah. E agora Joachim.

Quando chegou ao nível da rua, a ambulância já se pusera a postos e seus colegas estavam estacionando. As luzes giratórias azuis o ofuscaram.

– Ele se jogou pela janela – Niels se ouviu dizer.

Ele mostrou com o dedo. Alguém disse alguma coisa. As ambulâncias acudiram. Um médico examinou Niels e enfaixou seus ferimentos. Foi somente então que ele sentiu um gosto de sangue na boca. Será meu ou de Joachim?, perguntou a si mesmo.

Quarta-feira, 15 de junho de 2011

6

Centro de Copenhague – 9h40

No seu celular estavam registradas cinco chamadas não atendidas de Hannah. "Onde é que você está?", ela lhe tinha perguntado por SMS. "Trabalhando. Mais tarde eu ligo", ele respondera. O sol já se levantara há muito tempo. Niels estava sentado num degrau diante da loja de material fotográfico. Há quanto tempo estava ali? Horas? No final da rua ele via o porto. Ao longo da manhã havia muitas vezes pensado em percorrer os cem metros que o separavam do cais e pular na água. Para tentar se limpar da sua noite. Mas tinha ficado sentado com a câmera na mão.

– Posso passar? – perguntou uma mulher de voz vulgar.

– A senhora trabalha aqui?

– Só abrimos às dez horas.

Niels tirou do bolso o distintivo.

Flutuava no ar um cheiro sintético. A mulher voltou dos fundos da loja.

– Vejamos se corresponde. Panasonic.

Niels lhe entregou o cartão de crédito. Alguns segundos mais tarde ele estava novamente na rua. Só lhe faltava uma providência. Então poderia ver os vídeos. Claro, sempre era possível ir até a chefatura, onde o esperavam uma multidão de perguntas, um relatório e uma barreira de olhares reprovadores, além de uma passada na sala de Sommersted. Seu superior lhe pediria explicações sobre esse outro suicídio, por que ele não tinha pedido reforços antes de entrar no prédio, por que ele havia se limitado a voltar para procurar a camisa e o sapato em vez de mandar cercar a área para que a polícia técnica fizesse seus levantamentos. Esse tipo de pergunta. Não, era preferível se jogar imediatamente nas águas do porto. Nada disso. Ele só precisava de uma tomada. A Biblioteca Real. Niels olhou na direção do cais e dos barcos-ônibus atracados perto da entrada da biblioteca. Na sala de leitura haveria tomadas destinadas aos computadores dos estudantes? Enquanto caminhava, ele recebeu um SMS de Hannah. "Podemos nos ver mais tarde? Quero falar com você." Falar comigo? Sobre o quê? O divórcio? Na verdade, temos muita coisa a conversar quando nos divorciamos, pensou Niels. Ele já havia passado por isso com Kathrine. Eles tinham conversado sem parar, até o momento em que as palavras acabaram por perder o sentido. E no entanto ela não havia deixado de lhe pedir uma explicação. Como se estivesse escrito na lei que quando se deixava de amar alguém era-se obrigado a dar uma grande explicação, de acordo com o regulamento. Mas, droga, não havia nada a explicar. Era assim, simplesmente. *O amor*. O que ele poderia lhe dizer? Que explicação absurda teria podido satisfazer- -lhe? A falta de participação nas tarefas domésticas? O álcool? O sexo quantitativa e qualitativamente insatisfatório? A falta de comunicação? Excesso de conversas inúteis sobre assuntos sem interesse? Muito isso e muito aquilo. Provavelmente a explicação seria isso. Uma mistura de demais e muito.

Niels ergueu os olhos. Estava diante da Biblioteca Real. Pensou por um momento em responder a Hannah. Em escrever: "Vou passar aí para pegar minhas coisas quando você não estiver". Em vez disso, entrou. Como um zumbi, ele se deixou levar de elevador até o primeiro andar, depois pegou a passarela que ligava a nova biblioteca de vidro e aço à antiga, de tijolos e madeira. Niels preferia a nova. Era mais transparente, mais luminosa. Ele estava cansado, no fim das forças, tanto como homem quanto como policial. Não sou mais capaz de velar pelos meus concidadãos, concluiu ele ao entrar na sala de leitura. Quando um policial começa a desejar mais segurança, limitação das liberdades individuais e construções de vidro onde é proibido pôr cortinas nas janelas, chegou o momento de pendurar as chuteiras.

Ele pegou a câmera, que reagiu emitindo um *bip* simples, como um eletrocardiograma. Estava viva.

– Senhor?

Niels ergueu o olhar. Uma bibliotecária acabava de se pôr diante dele, visivelmente exasperada.

– Aqui é uma sala de leitura. Por favor, vá recarregar a sua câmera em outro lugar.

– Polícia. A senhora pode me deixar fazer o meu trabalho e ir embora?

Se ela pedir para ver o meu distintivo, eu a prendo. Ponho algemas nessa megera. Em todas as megeras, e depois em Hannah. Não, primeiro em Hannah. Depois em todas as pessoas que resolverem me aborrecer. Ele devia estar com um grão de poeira no olhos, pois as lágrimas começaram a correr pelas suas faces. Nos dois olhos? Niels os secou e fechou as pálpebras durante alguns segundos. Refaça-se, Bentzon. Você está cansado.

Quando voltou a abri-las, três bibliotecárias estavam reunidas com um vigia num canto da sala. Falavam em voz baixa, observando-o. Depois o vigia se aproximou. Um buldogue vesgo cheio de anabolizantes. Niels não suportava vigias. E naquele momento ainda menos que normalmente. Talvez ele simplesmente não suportasse nada. Localizando o botão de comando da rebobinagem, ele o pressionou. A câmera fez um ruído.

– Posso ver seu distintivo? – indagou com tato o vigia.

Niels o apresentou sem se dar ao trabalho de erguer os olhos. O vigia agradeceu e se afastou. Alguns instantes mais tarde as bibliotecárias se dispersaram, e o cassete foi rebobinado. Chegara o momento de saber. O caso terminaria ali. Niels pressionou a tecla *play*.

7

Bairro de Islands Brygge – 10h05

Hannah se levantou para contemplar as águas do porto. Ou o infinito. Ela pensava em Sócrates. Na página que faltava. O que conteria essa página? Não importava. Evidentemente, ela endossava em parte o raciocínio do filósofo antigo – como cientista, aliás, ela não poderia fazer outra coisa. Ela própria não havia estado morta durante meia hora? Ela não podia negar a existência da alma. E se era verdade que esta podia viajar até o além e até voltar, como Sócrates afirmava, então era preferível para os dois embriões, as duas almas que haviam encontrado refúgio nela, que continuassem a sua busca. O mais rápido possível. Ir encontrar uma mãe mais capaz de lhes fornecer invólucros corporais sãos.

Quando ela havia sentado? Não se lembrava mais. Naquele exato momento ela lutava contra duas tentações: acender um cigarro e voltar para o quarto do casal para pôr algumas roupas numa bolsa. Depois chamaria um táxi e iria para o Rigshospitalet. O momento não poderia ser melhor. Ela nunca mais teria as ideias tão claras quanto neste momento.

8

Biblioteca Real – 10h08

Niels se perguntava se não seria o caso de acelerar o andamento do filme. Já fazia muitos minutos que ele observava a mesma imagem. Uma mesa. Numa sala de jantar que não era a de Dicte. Esta ele reconheceria. Não, era na casa de um homem – uma mulher jamais teria a ideia de pôr na sala de jantar um pôster mostrando um arranha-céu. De repente Dicte apareceu. Disse alguma coisa, mas as suas palavras era inaudíveis. Niels resolveu que entregaria a câmera a Casper para ele melhorar o som. Não esperava ver o que aconteceu em seguida. Dicte tirou a malha branca e depois se despiu inteiramente. Niels olhou seu peito, seu esboço de seios. Ele conhecia espantosamente bem o corpo dela. Nunca a tinha visto vestida, e ainda não seria dessa vez que isso aconteceria.

– Você está pronta?

Niels reconheceu a voz de Joachim. Ele baixou ligeiramente o volume do som, consciente de já ter ultrapassado os limites do permitido numa sala de leitura.

– Estou – respondeu Dicte.

Ela quase murmurava. Joachim apareceu por sua vez no campo da câmera. Colocou na mesa da sala de jantar o que parecia um desfibrilador.

– Desfibrilador – disse ele. Dicte concordou. Joachim encheu uma seringa. – Adrenalina. – Depois acrescentou: – O que você se prepara para fazer é por sua vontade própria, sem ser constrangida?

– Por minha vontade própria – respondeu Dicte.

– Você quer que o seu coração deixe de bater e quer ser reanimada em seguida?

– Quero.

– Quanto tempo você quer permanecer com parada cardíaca?

– Três minutos.

– Três minutos? Cento e oitenta segundos?

– Sim.

Joachim pôs na mesa um despertador digital.

– E de que maneira você quer chegar à parada cardíaca?

Dicte murmurou. Niels não ouviu a sua resposta. Ele rebobinou e aumentou o volume.

– No êxtase – afirmou ela.

Em seguida eles executaram um ritual estudado. Dicte se deitou nua na mesa da sala de jantar. As pernas um pouco afastadas. Ele lhe pôs cuidadosamente as algemas. Com ataduras de veludo ou de algum outro tecido macio, que prendeu juntas sob a mesa.

– Tente puxar o mais forte que puder – disse ele.

Pelo tom da voz dos dois se pensaria que eles estavam montando um armário de cozinha, e não preparando a morte dela. O corpo de Dicte se estendeu quando ela puxou com toda a força para testar a resistência das ataduras.

– Está bom.

– Agora eu vou prender os pés. Para evitar que você se fira involuntariamente quando o seu corpo se debater.

– Certo – respondeu ela num tom solene.

Eu me pergunto o que um juiz acharia disso, pensou Niels. Ele duvidava que aquilo fosse suficiente para livrá-lo de qualquer responsabilidade. Joachim podia muito bem ter um cúmplice – atrás da câmera, por exemplo – que apontava uma pistola para a têmpora de um membro da sua família. Isso não provava que ela tinha agido por vontade própria. A encenação era de uma ingenuidade aflitiva. Eles imaginavam que ela garantiria a segurança deles se a coisa desse errado. Talvez Joachim tivesse entendido que não era o caso e por essa razão tivesse se atirado pela janela.

– Você está pronta?

– Estou.

Joachim passou para trás da câmera. Deu um *zoom* no rosto de Dicte. Ela virou a cabeça e olhou bem nos olhos de Niels.

– Eu me chamo Dicte van Hauen. Eu acho... Não, eu sei que a alma é imortal. Por três vezes já estive no além. A primeira vez quando era criança, acidentalmente; depois duas vezes no ano passado, voluntariamente. Hoje mais uma vez estou aqui por vontade própria. Fui eu quem pediu ajuda para fazer meu coração parar de bater. Essa é a única maneira de forçar o corpo a libertar a alma.

Ela fez uma pausa, ergueu os olhos para o teto, virou a cabeça novamente e prosseguiu:

– Eu acredito no prazer. Acho que esta vida é, e deve ser consagrada ao prazer do corpo. A alma não extrai nenhum prazer da vida terrena. Ninguém gosta de ficar fechado. O que agrada ao corpo deve ser dado ao corpo e o mesmo acontece com a alma. Sei que o que vai acontecer agora pode parecer uma violência. Esse registro não se destina a ser visto. Ele deverá ser destruído quando eu for reanimada e meu coração tiver recomeçado a bater normalmente. Este filme é uma espécie de garantia. Ele se destina a provar que não me forçaram. Está previsto que o meu corpo seja reanimado e que eu volte ao meu envoltório carnal depois de ter aprendido um pouco mais sobre o que nos espera no além. Sócrates afirmava que nós nos encontraremos no Hades para ser ressuscitados e prosseguir o ciclo da vida. Ele afirmava que nós devemos atravessar o rio Aqueronte para poder prosseguir na nossa viagem. E Sócrates tinha razão em todos os pontos, mas não havia feito a experiência da morte. Ao contrário de mim. Eu sei que algo nos espera na outra margem do Aqueronte...

Ela fez outra pausa. Sua voz estava pastosa.

– Quer beber alguma coisa?

– Quero.

Joachim passou diante da câmera com uma garrafa de San Pellegrino na mão. Eram mesmo bailarinos, pensou Niels vendo Joachim levantar com um gesto elegante a cabeça de Dicte para lhe permitir beber no gargalo da garrafa verde-esmeralda.

– Estou pronta.

– Continue.

Ela limpou a garganta.

– Nossa representação da morte é errada. Tão errada quanto era errada a nossa visão do cosmo na época em que achávamos que a Terra estava no centro do Universo. Gostaria de poder afirmar que nós começamos a compreendê-la. Mas ainda estamos longe disso. Tudo por causa do medo que ela nos inspira. Porque temos medo de descobrir que depois da morte não há nada. Mas estou em condição de lhes dizer que há alguma coisa. Há muitas coisas. É incrivelmente bonito, mas também muito perigoso. Fiz pessoalmente a experiência. Vivi no além experiências magníficas e outras terríveis. Eu me esforço para descobrir qual é o caminho mais seguro. E em que medida a nossa vida na Terra determina o que nós nos tornaremos no além. Pois é óbvio que existe uma relação. Pessoalmente, me considero um pouco uma exploradora. Todo mundo sabe que pode ser perigoso explorar novos territórios. Mas sou a única responsável pelos meus atos. Se isso sair errado, se eu não voltar da experiência, eu lhes peço: não sejam tolos. Ninguém é culpado, apenas eu. Quando os astronautas sacrificam a vida no espaço, nós não processamos a Nasa. É um risco que aceitamos, que nós sempre aceitamos.

Pausa.

– Mais água?

– Não, obrigada. Estou pronta. Ainda tenho uma coisa a dizer. Deixo claro que escolhi ser asfixiada com um saco na cabeça. Isso evita ter de absorver medicamentos e não deixa nenhum vestígio no corpo. Eu me empenho em desfrutar as últimas convulsões do meu corpo. Sei que isso pode parecer violento. Mas não é verdade. Não quando é um ato voluntário. Estou pronta – concluiu ela.

Joachim fez um *zoom* com a câmera e depois voltou. Tinha na mão um saco plástico, que pôs na mesa antes de se colocar entre as pernas afastadas de Dicte. Ele acariciou com uma das mãos o sexo dela enquanto com a outra tentava se excitar. Niels deu uma olhada sobre o ombro para ter certeza de que ninguém os observava.

– Você está se sentindo mal? – perguntou Dicte.

– Um pouco.

– Suba.

Joachim subiu prudentemente na mesa. Deu as costas para a câmera e se ajoelhou antes de deslizar uma perna sobre a cabeça de Dicte de modo que ela ficasse no nível do seu pênis. Dicte abriu a boca e o acolheu. Joachim gemeu. Niels precisou diminuir ainda mais o volume. Ele esperava que o vídeo não o excitasse. Que ele pudesse se conservar concentrado. Joachim desceu da mesa com um salto elegante e leve, já com o membro ereto.

– Você tem o direito de ir até o fim uma vez que eu tiver deixado de respirar – disse ela.

Ele concordou.

– Não – resmungou Niels quando Joachim passou um saco plástico pela cabeça de Dicte e o amarrou em torno do seu pescoço.

– Eu amo você – disse o jovem ternamente, beijando-a na boca através do saco.

Ele se pôs na extremidade da mesa e a penetrou. Durante algum tempo ela levantava a cabeça para contemplar o corpo dele, e Niels a ouviu emitir gemidos abafados. Gemidos de prazer. Ainda havia um pouco de oxigênio no saco. Niels observava o plástico transparente que se estufava e se retraía como um pulmão aflito. Logo ele ficou cheio de vapor. Os pulmões e o coração passavam a exigir desesperadamente outra coisa que não dióxido de carbono, e o saco começou pouco a pouco a se colar à boca de Dicte. Joachim também parecia ter prazer. Com movimentos bruscos e regulares, ele se agitou até o momento em que o corpo de Dicte se esticou bruscamente, antes de cair inerte na mesa. Então ele se retirou, precipitou-se para o despertador digital e o acionou, sempre com o membro em ereção. Depois ele voltou para a extremidade da mesa, mas teve alguma dificuldade em penetrar Dicte, agora que o corpo dela havia deixado de cooperar. Precisou puxar a bacia dela para aproximá-la. Isso não parecia ter diminuído a sua excitação. Niels sentiu seu membro se dilatar ao ver Joachim se agitar novamente no corpo de Dicte. É absolutamente repugnante, pensou ele. Então por que uma parte de si reagia daquele jeito? E quanto tempo ela ficaria suficientemente molhada para ele poder...

Alguns segundos mais tarde Joachim deu um grito de gozo e recuou. Em seguida tirou a cabeça de Dicte do saco e consultou o despertador. Um minuto e dez segundos. Ele soltou as ataduras que seguravam seus braços e suas pernas.

– Vamos – disse Niels.

Como se ele pudesse influenciar o andamento das coisas. Como se ele pudesse ajudá-la a voltar. Joachim deu outra olhada no despertador: dois minutos e dez segundos. Esperou mais um pouco antes de enterrar a agulha da seringa na veia de Dicte. Aos dois minutos e trinta injetou a adrenalina. Isso levou três segundos. Então ele tirou os cabos do desfibrilador e os dispôs no peito de Dicte, dando uma olhada decidida para o despertador. Aos dois minutos e cinquenta e nove segundos, exatamente, ele pressionou. A descarga elétrica atravessou instantaneamente o corpo de Dicte, seu pescoço se arqueou e, com um suspiro forte, ela inspirou longamente. Havia voltado à vida. Tossiu e se virou de lado. Ficou assim por alguns minutos. Durante todo esse tempo Joachim estava perto da cabeça dela, falando-lhe num sussurro. Niels não podia ver nem ouvir se ela estava consciente. Sim. Seus pés se mexeram.

– Você quer se sentar?

– Ainda não. Estou gelada.

Joachim saiu do campo da câmera. Dicte olhou diretamente para a objetiva. Esboçou um sorriso.

– Foi fantástico – disse ela. – Anime-se.

Com essas palavras o vídeo chegou ao fim.

9

Bairro de Islands Brygge – 10h12

Adam Bergman a observava pelo vidro aberto do veículo. Por um instante achou que Hannah Lund também o tinha visto. Ela permanecia no terraço, ao lado de uma pequena churrasqueira a gás, e contemplava o porto. Estava só. Ele a tinha observado com o binóculo e examinara o interior do apartamento. A cozinha, o quarto. E se sentira atraído por ela. Não pensava nas mulheres desse modo havia uma eternidade. Mas ela o fazia lembrar-se de sua mulher. No entanto, elas não se pareciam. Ela era morena; sua mulher, loira. Então por quê? Seria a silhueta magra? O olhar melancólico? Sim, ele sabia. Ela ocultava um segredo. Assim como sua esposa, Hannah era dessas mulheres que nunca possuímos completamente. Independentemente do que quer que façamos.

– Se o senhor quiser observar os pássaros, vai ser preciso encontrar outro lugar.

Um funcionário do trânsito passou no campo do seu binóculo e tudo ficou azul-marinho.

– O senhor não viu o aviso? É proibido estacionar aqui.

Bergman pôs o carro em movimento.

– Vinte metros à frente o senhor vai encontrar vagas. E não se esqueça de comprar um tíquete de estacionamento – concluiu o homem num tom conciliador.

Ele concordou e estacionou o veículo um pouco adiante. Um utilitário alugado. Tinha atrás uma enorme caixa onde antes fora transportada uma escrivaninha para ser montada. Agora estava vazia. Mas Bergman esperava que dentro em breve ela recebesse Hannah Lund. Ele já não a via mais no terraço. Foi procurar um tíquete com o vendedor. Era mais prudente. Sirenes berravam ao longe. Ele devia se preocupar em não deixar nenhum sinal da sua presença ali, nenhuma multa que relacionasse para sempre o seu veículo àquele lugar naquele momento preciso. As sirenes se aproximavam. O mais difícil seria toda a operação de instalá-la no seu furgão. Mas ele não tinha escolha. Precisava ser bem-sucedido. Ao contrário do que acontecera com Dicte e Peter, ele devia evitar a qualquer preço se deixar perturbar pelos acontecimentos. Ambos poderiam estar vivos hoje, disse ele para si mesmo. Ao pensar isso, ele sentiu uma ponta de irritação. Dicte. Por que ela não tinha podido ir até o final da sua missão? Ele não havia feito nada que ela já não tivesse infligido a si mesma várias vezes nas suas experiências com a morte. Além disso, como médico, ele era mais qualificado que os amigos dela para praticar reanimações. Diante da entrada do estacionamento subterrâneo, uma placa proclamava: "Acesso reservado aos moradores do condomínio". Seria mais fácil se ele conseguisse entrar ali. Haveria menos pessoas para vê-lo empurrando a caixa grande. Um carro se posicionou diante da barreira. Esta se levantou para deixá-lo passar e depois de longos segundos voltou a abaixar. Ele calculou que haveria tempo de sobra para transpô-la da próxima vez que saísse um veículo. Bastaria se colocar na rua no sentido inverso. E uma vez que Hannah Lund estivesse no seu veículo, ele a conduziria para um lugar seguro. O lugar mais seguro de todo o reino da Dinamarca. O lugar onde ninguém apareceria. Onde todo o tempo necessário estaria à sua disposição.

Ele abriu a maleta de remédios e tirou de lá uma ampola e uma seringa. Perfurou com a agulha a tampa de borracha da ampola e aspirou o líquido. Quetamina. Um anestésico de cavalos. Usado em seres humanos durante a Guerra do Vietnã. Em soldados cujas pernas tinham sido arrancadas por uma explosão e precisavam que suas dores fossem rapidamente atenuadas. Em seguida ele expulsou da seringa algumas gotas, para garantir que não haveria ali uma bolha de ar. Para o caso de ele injetar numa veia e não num músculo. Então colocou a tampa na ponta da agulha e pôs a seringa no bolso da calça. Fechou a maleta. Um carro saiu do estacionamento subterrâneo. Ele pôs o veículo em movimento, dirigiu-se imediatamente para a rampa, acelerou e virou à esquerda. Assim que passou, a barreira voltou a baixar.

10

Estação de Dybbølsbro – 11h20

Niels havia seguido uma pista, a que lhe fora fornecida por Dicte. Tinha sido lá que ela voara pela última vez. Lá que ela encontrara a morte. Essa morte na qual havia depositado tantas esperanças. Lá, no alto daquele torreão.

Ele não lembrava de fato como chegara lá. Queria simplesmente encerrar o caso. Ver pela última vez o lugar do crime. Tentar compreender o que tinha podido incitá-la a se lançar no vazio. Depois de deixar a biblioteca, enquanto passava pelo cais, ele havia pensado em Dicte. No fato de que ela achava que se podia morrer e ressuscitar como num jogo de *video game*. Mas ele pensara sobretudo nas últimas palavras que a ouvira pronunciar. *Foi fantástico.* Fora isso que ela dissera. E tudo no seu olhar indicava que ela era sincera.

Enquanto contemplava os trilhos, Niels refletiu sobre o que ela tinha querido dizer com "fantástico". O que poderia corresponder a isso? A paz. Se de uma coisa se tinha certeza, era de que uma vez morto se repousa em paz. Mas *vive-se* em paz? E de que serve estar em paz se não é possível aproveitá-la?

– Ei, cara! O que é que você está fazendo aí em cima?

Niels baixou os olhos para o cais. Quem se dirigia a ele seria um sujeito careca e de barbicha? Por que alguns homens tinham necessidade de se dar ares de durões? Provavelmente devia ser um arquiteto, um *designer* ou um professor de maternal. No entanto, seus braços estavam cobertos de tatuagens, como um guerreiro do passado. Talvez sob o seu aspecto lúgubre esses símbolos asiáticos fossem na realidade mensagens de amor ou de paz. O homem reiterou sua pergunta. Vários rostos se voltavam para Niels, lá embaixo, no cais. De olhos apertados, protegidos pelas mãos, erguiam o olhar para ele. Como se ele fosse o Sol.

Eu sou o Sol.

Emito meus raios para eles. Assim como Dicte, no palco, brilhava para o seu público. Niels distinguiu novamente os trilhos lá embaixo. Em que momento ele havia tirado os sapatos? O aço do torreão queimava a planta dos seus pés. Ele pensou no purgatório. Essa morada das almas onde Dicte provavelmente errava naquele momento.

– Vamos, desça! – disse uma voz entre a multidão que se reunira no cais. Niels balbuciou que era da polícia, mas duvidou que alguém o ouviria. Escutaram-se as sirenes gritar à distância. Elas o chamavam. Chegara o momento? Não havia mais nada que o retivesse aqui. Nem Kathrine nem Hannah, nem qualquer outra pessoa. Ele era infeliz. E não tardariam a esquecê-lo. Kathrine estava na África do Sul, no escritório, onde teria a notícia da sua morte. Ela olharia para o oceano Índico e choraria. E pensaria nele durante alguns dias. Depois iria fazer um safári, constataria que a morte é natural, faz parte da vida. E provavelmente se sentiria aliviada por não precisar se ocupar das questões de ordem prática, como o enterro, o caixão, a sepultura.

– Droga, o que é que você está fazendo?

– Desce daí, larga de ser besta!

Seus concidadãos exaltados gritavam em coro. Alguns já subiam pela escada. As sirenes o chamavam. Ele precisava pular. Mas antes queria só pensar uma última vez em Hannah: qual seria a sua reação? Ela estava habituada aos dramas. Ao luto. Ela se fecharia ainda mais em si mesma. Ficaria mal. E também pularia? Não, se ela não tinha dado um fim à vida depois do suicídio do filho, certamente não faria isso desta vez.

– Vamos, desça daí!

Niels ignorava a voz e os gritos. Contemplava o mar, que ele via entre dois prédios. Parecia um curso d'água. O Aqueronte. O rio que nossa alma precisa atravessar para chegar à morada dos mortos. O lugar aonde Dicte tinha tanta pressa de chegar. Niels estava cético quanto à possibilidade de encontrar um rio depois de ter saltado e de um mundo maravilhoso estar à sua espera na outra margem. Mas para ele isso não tinha importância. Ele não aspirava a nada além de paz. A paz eterna. Ele se aproximou da beirada.

– Eu pulo com você – murmurou ele.

– Aqui é a Polícia de Copenhague! – gritou um alto-falante atrás dele.

Niels deu um passo para trás e baixou os olhos para a rua. Distinguiu dois homens uniformizados que brandiam um megafone. Dois jovens policiais convictos de que para restabelecer a ordem e ser obedecidos bastava falarem suficientemente alto, ameaçarem e baterem.

– Fiquem onde vocês estão – respondeu Niels. – Se alguém se aproximar até dez metros eu pulo!

Um dos policiais protestou, mas Niels se antecipou a ele.

– Se você falar comigo mais uma vez, eu pulo. Não quero ser perturbado.

Ele sabia exatamente o que ia acontecer então. Eles iriam comunicar o fato à central de polícia. Leon e seus homens se apresentariam a bordo de veículos policiais e depois chamariam Niels Bentzon para ir em socorro do suicida. O negociador. E como não haveria resposta, eles telefonariam para um dos seus colegas. O negociador era sempre o último a chegar. Nesse meio-tempo Niels já teria saltado. Mas seria melhor se as coisas se arrastassem. Pelo menos isso deixaria tempo para o pessoal das ambulâncias e da limpeza se preparar. Ele esperava que seu corpo fosse imediatamente coberto por um lençol. Não queria que tirassem fotos. Queria apenas desaparecer, partir deste mundo de uma vez por todas. Sem deixar atrás de si o menor vestígio.

– E mandem evacuar o cais – gritou ele para os dois policiais. – Afastem essas pessoas. Senão eu pulo.

Os jovens obedeceram imediatamente.

Niels olhou para os seus pés. Depois para a multidão, até encontrar um ponto fixo: uma janela. Essa seria a última coisa que ele veria. Uma janela para o mundo. A esperança. Niels fechou os olhos.

11

Bairro de Islands Brygge – 11h40

Hannah consultou o relógio. Precisava estar no hospital dentro de vinte minutos. Por que o seu táxi ainda não havia chegado? Ela resolveu que o melhor era descer e esperar na rua. Isso. Esperaria na frente da entrada do prédio. Ela foi se olhar no espelho. Não deveria ter feito isso. É esse o aspecto de uma pessoa que vai cometer um duplo assassinato, pensou ela com tristeza. Um duplo assassinato brutal e impiedoso. Mas, independentemente do que fizesse, ela seria uma criminosa. O celular tocou. Certamente era o táxi. Eles tinham o número dela? Claro.

– Alô, aqui é a Hannah.

12

Bairro de Islands Brygge – 11h41

Ele saiu do veículo e através das vidraças com película lançou um último olhar para a caixa de papelão. Voltaria mais tarde para pegá-la. Duas mulheres com malas saíram do elevador do estacionamento. Ele preferia evitar que elas o vissem, por isso subiu a rampa e contornou a barreira.

Foi esperar diante da porta de entrada do prédio. Apalpou o bolso para se certificar de que a seringa continuava ali. Ele precisava de qualquer jeito atrair Hannah para o banheiro; nos apartamentos modernos, esse era em geral o cômodo onde o barulho ficava mais isolado. Enquanto avaliava as coisas, um táxi parou bem diante do prédio. Ele pediria para usar o banheiro. Talvez fingisse ter caído e batido no ladrilho. Então ela se precipitaria para ver, ele fecharia a porta e...

– O senhor quer entrar?

Uma mulher acompanhada de dois cachorros mantinha a porta aberta para ele.

– Obrigado.

Ele se pôs rapidamente ao seu lado. Ela sorria. Ele inspirava confiança, sabia disso. Sobretudo nas mulheres. Era sedutor. De aparência agradável. Calmo. As sirenes estavam cada vez mais próximas. A mulher foi pegar a correspondência no escaninho. Os cachorrinhos saltavam nas suas pernas enquanto ela separava as publicidades e as cartas. Ele resolveu usar a escada. Subiu correndo os degraus e parou diante da porta de Hannah. Agora as sirenes estavam muito próximas. Eles o teriam encontrado? Impossível. Concentre-se agora, disse ele para si mesmo enquanto lia os dois nomes na placa da porta. "Hannah Lund. Niels Bentzon."

Niels Bentzon não estava ali. Assim seria fácil. Ele se apresentaria, explicaria que tinha tentado em vão combinar com ela por telefone, falaria das suas pesquisas sobre o sono e perguntaria se ela autorizaria a sua entrada. No entanto, a porta se abriu bruscamente antes mesmo que ele tivesse tempo de tocar a campainha, e Hannah Lund saiu apressada, trancou a porta, desceu precipitadamente a escada, tropeçou mas se agarrou no corrimão. Ele se precipitou até a janela perto da escada. Cadáveres de moscas se acumulavam na borda. Então ele a viu sair correndo e desaparecer num veículo da polícia, que partiu cantando pneus. Ela o teria visto? Não. Aquilo não tinha nenhuma relação com o seu plano. Ele consultou o relógio. Quinze para meio-dia. À tarde ele faria outra tentativa. Enquanto esperava, pensaria em outra estratégia. Aquele lugar não convinha. Era arriscado demais.

13

Estação de Dybbølsbro – 11h45

Niels contemplou mais uma vez a multidão. Aquele monte de patetas que esperavam ansiosos a sua morte iminente. O que eles poderiam estar pensando? Tomara que ele não pule? Tomara que ele pule, porque isso seria um tempero na minha vida enfadonha?

Não importa. Não era o momento de pensar nisso. Aliás, ele não ia pensar em nada. Nunca mais. Eis no que consiste a morte: não ter mais de pensar.

– Bentzon? Droga, o que é que você está fazendo?

Niels se virou. Leon estava no penúltimo degrau da escada pela qual ele próprio havia subido alguns dias antes, quando Dicte se preparava para saltar, e o olhava embasbacado.

– Você está apavorando os turistas. Não está ouvindo os gritos?

– Me deixe em paz, Leon – murmurou Niels, mas baixo demais e sem muita convicção.

Ele se sentia satisfeito com a presença do colega. Leon poderia cuidar de que seu corpo fosse evacuado rapidamente. Mesmo sem aprovar o método, era preciso que fosse ali; era preciso que ele pulasse do mesmo lugar que Dicte.

– Nós recebemos chamados. As pessoas nos dizem que um maluco está querendo pular da ponte. Então Leon dá uma olhada nas câmeras de segurança, e o que é que ele vê? Bentzon, o bom e velho Bentzon. Então Leon diz: ele não vai pular, claro que não. Hein, Bentzon? – repetiu Leon.

Niels não respondeu.

Leon deu um passo na sua direção.

– Fique onde está.

– Pare com essa bobagem, Niels. Desça agora.

– Eu já vou. Me deixe sozinho aqui só por dez minutos. Depois disso eu vou descer.

Quando cruzou o olhar com o de Leon, ele constatou que a surpresa tinha cedido lugar à inquietude: Niels representava um risco para a segurança.

– Droga, Niels. Você quer mesmo que eu chame o Damsbo? – perguntou Leon esboçando um sorriso. – Você é o primeiro a dizer que esse cara não tem nenhum talento. Que ele poderia empurrar para o suicídio o mais feliz dos homens. Eu não posso fazer isso de jeito nenhum!

Leon pôs o pé na plataforma. Niels deu um passo para trás.

– Não. Se é para chamar alguém, tem de ser Bentzon. Ele é o único negociador de verdade que eu conheço. O único em quem eu confio de fato – declarou Leon, comunicando-se por gestos de mão com seus homens, que tinham ficado na ponte e no cais.

Niels conhecia a rotina. O tráfego ferroviário tinha sido suspenso. Os bombeiros e a ambulância estavam a caminho, mas Leon os tinha orientado para não ligar as sirenes e os sinais luminosos giratórios. Tudo o que podia se associar à ideia de morte e de tragédia estava banido. Tentava-se avisar as pessoas próximas, contatavam-se os serviços psiquiátricos para que verificassem se a pessoa em questão tinha antecedentes. Então as informações eventualmente obtidas eram comunicadas a Leon, por intermédio do seu fone de ouvido. Ele não reagia. Mesmo quando era informado de que estava diante de um psicopata assassino em série, ele permanecia impassível.

– O que é que eles estão dizendo, Leon?

– De quem é que você está falando, Bentzon?

– Os colegas. No fone. Sobre mim.

Leon deu outro passo à frente. Discretamente. Mas com Niels isso de nada adiantava. Ele não tinha nascido ontem.

– Afaste-se, Leon.

– Tudo bem. Tudo bem, Niels. O que é que está acontecendo? Olhe para mim. Você é o meu melhor negociador.

– Eu prometi a Dicte que pularia com ela – disse Niels baixando os olhos para os trilhos e passeando o olhar pelas duas vias paralelas, que se afastavam em direção ao infinito.

No espaço de um segundo, o silêncio foi tamanho que Niels percebeu o som da voz que falava no fone de Leon.

– O que é que eles estão dizendo, Leon?

– Uma porção de coisas. Dizem que todo mundo tem suas preocupações, Niels. – Leon lhe dirigiu um olhar penetrante. Ele hesitou, mas acabou por dizer: – E também que você é um solista. Como Dicte. E que um solista sempre acha que não precisa dos outros. Que pode salvar o mundo sozinho, quando isso é impossível. Todos fazem promessas que não podem cumprir.

– Eu não. Não nestas circunstâncias. Não devemos nunca dizer alguma coisa que não pensamos. Já expliquei isso para você, não se lembra?

– Mas o que eu digo neste momento é o que eu penso, Niels. Venha para cá.

Niels ficou mudo enquanto Leon lhe estendia a mão. Ele o achava tão idiota assim? Leon era mais forte e rápido. Assim que pudesse, se jogaria sobre ele, se afastaria da beirada da plataforma e lhe poria as algemas.

– Não tenho talento para essas coisas – reconheceu Leon como se estivesse lendo o pensamento de Niels. – Ao contrário de você. Agora vou falar francamente. Dicte pulou. É verdade. Você poderia ter mudado alguma coisa? Talvez. Se você estivesse mais inspirado naquela noite, ela estaria dando saltos no palco do Teatro Real neste exato momento? Talvez sim. Talvez não. A escolha das nossas palavras é crucial neste tipo de situação. Você provou isso ao longo da sua carreira. É você, Niels, que sabe encontrar as palavras certas. Não eu.

Leon deu uma olhada sobre o ombro. Um veículo havia chegado enquanto ele falava.

Agora, pensou Niels. Preciso pular agora, antes que eles tirem um coelho do chapéu.

– Niels?

Quando ouviu aquela voz ofegante, seu coração deu um salto no peito. Ele se voltou. Hannah estava na escada.

– Temos uma visita, meu amigo – comentou Leon.

– Patife – resmungou Niels.

– O que é que você esperava? Não estou à altura do meu melhor negociador. Aquele que eu chamo para ajudar toda vez que estou num apuro. Então sou obrigado a empregar outros métodos.

Hannah permaneceu na escada. Como lhe fora recomendado. Era preciso sobretudo evitar apressá-lo. Avançar passo a passo, no sentido literal da expressão. Numa negociação Niels nunca se valeria de pessoas próximas. Corre-se o risco de que elas sejam infelizes na escolha do que dizer, e a sua simples presença pode fazer lembrar à pessoa que se tenta salvar as razões pelas quais ela resolveu se suicidar.

– Niels. – Hannah não desviava o olhar, sempre fixado nele. Estava chorando. – É tudo culpa minha.

– Não...

Niels queria ter falado mais, no entanto era incapaz disso com Leon por ali. Este ergueu as mãos como se tivesse lido os seus pensamentos.

– Tudo bem, vou me afastar.

– Você não poderia descer?

– Impossível, meu velho, me desculpe. Você sabe muito bem – respondeu Leon, recuando para o ângulo oposto da plataforma.

– Tem uma coisa que eu não lhe contei, Niels.

Hannah havia subido mais um degrau. Não tardaria a chegar ao alto. Então seria tarde demais.

– Fale de onde você está.

A rudeza de Niels a chocou. Como se ele a tivesse esbofeteado. Lágrimas começaram a lhe escorrer pelas faces e pela boca. Mas isso não o tornou nem caloroso nem frio. As lágrimas tinham chegado tarde demais. Desde o casamento, ela o havia repelido constantemente. Virara-lhe as costas. Desprezara-o. Mas isso pouco importava. De qualquer maneira, não era por essa razão que ele estava ali.

– Niels...

Ela chorava. Ele pensou em Dicte. E em Joachim. No que eles tinham visto no além. Na margem do Aqueronte. Alguém se daria ao trabalho de pôr uma moeda na sua boca? Rantzau, talvez. Seria bom falar disso com Leon?

– Niels. Escute.

Sua voz quase murmurava. A voz que já dissera tudo o que havia para dizer. Que dissera "sim" sem pensar. Se ela se tornara inaudível, isso tinha sido merecido.

– A razão pela qual eu não...

Ele abaixou os olhos para o cais. As pessoas continuavam ali. Aproveitavam o espetáculo. Policiais estavam fazendo-as recuar. Um deles confiscou uma câmera. Dois dias depois que as imagens do suicídio de Dicte tinham sido difundidas pela mídia, a polícia de Copenhague resolvera que não mais se deixaria cair em armadilhas.

– Estou grávida, Niels. Você está me ouvindo?

Niels olhou para Hannah. Sabia que ela estava mentindo. Ele não podia ter filhos. A menos que tivesse dormido com outro.

– Estou grávida de você, Niels.

– Você está mentindo.

– Não. Eu não sabia que... – De repente ela explodiu em soluços, e sua voz falhou sob a pressão. – Eu... eu tinha... medo.

O que Hannah estava querendo dizer? Ela acabou se recompondo e respirou fundo.

– Você está me ouvindo? Eu tinha medo. Achava que isso só dizia respeito a mim.

Niels a observou com um ar perplexo. Hannah se convencera. Estava verdadeiramente convencida de que devia levar a termo a gravidez.

– Até que finalmente eu tomei consciência...

Ela voltou a cabeça para Leon.

– Quando Leon ligou...

Mais uma vez Hannah foi interrompida pelos soluços. Leon lhe dirigiu um olhar gélido. Ela limpou a garganta e recomeçou:

– Até que eu tomei consciência de que a questão não era apenas saber se eu queria essas crianças. Nem mesmo se elas tinham me escolhido. Mas que eu devia igualmente pensar na possibilidade de que elas tinham escolhido você. Você, Niels.

Ele continuava examinando-a. O silêncio era total quando ele respondeu:

– Eu não posso ter filhos, Hannah.

– Sim, você pode. Pode até ter dois. Se quiser.

14

Central de polícia de Copenhague – 13 horas

Desta vez a reunião não ocorreu na chefatura. Sommersted se deslocou até a central de polícia. Niels o viu descer do carro e correr para a entrada do prédio. Iriam lhe dar uma licença? Isso não tinha a menor importância. Hannah estava sentada no sofá. Seu aspecto era o de uma pessoa feliz. Ela se sentia aliviada. Leon, em compensação, parecia cansado. Sommersted ficou parado por algum tempo na entrada da sala, e então transpôs a porta e a fechou.

– O que é que está acontecendo? – indagou o chefe.

Leon olhou para Niels. Niels olhou para Hannah. Ela sorriu.

– Alguém poderia me explicar?

– Bentzon estava cansado de tudo – respondeu Leon depois de alguma hesitação.

Sommersted olhou para ele com um ar atrapalhado.

– Foi por minha causa – interveio Hannah.

– Não. Fui eu...

Sommersted cortou-lhe a palavra:

– Por que não começamos do começo, Niels?

Niels limpou a garganta.

– Eu já não aguentava mais – anunciou ele simplesmente.

Seguiu-se um silêncio pesado.

– A sua explicação é essa? – perguntou Sommersted. – Você já não aguentava mais. Me chamam para informar que acabou de acontecer uma tentativa de suicídio na via pública. Em seguida fico sabendo que o maluco não é ninguém menos que o meu melhor negociador. Isso me faz sair no meio de uma reunião com o ministro da Justiça, e o que você tem a me dizer é isso? Você não aguentava mais.

Niels sorriu e olhou para Leon. Eles pensaram a mesma coisa: Sommersted estava sempre deixando no meio uma reunião com o ministro da Justiça quando havia uma situação desse tipo.

— Posso conversar com Sommersted a sós?

Leon deu de ombros. Hannah se levantou a contragosto. Depois que eles saíram, Niels fechou novamente a porta e esperou para ter certeza de que ninguém os ouviria.

— Sommersted. Esse caso não é como os outros. É um caso desanimador. Você sabe ao que estou me referindo, não sabe?

Seu superior o encarou por um longo tempo e limpou a garganta, mas não respondeu.

— Por que você o entregou a mim?

— Porque eu tenho confiança em você. Era um caso delicado. Os jornalistas estavam impacientes.

— Você esperava que eu o protegesse?

Sommersted inspirou ruidosamente.

— O seu nome está no livro dourado dos Van Hauen.

Imediatamente o sub-chefe se endireitou e tirou o paletó.

— Sei o que aconteceu naquele dia — Niels apressou-se a acrescentar. — Estou a par de tudo.

— Você está a par do quê, Bentzon?

— Sei que o pai de Dicte bateu nela com tanta violência que ela teve uma parada cardíaca. E que em seguida conseguiram reanimá-la. Sei que ele foi culpado de brutalidades pelas quais nunca foi importunado.

— É uma história antiga...

— E sei que você o ajudou.

— Perfeitamente. Eu o ajudei!

— A abafar o caso.

Sommersted balançou a cabeça. Ele tinha desistido de se evadir.

— Eu o ajudei. Ajudei Hans Henrik van Hauen. Nós nos conhecemos desde criança. Foi um acidente. Um lamentável acidente. Qualquer tribunal teria chegado à mesma conclusão.

— E desde quando nós substituímos os tribunais?

Sommersted se aproximou da janela e olhou para fora. Para os pombos. Ou para nada, absolutamente. Niels estaria de acordo com ele? Sim. Não há no mundo um único policial que não tenha um dia sido tentado a se considerar juiz.

– Essa família... – Sommersted se calou. Balançou a cabeça e retomou: – Essa família, que eu conheço desde sempre, não teria tido direito a ser julgada com justiça. Deixe de se fazer de ingênuo. Hans Henrik não é assim.

– O problema é que Dicte...

Sommersted se inflamou bruscamente:

– O problema é que a lei é malfeita. Ela se concilia com a maioria dos delinquentes. Mas com Hans Henrik van Hauen? Imaginemos o que teria ocorrido se ele tivesse sido processado. Ele tinha bebido. Brigou com a filha. Existe alguém que nunca tenha passado por isso? Ele a estapeou. Tudo bem, foi um pouco mais que um tapa, mas enfim... E quero que você se lembre de que naquela época o direito de aplicar corretivos físicos ainda não tinha sido abolido. Ela caiu desastrosamente. Bateu a cabeça, um dos pulmões entrou em colapso. Ela teve uma parada cardíaca. Foi reanimada. O que o tribunal teria dito?

– Não sabemos nada, porque a versão de Dicte não foi ouvida.

– Mas eu sei. O tribunal teria aplicado a lei! – Sommersted não pôde conter a cólera por mais tempo. – Hans Henrik teria recebido uma pena de prisão, provavelmente com condicional, e o juiz exigiria que uma assistente social os visitasse regularmente.

– Então quem se encarregou de visitá-los foi você.

– O mundo não é todo preto nem todo branco, Niels. Há muitas nuances. E essa família também teria sido julgada pela imprensa...

Niels cortou a sua frase:

– Então nós temos uma lei para os cidadãos comuns e outra para aqueles por quem os tabloides se interessam?

– É isso mesmo, Bentzon. Exatamente isso. E posso lhe garantir que a segunda é bem mais severa que a primeira.

Sommersted suspirou. Sentou-se na beirada da mesa. Baixou o olhar.

– Não nos esqueçamos de que a primeira vítima nessa história foi a Dicte – Niels acabou por lembrar.

– Sim.

– Que ela nunca foi ouvida. Que... Que se considerava que nada havia acontecido. Ela certamente se ressentiu disso. Como se o fato nunca tivesse ocorrido.

Sommersted concordou. Ele havia chegado à mesma conclusão que Niels. Só naquele momento, talvez. Ou talvez há muito tempo.

– Foi por isso que ela pulou? – indagou ele.

– Não. Mas isso tinha relação com a experiência de morte iminente que ela viveu.

Sommersted olhou Niels com um ar surpreso.

– Você está falando da parada cardíaca?

– Estou. Durante aqueles dez minutos ela teve uma experiência que dali em diante não deixou nunca mais de atormentá-la.

Niels fez uma pausa. O caso estava encerrado. Agora ele queria apenas voltar para casa.

– E você, o que é que o atormenta, Bentzon? – Sommersted tinha agora uma voz espantosamente calorosa, compassiva. Mas logo a sua natureza acabou por prevalecer. – Responda, droga! O que levou você a subir no alto de uma ponte e ameaçar se jogar de lá?

Niels pensou. A pergunta era pertinente. Ele viu Leon, que esperava do outro lado da porta de vidro e teria esperado ali por uma semana inteira sem se queixar, se Sommersted assim tivesse ordenado. E quanto a ele próprio, o que ele esperava? Por que simplesmente não ia embora? Não havia nada para fazer ali.

– Eu vou ser pai – disse ele, levantando-se.

Sommersted balançou a cabeça. Aliviado, constatou Niels. Pois agora tinha uma boa razão para cumprimentá-lo.

– Parabéns, Bentzon. Estou surpreso, preciso confessar. Acho que seria uma boa ideia você tirar adiantadamente a sua licença-paternidade. Hoje em dia muitos homens fazem isso.

– Minha licença?

– Você não acha que seria preferível? Descansar um pouco, o tempo suficiente para se refazer.

Niels aquiesceu.

– Provavelmente você tem razão – admitiu ele. – Então vou fazer isso. A partir de agora? Com salário integral.

Sommersted deu uma gargalhada.

– Salário integral?

– Vamos considerar isso como uma missão de vigilância – brincou Niels.

– De vigilância? Quem é que você vai vigiar, Bentzon?

– Ela.

Niels fez um movimento de cabeça na direção da porta. Hannah estava atrás de Leon, mergulhada na leitura da revista informativa da polícia. *Dansk Politi*. Eles a observaram durante alguns segundos. Depois Sommersted rompeu o silêncio.

– Tudo bem, nesse caso estou de acordo.

15

Bairro de Islands Brygge – 19h15

O mar do Norte.

Foi no que ele pensou quando eles fizeram amor na cama. No mar do Norte, na primeira viagem que eles haviam feito juntos e durante a qual começara uma aproximação maior entre os dois.

Ela acendeu dois cigarros e passou um deles para Niels.

– Vou precisar parar de fumar.

– Você vai precisar? Precisamos os dois, você quer dizer?

Ela o olhou através da fumaça e sorriu.

– Você acha que será solidário?

– Disse isso porque agora temos interesse em viver muito, o maior tempo possível, se quisermos aproveitar nossos netos.

– Você já está pensando nos netos?

– E por que não?

Ela tomou a mão de Niels. Como no dia do casamento deles. Niels se sentiu invadido por uma onda de emoção. As lágrimas umedeceram seus olhos.

Ele observava com insistência o sol, embora ela quisesse forçá-lo a olhá-la bem nos olhos.

– Querido. Você não deve chorar – murmurou ela, mas depois mudou de ideia. – Que seja, chore. Claro que você pode chorar, se isso lhe faz bem.

Ele explodiu em soluços.

– Vamos, Niels. Olhe para mim – disse ela.

– Por quê? Por que os outros sempre querem que a gente olhe para eles quando estamos chorando? – Ela se ajoelhou para tentar captar o olhar dele.

– Meu querido.

Niels respirou fundo e de sua boca escapou uma frase:

– Achei que tinha perdido você.

Então ele começou a chorar mais copiosamente.

– Desculpe. Eu me comportei de um modo horrível – disse Hannah, beijando-lhe a face.

De repente, quando ele menos esperava, ela lambeu suas faces. Primeiro a esquerda, depois a direita. E engoliu as lágrimas. Ele não pôde evitar sorrir.

– Você é doida.

– Disso eu já sei há muito tempo.

Ele balançou a cabeça.

– E eu, você sabe o que eu sou?

– Não.

– Um esfomeado. Estou com uma fome terrível.

16

Bairro de Islands Brygge – 20h10

Eles saíram para o terraço. Hannah Lund e o policial. Ele disse alguma coisa que a fez gargalhar. Depois ela o abraçou pela cintura. Adam Bergman consultou o relógio. Mais de oito da noite. Paciência. A espera ficava mais difícil à medida que o final ia se aproximando. Ele abriu a maleta e verificou mais uma vez que não havia esquecido nada. As seringas estavam prontas. Claro que estavam. Talvez ele apenas procurasse um pretexto para desviar os olhos daquele casal feliz.

– Tudo vai dar certo – ele se ouviu dizer.

Cedo ou tarde acabaria por surgir uma ocasião. Tinha de surgir. Naquela noite. E então ele passaria à ação. Sem a menor hesitação. Jovens estudantes estavam sentados no cais. O cheiro das pizzas que eles comiam chegava até ele. Um cheiro de alho e orégano. Em algum lugar ali perto um rádio estava ligado. Falava dos tumultos nos países árabes. Os especialistas analisavam a situação. Ele não tinha nenhuma vontade de ouvir aquela conversa, então resolveu passear pelo cais enquanto esperava. Contou até cem, o mais lentamente possível. De repente foi dominado por um imenso sentimento de tristeza. Um vazio incomensurável. Uma emoção tamanha que ele tinha dificuldade de respirar. Balançou a cabeça, pensou em tomar um estimulante e já ia examinar a maleta quando a porta do prédio se abriu. O policial. Enfim. Ele se dirigiu com um passo rápido para um veículo, entrou e partiu.

Agora.

Ele reviu seu plano pela centésima vez, no mínimo. Precisava antes de mais nada entrar no apartamento, depois atraí-la para o banheiro, trancar a porta, fazê-la dormir, voltar para pegar a caixa de papelão no furgão, subir de novo até o apartamento, tirá-la de lá, descer com ela para o estacionamento, despejá-la no veículo e ir embora. O mais rapidamente possível.

17

Bairro de Islands Brygge – 20h30

Rolinhos primavera na primavera. Niels sorriu ao pensar isso. Fazia muito tempo que ele não gracejava, que seu humor não era tão jovial.

– O senhor vai comer aqui ou vai levar?

Niels olhou longamente para a atendente vietnamita antes de responder:

– Você quer saber se eu tenho intenção de comer sozinho duas porções de *curry*, cinco rolinhos primavera e cinco camarões empanados?

– Para viagem – concluiu a caixa, contrariada por não poder acrescentar quinze por cento na nota.

Niels se instalou numa das mesas e começou a folhear um jornal gratuito, mas não conseguiu se concentrar. Ele ia ser pai. Pai. Não, ainda era muito cedo para se regozijar. Hannah estava no comecinho da gravidez. Em todo caso, ele iria cuidar dela. Cozinhar. Proibi-la de erguer o que quer que fosse. Toda manhã a levaria da cama para a mesa do terraço...

Seu telefone começou a tocar.

– Bentzon.

– Rantzau.

Ao reconhecer a voz do médico-legista, ele teve a impressão de que vinham interrompê-lo bem no meio de um filme bom.

– O que é que eu posso fazer por você?

– Bentzon. Temos outro caso.

– Outro caso?

– Idêntico. Afogado. Reanimado.

– Foi pescado em algum lugar no porto?

– No porto? Mas do que é que você está falando? Foi a namorada dele que o descobriu. No apartamento dele. Morto. Estava estendido no chão. Então nos levaram lá. A primeira coisa que constatamos foi que ele tinha marcas no peito.

– De desfibrilador?

– E também de picadas. Ele estava cheio de adrenalina. Tentaram reanimá-lo. Provavelmente ele foi dominado com a injeção de algum anestésico. As análises químicas confirmaram isso. Acho que é quetamina. Via intramuscular.

Niels hesitou. Deu uma olhada na cozinha. O cozinheiro acabara de pôr na panela a carne picadinha. Um perfume de coentro fresco espalhou-se no ar. Um perfume de vida.

– Você está aí?

– Na verdade já não estou trabalhando nesse caso. Estou de férias.

– Entendi. Ótimo. Nesse caso, me desculpe o incômodo. E boas férias.

Dito isso, Rantzau desligou. Niels ficou com o telefone na mão. Tentava se convencer de que o caso estava em boas mãos. E então mergulhou novamente na leitura do jornal. Seus olhos deslizaram novamente pelas palavras sem as registrar. Outro caso. Afogado. Desfibrilador.

18

Bairro de Islands Brygge – 20h40

Ela queria furiosamente beber água. Dar uma volta na praia, mergulhar no porto ou ir pescar no mar para não ouvir nada além do barulho das ondas. Aqua e Luna. Não. Esses nomes não são para crianças. Hannah olhou o céu. Ainda estava claro. Apesar de algumas nuvens, os meteorologistas haviam prometido que o eclipse lunar seria visível. Ela iria com Niels ao alto da Torre Redonda. Ao observatório. Desde o seu primeiro ano no Instituto Niels Bohr ela dispunha de uma chave. Na época havia imaginado que sempre subiria lá com seus colegas. Que lhes mostraria os planetas. Saturno. O mais majestoso de todos, com seus anéis parecidos com alianças de noivos. As pessoas geralmente ficam dominadas pela sua beleza quando o veem pela primeira vez através de um telescópio. Mas logo ela havia conhecido Gustav. E Gustav detestava subir no alto da Torre Redonda.

Mas naquela noite, com Niels, seria diferente. Ela se sentia muito ansiosa por estar lá.

Hannah contemplou o porto, com seus rebocadores que avançavam lentamente, o barco-ônibus, os meninos que se divertiam vendo os círculos da água ao redor das pedras que atiravam. Meninos. Ou meninas. O certo era que ela esperava duas crianças. Baixando os olhos para o ventre, ela confirmou: estava grávida. Ou seria todo o conteúdo devorado nos últimos tempos? Ela ouviu baterem à porta e achou inicialmente que o som vinha dos vizinhos. Depois pensou que talvez Niels tivesse esquecido as chaves. Ou que ele trazia tantas coisas para comer que tinha os braços carregados demais para abrir a porta.

19

Bairro de Islands Brygge – 20h50

Coentro. E leite de coco. Ele havia posto as elegantes caixinhas brancas sobre o painel do carro, delicadamente, temendo derramar o molho.

– Vamos – disse Niels.

Parou num semáforo vermelho. Homens que lhe pareceram ingleses atravessavam diante dele, sem nenhuma pressa. Com o dorso nu. Barriga proeminente e ombros bronzeados.

– Que confusão!

Ele tinha razão desde o início. Não se tratava de um simples suicídio. O que quer que Dicte tivesse experimentado naquela noite, sua morte na ponte era tudo menos voluntária. Ela não tinha saltado por vontade própria. Não, ela fora levada a fazer aquilo. Mas quem Dicte temia? De qualquer forma, não seria Joachim. Ele não podia ter matado essa segunda vítima.

Quando o semáforo passou para o verde, Niels não reagiu. O motorista atrás dele começou a lhe fazer sinais, ao que Niels respondeu a si próprio, em voz alta.

– Não se incomode, Niels. Você está de férias.

20

Bairro de Islands Brygge – 20h52

Adam Bergman estava mais nervoso que normalmente, o que na sua voz se traduzia por uma leve vibração; ele esperava ser o único a perceber isso. De qualquer forma, não tinha percebido nenhuma suspeita no olhar de Hannah Lund, apenas decepção, no momento em que ela abriu a porta. Ela o avaliou.

– Meu marido?

– Sim, ele passou na minha clínica uma vez, por causa de uma investigação.

– Por quê?

– Um caso pouco comum. Uma clínica como a minha vê passar muitos pacientes, ou visitantes, como preferimos chamá-los, e seus dossiês médicos constituem uma fonte de informações nada negligenciável para a polícia.

– Tudo bem. Então o senhor é médico e especialista em problemas de sono?

– Pesquisador, melhor dizendo. – Ele sorriu. – Mas talvez a hora seja imprópria? – Antes que ela tivesse tempo de responder, ele prosseguiu. – Niels me explicou que a senhora tem problemas de insônia e me pediu para contatá-la. Eu prometi fazer isso assim que tivesse tempo. Mas isso não aconteceu nestes últimos dias, e eu não pude ligar, e... Agora eu estava passando por este bairro e me lembrei do seu endereço, porque meu irmão morou no prédio ao lado.

– Verdade?

Ela estava diante dele e o observava. Não parecia ter intenção de convidá-lo a entrar. Ela não seria uma pessoa fácil de manobrar, ele estava percebendo isso agora. Havia no seu olhar algo de distante, de antissocial, que podia passar por hostilidade. Ela simplesmente não sabia como se comportar com os outros, isso era evidente; aliás, essa era uma característica de muitos dos seus pacientes. Ele resolveu aproveitar a sua experiência.

– Poderíamos falar disso numa outra oportunidade.

– Sim.

– Mas a senhora poderia me oferecer um copo de água, por favor? – pediu ele sorrindo.

Ela deu um passo para o lado; mecanicamente, como um robô. Sua reação foi exatamente a que ele havia previsto. Ela era tão destituída de sentido social que há muito tempo tinha desistido de compreender as regras do jogo, e estava consciente disso. Ele quase poderia ter lhe perguntado se ela o autorizaria a anestesiá-la e levá-la no seu veículo. Não, melhor ainda, ele teria podido lhe pedir para descer com ele até o furgão, depois se deitar na caixa de papelão e deixá-lo injetar a quetamina no seu ombro antes de levá-la para um lugar secreto e matá-la. Teria bastado fingir que aquilo era algo perfeitamente normal. Que as pessoas frequentemente faziam isso.

– Claro – disse ela voltando para a sala. – Entre.

– Obrigado.

Na mesa da sala de jantar havia uma garrafa de champanhe. Uma das taças mal tinha sido tocada. A outra estava vazia.

– Nós vamos comemorar um feliz acontecimento – explicou ela.

Só então ele observou nela outra coisa: a leveza dos seus movimentos, o modo quase infantil de se mover. Parecia uma garotinha de quatro anos que festejava o seu aniversário.

O que eles poderiam festejar? Ele quis perguntar, mas mudou de ideia. Não havia tempo a perder com bobagens. O policial poderia voltar a qualquer momento. Era preciso agir rapidamente. Ela desapareceu na cozinha e abriu a torneira, deixando a água correr.

– Mas, para ser franca, acho que os meus problemas de insônia vão se resolver sozinhos – disse ela.

– Acredite em mim, não há ninguém que não possamos ajudar.

Ele se dirigiu para o banheiro. Tentou captar o olhar dela, assumir o controle. Mas isso era difícil. Os olhos dela estavam constantemente em movimento. Ele conhecia esse olhar, já o havia encontrado durante sessões com pessoas cuja extraordinária inteligência se traduzia por uma eterna busca de...

– A senhora toma soníferos?

Ele estava diante da porta do banheiro, com a maleta na mão.

– Raramente... eu sempre tenho a impressão de que é o meu cérebro que se recusa a dormir.

– Posso usar o seu banheiro? Para lavar as mãos. Derrubei refrigerante agora há pouco, e elas estão um pouco pegajosas.

Ele sorriu. Onde é que tinha ido buscar essa ideia, ele, que não bebia uma gota de refrigerante havia pelo menos dez anos?

– Claro.

Ele abriu a porta. Fora algumas manchas no espelho, o banheiro estava limpo e bem-arrumado. Ele pôs a maleta no chão, abriu-a e escondeu a seringa atrás da saboneteira, na beirada da pia. Então sentou-se no chão. Bem perto da porta, de modo a poder empurrá-la com o pé. Depois de ter verificado que a chave estava na fechadura, ele emitiu um gemido de dor.

– O que é que está acontecendo? – gritou ela, correndo para o banheiro. – O senhor quer que eu o ajude a se levantar ou...

– Não, acho que está tudo bem – respondeu ele.

Dito isso ele fechou a porta com o pé.

21

Instituto Médico-Legal – 21h10

Niels foi encontrar Theodor Rantzau à escrivaninha, diante do computador.

– Theo?

O legista se voltou.

– Niels? Achei que você estava na França.

– Na França?

– Não foi isso que você me disse?

– Eu só disse que estava de férias.

– Ah, bom...

Rantzau notou a sacola que Niels tinha na mão. Talvez para o velho médico-legista férias fossem sinônimo de estada na França.

– Você trouxe o jantar?

Niels colocou a comida vietnamita na mesa metálica.

– Sabe-se a hora da morte?

– Só sabemos que não faz muito tempo.

– Afogamento.

– O mesmo método adotado com Dicte van Hauen.

– E quem é a vítima?

– Peter Viktor Jensen, vinte e sete anos – respondeu o médico-legista, oferecendo a Niels uma cópia do laudo. – Encontramos nos seios nasais a mesma solução salgada que havia nos de Dicte.

– Mesmo autor – constatou Niels.

– Não fui eu quem disse.

– Ele foi vítima de algum acidente?

– Na verdade sim. Não sei se no documento que acabei de lhe entregar há menção a isso, mas, segundo entendi, ele caiu de uma árvore quando era adolescente e teve uma...

– Uma parada cardíaca?

– Isso. Foi reanimado.

– Quem descobriu isso?

– Na época?

– Não, agora.

Rantzau fez um movimento de cabeça na direção da folha que Niels tinha na mão. Ele a leu e encontrou a resposta:

– Lise Bundgaard. A namorada de Peter. Assistente de medicina social. Tinha ido visitar uma amiga que mora no bairro e só voltou ao apartamento no final da tarde. Então encontrou Peter morto no chão e chamou o resgate.

Silêncio. Um cheiro de especiarias exóticas se desprendia da sacola.

– E as roupas? O que é que ele vestia?

Os armários que continham as roupas das pessoas mortas ficavam no fundo do corredor. Eram armarinhos metálicos que lembravam os existentes nas piscinas. O número 17 estava na fileira inferior. Niels girou a chave e abriu-o. Suas mãos transpiravam nas luvas de borracha. Três estantes pequenas. Roupas embrulhadas a vácuo. Cada uma no seu saco. Calçados, meias, roupas de baixo, calça, camisa, paletó, bolsinha de moedas, outros objetos pessoais nos quais o assassino talvez tivesse deixado as suas impressões digitais ou genéticas. Cabelos, esperma, saliva. Tudo o que podia traí-lo. Niels se interessou em primeiro lugar pela bolsinha de moedas. Tirou-a da sacola. Ela não custaria mais de vinte coroas para quem quisesse comprá-la. Seu conteúdo se resumia a uma nota de cinquenta coroas toda amassada, duas moedas de cinco, a foto de uma jovem – provavelmente a namorada que descobrira o seu corpo –, um cartão do seguro social, o cartão de um videoclube, um cartão de banco que caiu no chão – Niels se inclinou para pegá-lo – e três cartões de visita. Dois no nome de sociedades de informática. Quanto ao terceiro... Sleep. Idêntico ao que ele tinha encontrado entre as coisas de Joachim. A clínica de sono. Nas costas estavam anotadas a data e a hora da sua próxima consulta. Então, Peter era paciente de Adam Bergman. Como Joachim e Dicte. Niels não estava totalmente surpreso. Ele tinha ficado intrigado com o olhar que o pesquisador lhe dirigira num dado momento, quando eles estavam na sua sala. Um homem calmo, que inspirava confiança, olhar simpático. Aqueles olhos o haviam convencido de que ele devia lhe pedir para entrar em contato com Hannah.

Niels foi arrancado dos seus pensamentos por um barulho estrondoso, e percebeu que seu punho acabara de afundar a porta do armário. Imediatamente ele tirou do bolso o celular e ligou para Hannah.

22

Bairro de Islands Brygge – 21h27

Ele se trocou no furgão. Tirou a camisa e o paletó, e vestiu uma calça social e uma camiseta preta. Empurrou a caixa de papelão para o elevador, subiu novamente e com a chave de Hannah abriu a porta do apartamento. Ela estava no chão do banheiro, como ele a havia deixado.

Adam Bergman examinou uma última vez os olhos de Hannah. Ela era leve, quase tanto quanto Dicte; era como carregar uma criança. Mas fazê-la entrar na caixa foi outra coisa bem diferente, e ela escapou das suas mãos quando estava a alguns centímetros do fundo. Bateu violentamente as costas no chão. Ele a cobriu com um cobertor preto, fechou a caixa e a arrastou para fora do apartamento. O elevador ficara à sua espera. Ele puxou a caixa para o interior e apertou o botão do subsolo. Quando estava no térreo, o elevador parou, e as portas se abriram para uma mulher de uns cinquenta anos, com enormes óculos escuros, que lhe dirigiu um sorriso amigável.

– Tem lugar para mim?

Ela entrou sem esperar a resposta, e eles desceram juntos para o estacionamento. Ela saiu primeiro. Quando ele começou a arrastar a caixa para o exterior, ela se voltou.

– Precisa de ajuda?

– Não, obrigado. Eu me viro.

Ele abandonou a caixa ao lado da porta do elevador e foi procurar o furgão para colocá-la dentro, pela porta traseira. Essa operação não foi nada simples, mas ele conseguiu. Quando já ia pegar a direção, mudou de ideia. Precisava retirar o cobertor; cuidar de que ela pudesse respirar, de que ela tivesse bem livres a boca e o nariz. Na outra extremidade do estacionamento a porta se abriu e voltou a se fechar, e surgiu um homem de terno. Ele falava em voz alta ao telefone e brigava com seu interlocutor.

– Pare de se queixar e mude de assunto – gritou ele. Suas palavras ressoaram no estacionamento subterrâneo. – Isso não é problema meu, merda!

Adam Bergman se debruçou sobre a caixa. As tiras de plástico nos punhos estavam bem firmes. Mais uma olhada nos olhos dela. Será que ela iria acordar logo? Isso era impossível, mas era exatamente o que parecia. Ele ficou ouvindo a sua respiração. Pensou durante um segundo. Depois colou um pedaço de fita adesiva na boca de Hannah, sabendo que isso aumentava consideravelmente a possibilidade de um asfixiamento. Mas não havia alternativa. Ele não podia correr o risco de que ela acordasse e começasse a gritar. Inclinando-se, viu que ela respirava corretamente pelo nariz. Perfeito, pensou ele. Então fechou a porta, voltou a subir no veículo e partiu levando Hannah Lund.

23

Bairro de Islands Brygge – 21h45

Vigésima primeira chamada e nenhuma resposta. Por que ela não atende?, perguntou-se Niels recusando-se a pensar na resposta.

– Ela nunca sai sem o celular! – Desta vez ele falou em voz alta. Como se quisesse romper a sua solidão. – Ela sempre leva o celular!

Ele sentia a cólera subir, misturando-se ao crescente sentimento de inquietude e angústia. Estava encolerizado consigo mesmo. Bergman. Por que ele não tinha percebido antes? Como ele pudera ser idiota a ponto de lhe servir Hannah numa bandeja? Por que não lhe dissera para passar lá e levá-la? Poderia ter sugerido: "Parece que o senhor adora assassinar pessoas que viveram experiências de morte iminente. Nesse campo minha mulher é quase uma lenda. Faça o favor de ligar para ela; nessa hora ela quase sempre está sozinha em casa".

Vigésima segunda chamada. Dessa vez Niels desistiu e acelerou o carro. Atravessou no vermelho sem se dar conta disso. Talvez ele nem estivesse dirigindo. Talvez tivesse pulado da ponte. Talvez isso tivesse valido mais a pena. Um motorista agressivo atrás dele o reconduziu à realidade.

Depois de ter estacionado na rua, ele se precipitou para fora do carro e voou até a entrada do prédio. Tudo estava como de costume, e por um instante essa constatação o tranquilizou. Havia luz na janela. Nada de particular no saguão, nada no vão da escada, tudo normal. Claro que não aconteceu nada, disse ele para si mesmo. Os vizinhos teriam ouvido barulho e pedido socorro. A porta do apartamento estava fechada a chave, como de costume. Ele começou a se sentir realmente aliviado. Se Bergman tivesse vindo, a porta estaria escancarada e...

Ele girou a chave na fechadura e abriu a porta.

Vinte e duas chamadas, lembrou-lhe uma voz na sua cabeça.

Parou na soleira da porta e apurou o ouvido.

Vinte e duas chamadas não atendidas.

Como se quisesse adiar o momento decisivo.

Por que ela não atendeu?

Então ele entrou. A sala de estar estava como de costume. Pelo espaço de um segundo ele até achou que a vira sentada no sofá com o olhar perdido no vazio. Esperando a sua volta, no lugar de costume, sob o abajur de pé. Com o braço pousado no braço do sofá.

Por que eu não a chamo?

Ele sabia qual era a resposta. Pois, se estivesse lá, ela lhe responderia. E no fundo ele já sabia. Sabia que ela não responderia, que ela não estava lá. Por isso não se surpreendeu quando abriu a porta do banheiro e o encontrou de pernas para o ar. Seus piores temores se confirmaram. Os sinais de luta eram evidentes. A cortina do boxe rasgada, manchas de sangue e o espelho quebrado em mil pedaços no chão.

Parte III

O LIVRO DA ETERNIDADE

Como gota d'água do mar e como grão de areia,
Assim estes breves anos, frente à eternidade.

Eclesiástico (ou Sirácida) 18:10

1

Na autoestrada – 21h50

Um tecido preto. Pálpebras pesadas. Ela abriu a boca. Tentou se mexer, mas suas pernas estavam paralisadas; seus braços, entorpecidos. Quis levantá-los, mas faltava-lhe força. Suas pernas e seus braços estavam atados com tiras. Estreitas, cortantes, dolorosas. A boca fora imobilizada com fita colante. Os olhos, vendados. A fita colante havia deslizado para uma das suas narinas, dificultando-lhe a respiração.

Um leve odor de óleo. Produtos químicos. Inflamáveis. E gasolina. Isso a fez concluir que estava num veículo. Num porta-malas? Ou numa caminhonete? Papelão. Ela pôde identificar esfregando-o com as unhas. Estava deitada num pedaço de papelão. Ondulado. Seus pés encostavam em alguma coisa. Um material macio. Sua cabeça também, quando ela tentou levantá-la. Uma caixa de papelão. Essa ideia a fez gelar de terror. Ela estava fechada numa caixa de papelão, no porta-malas de um carro ou na traseira de um furgão. Reduzida à condição de carga. A caminho de um destino desconhecido.

Talvez ela estivesse enganada. Ele injetara um produto nas suas veias. Um sedativo poderoso ou um veneno, um medicamento que a fizera perder a noção de tempo e espaço. Talvez ela simplesmente estivesse tendo uma alucinação. O veículo chacoalhava um pouco. O ruído do motor era quase inaudível. A menos que a sua audição também tivesse sido afetada. A única coisa que ela ouvia eram os próprios pensamentos, o seu medo. Suas perguntas: onde estou? Aonde me levam? O que me espera? Vou ser violentada? Torturada? E o que vai acontecer com as crianças que trago no ventre? Onde está Niels? Não, daquele jeito ela não chegaria a lugar algum. Uma pergunta de cada vez. Apenas uma. Onde estou? Onde? Ela devia confiar na sua audição e no seu olfato. Precisava usar os seus sentidos. Há quanto tempo estaria rodando? Impossível dizer, mas talvez algo entre quinze minutos e meia hora. Ela continuava em Sjælland, provavelmente. A menos que tivessem transposto a ponte que leva à Suécia. Essa possibilidade não era descartável. O túnel. Ela teria passado por um túnel? Porque antes de chegar à Ponte Øresund se atravessa um túnel longo. Dentro dele o som dos veículos era bem particular. A acústica era muito especial. Não, ela não tinha observado nada disso. Nem percebido nenhum grito de gaivota. Nenhum barulho de barcos ou de ondas. Embora sem poder afirmar, achava possível que estivesse ainda em alguma parte da ilha de Sjælland. O veículo desacelerou. Sentia isso no ventre. Então teve a impressão de fazer meia-volta. Talvez mais que uma meia-volta. Eles tinham acabado de passar por uma rotatória? Sim, sem dúvida. E pouco depois: outra rotatória, seguida de uma curva fechada e de uma longa pausa. Por que o veículo havia parado? Por causa de um semáforo vermelho? Não, o vermelho dos semáforos não dura tanto tempo. Uma parada num posto de serviços? Mas ela não tinha ouvido a porta bater. Não tinha ouvido ninguém sair do veículo. Uma passagem de nível? Ela apurou o ouvido e se concentrou tão intensamente que teve a impressão de que sua cabeça ia explodir. Percebeu um som fraco que podia corresponder a uma revoada de pássaros. O ronco monótono do motor. O assobio de... Um trem? Isso. Assim se explicava o fato de ninguém ter descido, e também o motor em funcionamento. Sim, era lógico: eles esperavam a passagem de um trem. E antes disso – talvez cinco minutos antes – tinham transitado por duas rotatórias com um intervalo de alguns instantes entre elas.

Houve um pequeno solavanco, e depois o veículo se pôs novamente em movimento. Hannah se esforçou para reconduzir seu corpo à vida. Mexendo os dedos das mãos e dos pés, reativando a circulação do sangue. Som de tiros? Ela já ouvira diversas vezes tiros de fuzil de caça durante seus muitos passeios na floresta. Depois da partida de Gustav ela se instalara na casa de campo, onde ficara muitos meses. Sozinha. Então fazia regularmente longos passeios na natureza. Caminhava sempre para a frente, sem fim preciso. Até o dia em que Niels tinha aparecido na sua vida. E durante esses passeios frequentemente ouvira os caçadores nos bosques. Mas haveria caça naquela época? Em pleno verão? Obviamente não. De repente ela ouviu outro som, penetrante, insistente. Uma sirene de polícia? Uma ambulância? Uma buzina insistente. Para que o motorista mudasse de faixa? O veículo ficou mais lento e parou.

2

Bairro de Islands Brygge – 21h58

Ele estava sufocando. Dentro de alguns segundos desmoronaria. Mortinho da silva. Com Hannah. E os gêmeos. Talvez tivesse chegado a sua hora. Talvez Hannah e ele tivessem mesmo que morrer prematuramente.

– Não! – gritou ele. – Não!

Deu um pontapé na porta. Pegou o celular. Recusava-se a entregar os pontos. Não era tarde demais. A Central nunca havia levado tanto tempo para responder.

– O que é que esses caras estão fazendo? – bradou ele enquanto saltava degraus na escada.

Com o celular sempre colado à orelha, bateu na porta do vizinho do andar de baixo. Este o atendeu exatamente quando alguém da delegacia se dignou enfim a responder.

– Central de polícia.

Niels se dirigiu ao vizinho:

– Um segundo!

Então falou com a Central. Disse o seu número e foi transferido para outro lugar. O vizinho lhe dirigiu um olhar impaciente.

– Há meia hora, talvez mais, o senhor notou alguém entrar ou sair?

– Não.

– Veículos? Da sua janela.

– Não...

– Pense bem. Um carro passando diante do prédio? Um homem saindo com um pacote. Um pacote volumoso. Uma caixa?

– Eu estava deitado no sofá...

A voz ao telefone o cortou.

– Oficial de plantão.

– Niels Bentzon falando. Preciso passar um aviso de busca. Em nome de Adam Bergman – disse Niels, precipitando-se novamente na escada. Ele desceu para bater no apartamento do térreo. Durante esse tempo ouviu o oficial de plantão digitar no teclado.

– O senhor tem o número da previdência social desse indivíduo?

– Não.

– Tem cinco pessoas com esse nome.

– Ele deve ter uns cinquenta e cinco anos.

– Nesse caso só tenho dois. Um na Jutlândia...

– É o outro.

– E do que é que ele é suspeito?

– Do sequestro de Hannah Lund. Ela também deve ser procurada – precisou Niels.

Depois comunicou o número da previdência social da sua mulher.

Ele ouviu os dedos do seu interlocutor digitando mecanicamente no teclado. Nada era capaz de comover um oficial de plantão na central de polícia. Todos os chamados que ele recebia diziam respeito a assassinatos, sequestros, assaltos à mão armada, violência conjugal, atentados, caixas suspeitas na frente de embaixadas, brigas entre trabalhadores. Assim, não seria um duplo pedido de busca que iria perturbá-lo.

– Anotou?

– Anotei.

A porta do andar térreo se abriu. Sua vizinha lhe dirigiu um olhar surpreso.

– Um instante. Eu já volto – disse ele ao agente de plantão. – Niels Bentzon. Polícia criminal. A senhora notou alguma coisa suspeita de uma hora para cá? No interior ou no exterior do imóvel.

– Alguma coisa suspeita?

– Um homem que levava uma caixa? Ou um tapete enrolado?

Ela pensou um segundo.

– Eu vi, sim, um funcionário de alguma empresa de mudança descendo no subsolo. Mas para mim ele não tinha nada de suspeito.

– Já ligo de volta – disse Niels ao colega.

3

Na autoestrada – 22h07

Calma. Respire. Não é nada.

Adam Bergman respirou fundo, fechou os olhos por um instante e se concentrou. Era preciso se manter calmo. E se ela começasse a fazer barulho lá atrás? Ele ligou rapidamente o rádio. Rádio P1. Para abafar o som, se ela fizesse algum barulho. Com as duas mãos na direção. Não, isso não era normal. À espera. Relaxado. Ele se virou ligeiramente no assento. Uma camada de poeira cobria o vidro da porta, mas mesmo assim ele podia ver no retrovisor um dos dois guardas sair da viatura policial e se aproximar. Grande, de meia-idade, com um andar apressado e resoluto. Dez metros atrás, oito. Ele mudou de posição e pôs uma das mãos no lado de baixo da direção. Não era bom parecer demasiado descontraído. Ele tinha de encontrar o equilíbrio certo.

Calma. Por que razão eles revistariam o veículo?

– O senhor sabe a que velocidade estava? – indagou o policial.

– Estava além do permitido?

Gotas de suor correram nas suas axilas. Ele olhou nos olhos o policial. O contato visual era importante para inspirar credibilidade.

– Nós o pegamos a cento e vinte e um quilômetros por hora, quando a velocidade é limitada a oitenta.

– Estava distraído.

– O senhor bebeu?

– Não.

– Tem certeza?

– Tenho.

O policial passou a cabeça pelo vidro aberto e se debruçou sobre ele, bem perto do seu rosto, para tentar detectar um eventual cheiro de álcool.

– Posso ver a sua habilitação? – disse ele, endireitando-se.

– Claro.

Girando o corpo no assento, ele tirou a carteira do porta-luvas.

– Pronto.

– Obrigado.

O policial deu uma olhada rápida na habilitação e entregou-a de volta para ele.

– O senhor é Adam Bergman?

– Sou.

– Vou lhe pedir para sair do veículo.

O policial se voltou e fez um sinal para o colega, que por sua vez desceu do veículo com um bafômetro na mão.

– Eu não bebi, posso lhe garantir.

– Eu pedi para sair do veículo.

– Tudo bem, vou descer – disse ele abrindo a porta.

No rádio se falava da Primavera Árabe, da maré humana que uivava sua cólera num lugar arenoso a milhares de quilômetros de distância.

– Sopre aqui – indicou-lhe o policial com o bafômetro.

– Tudo bem.

Ele soprou. Os policiais esperavam.

– O veículo é seu?

– Não. É alugado.

– De que empresa?

– Hertz.

– O senhor tem um comprovante?

– Desculpe, mas eu gostaria de saber o que está acontecendo. Eu tive um momento de distração. Estou indo buscar a minha filha, que voltará para a Universidade Técnica da Dinamarca depois das férias de verão.

O policial consultou o relógio. Olhou o colega, que verificou o bafômetro e balançou a cabeça. Adam Bergman ouviu um barulho surdo na traseira da caminhonete. E o rádio. Estudantes árabes desafiavam as autoridades.

4

Bairro de Islands Brygge – 22h08

Reflita, Niels. Reflita.

Ele pensava em Hannah. Nos seus filhos. Não havia esperado tê-los um dia. Talvez nunca mais viesse a tê-los. Talvez isso fosse proibido, e agora poderes superiores intervinham para recolocar as coisas no lugar.

– Oficial de guarda.

– Bentzon, novamente. Estamos procurando também um utilitário branco.

– Tem a placa?

– Não. Só sei que Adam Bergman foi visto deixando o local do sequestro ao volante de um furgão branco – disse ele num tom que tentava ser profissional.

Como se se tratasse de um caso como os outros.

Um caso como os outros.

O oficial de plantão agradeceu e desligou. Era preciso ficar lúcido. Raciocinar como se esse caso não lhe dissesse respeito pessoalmente. Esquecer que eram sua mulher e seus dois filhos que estavam em perigo. Tudo bem. O que ele faria num caso normal? Ele estacionou o carro e respirou fundo.

Aproveite esses poucos segundos para refletir, Niels. Um cigarro. Isso. Um cigarro o ajudaria a pensar. Ele já havia digitado um número no celular.

– Casper.

– É Bentzon.

– Já terminei o meu turno.

– Preciso de todas as informações que você puder encontrar sobre Adam Bergman.

– Como eu disse, já terminei o meu turno.

– É um pesquisador especialista em sono. Preciso saber a sua situação de família. Tudo o que puder me ajudar a...

Silêncio.

– Ajudar a quê?

– A entender por que raios ele sequestrou a minha mulher. E para onde ele a levou.

5

Na autoestrada – 22h09

Dores nos polegares. Pontadas no antebraço. Até o cotovelo. Uma sensação pegajosa entre os dedos. Sangue? Sangue escorrendo dos seus pulsos feridos? O que está acontecendo?, pensou Hannah. Por que estamos parados?

Ela ouviu vozes. Vozes masculinas. Ele falava com alguém. Com as mãos atadas, ela começou a bater com toda a força contra o fundo da caixa. Na única direção possível. Houve um barulho surdo, mas longe de ser tão sonoro quanto ela havia esperado, e que não poderia competir com o rádio. Nova pontada de dor. Mais sangue. No fundo do papelão havia buracos, e os seus dedos tinham se ferido no assoalho do veículo. A pele, nas articulações dos polegares, se abrira, e seus dedos não eram mais que duas feridas sanguinolentas. Não a tinham escutado. Ela tentou gritar. Empurrar com a língua a fita adesiva, afastá-la da sua boca. De repente ela ficou esperançosa novamente. Tinha a impressão de que a fita estava se descolando. Talvez ela conseguisse tirá-la completamente.

Então ela ouviu de novo uma voz:

– Foi uma mudança muito difícil.

Outras pessoas responderam, mas ela só discerniu murmúrios.

A cola da fita adesiva tinha se diluído em contato com a saliva, deixando na sua boca um gosto químico que se misturou ao do sangue. Ela teria mordido a língua?

– Estava perdido nos meus pensamentos.

Hannah enterrou a língua numa pequena abertura existente na altura do lábio superior, e para aumentá-la, forçou a fita adesiva. Agora ela dispunha de espaço suficiente. Finalmente. Ela deu um grito. Pelo menos foi o que ela achou, mas seu grito foi abafado pela fita adesiva. O espaço continuava sendo insuficiente. Então forçou de novo. Tentou gritar. E mais uma vez bateu contra o fundo, tão forte que sentiu estalar um dos seus polegares, depois uma dor atroz. Ela teria quebrado o dedo?

– Boa noite.

Agora a fita adesiva estava quase completamente afastada. Em todo caso ela pôde emitir um som que parecia um grito.

– Até logo.

Mas era tarde demais. Uma questão de segundos. Seu pedido de ajuda foi tragado pelo ruído do motor no momento em que o homem deu partida no carro. O veículo se pôs em movimento.

6

Na autoestrada – 22h13

Lágrimas. Elas tinham surgido sem se anunciar e não paravam de rolar. Era a emoção. A alegria de não ter sido pego. Ele derramou algumas lágrimas pela filha e por si mesmo, pela justiça, pelo que tinha perdido. Chorava porque estava só. Ninguém podia ajudá-lo, ninguém podia compreendê-lo, ninguém sabia a que ponto ele sofria por causa desse homem que ao matar Maria o tinha privado da sua mulher e tinha privado Silke da mãe. O homem que havia destruído a vida deles. Pare de se atormentar, de qualquer maneira não será isso que a trará de volta para vocês. Ele não tinha esquecido as palavras de apoio que o psicólogo lhe dissera quando se tornou evidente que a polícia não encontraria o assassino. Palavras insensatas, vazias, que só podiam dificultar ainda mais as coisas. Pois se eles tivessem pegado o criminoso, isso pelo menos lhe teria permitido pôr um rosto, um nome nos seus sofrimentos. E libertar Silke da prisão no fundo da qual ela vivia reclusa.

Em que momento as lágrimas tinham começado a correr?, perguntou-se Bergman. Quando os policiais partiram? Ou talvez quando ele tinha parado na passagem de nível? Talvez a passagem do trem lhe houvesse trazido à lembrança uma época antiga e feliz. A viagem deles à Itália. Eles tinham atravessado todo o país. Pisa, Florença, Nápoles. Com um calor insuportável. Em um ônibus que fazia um barulho infernal. Silke tinha sido concebida lá. Provavelmente numa pensão de Florença – mesmo sem ter nenhuma certeza, era o que eles sempre imaginavam – com vista para a Catedral de Santa Maria del Fiore. Ele ainda se lembrava dos olhos da sua mulher naquela noite, do seu olhar, que pela primeira vez o convencera de que ela o amava sinceramente. Depois eles se deitaram, se beijaram, escutaram os sinos da igreja e as vozes dos italianos na rua, o ronco dos ônibus, os jovens que riam e passavam em motos. E tinham olhado para o gato preto que os observava, sentado na varanda. Maria murmurara então que...

Adam Bergman enxugou os olhos na manga da camisa e tentou se concentrar. Não era hora de revolver o passado. Como um velho. Mais tarde, talvez, quando ele tivesse realizado a sua missão. Somente então poderia choramingar. Ir para a prisão. Poderia até morrer. Com a alma em paz. Sabendo que tinha libertado Silke.

7

Rua Sølvgade – 22h14

Com o canto do olho Niels viu um funcionário examinando o seu carro, que ele havia estacionado no meio da praça. Você está perdendo o seu tempo, pensou. Ele apertou todos os botões do interfone. A clínica de sono se localizava no segundo andar. Mas no prédio havia também o consultório de um otorrinolaringologista, uma clínica veterinária, um consultório de psicólogos e uma sociedade cujo nome não lhe sugeria nada. Como era de se esperar, pelo horário, ninguém lhe respondeu.

Seu celular começou a tocar. Ele atendeu.

– Casper?

– Isso.

– Um instante.

Niels recuou um passo para ter impulso e deu um pontapé na porta. Ela não cedeu. Ele olhou à sua volta. Nada que pudesse lhe servir. Examinou a porta. A vidraça do alto era recente e sólida demais para ser quebrada com um golpe de cotovelo. Mas a inferior era antiga. De vidro colorido. Niels ouviu a voz de Casper.

– Alô?

Quando ele quebrou a vidraça com o cotovelo, o funcionário que havia observado o seu carro o interpelou:

– O que é que está acontecendo?

– Espere um pouco.

Niels retirou lentamente o braço. Um grande pedaço de vidro tinha rasgado a sua pele, e o sangue jorrou.

– Alô?

– Estou aqui – respondeu ele, derrubando os últimos pedaços de vidro antes de passar o braço para dentro e destrancar a porta.

– Tudo bem. Veja só o que eu encontrei. Adam Bergman. Pesquisador especialista em sono. Diplomado pela Faculdade de Medicina de Aarhus em 1986. Publicou muitos artigos em várias revistas. Pratica corrida de longa distância. Com sucesso, aliás. Terminou entre os dez primeiros na Maratona de Copenhague do ano passado.

– E além disso? – perguntou Niels, precipitando-se na escada.

– Agora o melhor. Você está sentado?

– Fale.

– A mulher dele foi assassinada sete anos atrás.

– Assassinada?

– Um dos dois casos de homicídio que não foram esclarecidos naquele ano. O outro foi o do médico cujo corpo foi descoberto num lago, perto de Skanderborg. Você se lembra?

Niels já não escutava. Essa história lhe recordava algo. O nome também. Bergman. Agora ele sabia o que era. Vagamente. Ele não tinha trabalhado naquele caso, pois a investigação fora confiada à polícia de Nordsjœlland, mas o havia seguido de longe. A mulher degolada pelo amante. O pai e a filhinha que ficaram sós. O pai – seria Adam Bergman? – que tinha tentado por muito tempo se convencer de que a mulher fora estuprada antes de ser morta, porque se recusava a aceitar a realidade: ela havia deixado o assassino entrar. Ela o conhecia. Não havia o menor sinal de violência; ela consentira. E então, depois de uma discussão violenta ouvida pela garotinha, o homem a degolara. E em seguida fugira. Testemunhas o tinham visto sair correndo da casa. Forneceram o seu retrato falado. E apesar disso, nunca se chegou a identificá-lo. Ele havia evaporado. O que Casper lhe contaria seria mais ou menos isso. De qualquer forma, seu relato terminou assim:

– Nunca o encontraram.

– O caso ficou entre os não elucidados?

– Não elucidado. Fizeram quase novecentas inquirições das testemunhas. Todas as pessoas que conheciam Maria...

– Maria?

– É o prenome da vítima. Eles ouviram todas as pessoas que de alguma forma tinham contato com ela.

Niels chegara diante da porta da clínica de sono.

– Espere um instante, Casper.

Ele deu um pontapé na porta na altura da maçaneta, mas o que conseguiu foi apenas uma contusão no joelho. A dor, contudo, era menos viva que a sentida quando ele pensava em Hannah. Então deu outro pontapé. E mais um. Até a porta finalmente ceder, junto com um pedaço do batente. Um alarme começou a soar.

– Droga! A minha pistola. Eu a esqueci – disse Niels encolerizado.

Ele a teria entregue a Sommersted? Não se lembrava.

– Onde é que você está?

– Na clínica. Rua Sølvgade. Mande a cavalaria para a eventualidade de dar errado.

– E como é que eu vou saber que deu errado?

– Se você não me ouvir mais, fica sabendo, Casper – murmurou Niels entrando.

8

Algum lugar ao norte de Copenhague – 22h19

Agora eles rodavam em alta velocidade. Há quanto tempo estava fechada naquela caixa? Ela havia perdido totalmente a noção de tempo. Sem dúvida sob o efeito do medo e dos sedativos. Mas Hannah sentia o veículo vibrar quando a velocidade mudava. Sentia cada solavanco, cada aceleração, cada desaceleração, e ouvia o barulho do motor. Ela não podia deixar escapar nenhum detalhe. Se pelo menos fosse possível afastar ligeiramente a venda dos olhos... O simples fato de ver as estrelas teria podido lhe fornecer indicações. Por quê? De que isso me adiantaria para saber onde estou?, ela se perguntou. Caso tivesse uma oportunidade de ligar, de pedir socorro, de mandar um pensamento por telepatia.

Ele estava apressado. Por que razão? Agora a venda posta nos seus olhos tinha deslizado ligeiramente, mas ela continuava não vendo nada. O cheiro de gasolina estava cada vez mais forte. A ponto de ela temer que as emanações químicas acabassem por fazê-la sufocar. Lutando para soltar as mãos, ela sentia que as tiras de plástico das algemas se recusavam obstinadamente a ceder. De repente o veículo fez uma curva fechada à direita e ela foi projetada de costas. Sua cabeça e a nuca bateram violentamente no assoalho. Durante alguns dolorosos segundos Hannah ficou estendida de costas, impotente, esperando que alguém tivesse pena dela e viesse ajudá-la a se virar. Mas não havia ninguém para se apiedar da sua sorte. Ninguém para ajudá-la. UTD. Um pedacinho de conversa que ela havia captado lhe veio de repente à cabeça. UTD. A Universidade Técnica da Dinamarca. Ele tinha explicado que ela ficava por ali. Para os lados de Lyngby. Provavelmente ele tinha mentido para os policiais, mas em todo caso isso confirmava o que ela pensava: eles estavam na ilha de Sjælland. Estavam indo em direção ao norte. Seu dedo quebrado ou luxado a fazia sofrer atrozmente. Ela não conseguia mexê-lo. De súbito o veículo começou a vibrar muito. Mas não por causa da alta velocidade. Pelo contrário. Eles tinham desacelerado. Não. Eles iam agora por um caminho de terra. Ou por uma estrada rural muito ruim. Não asfaltada. Hannah estava sendo sacudida em todas as direções. O cheiro de gasolina estava ainda mais forte. Ela começou a se sentir aturdida. Então o veículo parou. O motor silenciou. Hannah ficou à espera por alguns segundos que lhe pareceram uma eternidade. Em todo caso, pelo tempo suficiente para que o terror tomasse conta dela. E agora? O que vai acontecer?

Em direção ao norte. Florestas, rotatórias. Lyngby.

Ela ouviu o barulho de passos. Passos rápidos num chão seco e macio. Galhos se quebrando. Uma vereda abrindo-se. Passos que ressoam dentro do furgão. Depois todo o mundo que a cercava voou em pedaços quando, com golpes vivos e precisos, algo cortante rompeu o papelão onde ela estava fechada.

Uma luz fraca. Que através da venda nos seus olhos não passava de um feixe luminoso, talvez de uma lanterna. Ela tentou gritar, mas não demorou a compreender que seria inútil. A fita adesiva continuava cobrindo grande parte da sua boca, e ninguém a ouviria. Ela estava convencida de que ele tinha ido para um lugar isolado, um lugar onde só havia eles dois.

– Vamos! – disse ele puxando-a brutalmente.

Querendo protestar, Hannah emitiu um som que ela própria não entendeu. Ele passou o braço sob a sua nuca e a levantou. Ela se deixou levar como uma criança indefesa até que ele a largou. Então ela caiu. Sua cabeça bateu no chão violentamente, mas o que doeu foram sobretudo o seu ombro e o dedo quebrado. Ela sentiu as mãos dele desatar seus pés e os tornozelos.

– Pronto. Assim você pode andar. Você consegue se levantar sozinha?

Ele a ajudou a se manter sobre as pernas.

– Vamos ter de descer uma escada difícil.

Ele a empurrou à sua frente e a fez sair do veículo. Ela pôs o pé num outro tipo de solo. Macio. Uma floresta. Flutuava no ar um aroma vegetal, um perfume de verão.

– Eu volto logo.

Ele tornou a fechar a porta da parte traseira do veículo. Com as pernas formigando, ela tentou dar alguns passos, mas desequilibrou-se e caiu para a frente. Aterrissou num leito de musgo, folhas, flores e galhinhos. Eles estavam numa floresta, mas qual seria? Onde ela estava?

Caçadores. O trem. O norte.

Ao longe uma buzina de navio. Uma balsa? Provavelmente. Sim, devia ser uma balsa. A venda nos seus olhos tinha escorregado. Ela estava deitada de costas no meio da floresta. Numa situação desconfortável. O céu noturno. Ela podia distingui-lo através das árvores. Era agora ou nunca. Se pelo menos pudesse encontrar...

Hannah o ouvia a alguns metros de distância. Supunha que ele estivesse procurando algo no furgão. O quê? A arma para matá-la? Um objeto para torturá-la? Dali a alguns segundos ele certamente voltaria e a arrastaria pelo chão, puxando-a pelas pernas, e...

O eclipse lunar. Seria agora. Diante dos seus olhos. O acontecimento que ela esperava há tanto tempo e que sonhava compartilhar com Niels. A lua já estava quase negra. O que ela podia deduzir disso? Que eram quase 22h12. A que hora ele lhe havia aplicado a injeção? Há quanto tempo durava o seu pesadelo? Talvez meia hora. Ou pouco mais. Sua impressão era de que já fazia anos que ele a tinha procurado em casa. Que distância se podia percorrer em trinta minutos? Ele havia corrido bastante. Principalmente na autoestrada. Mas eles tinham sido parados pela polícia. Quanto tempo? Cinco minutos? Um pouco menos? Além disso, tinham esperado numa passagem de nível. Portanto, eles haviam rodado cerca de trinta minutos, dos quais talvez vinte a vinte e dois na autoestrada, a uma velocidade de cerca de cento e vinte quilômetros por hora, e mais alguns minutos numa estrada comum. Talvez quarenta quilômetros? Um pouco mais? Quarenta e cinco? Era essa a distância que eles teriam percorrido. Sim, ela estava a uns quarenta quilômetros de Copenhague. E ele tinha dito aos policiais que ia para a Universidade Técnica da Dinamarca. Para o norte. Pela costa, provavelmente. A menos que na bifurcação ele tivesse seguido para oeste. Não; ela havia ouvido uma balsa poucos instantes antes. O mar não ficava longe, estava quase certa disso. Que balsa? A que fazia a ligação entre Elseneur e Helsingborg? Podia ser. Nenhuma balsa grande cruzava no fiorde de Roskilde, e a universidade não ficava mais nessa direção. Além disso, era impossível que eles tivessem chegado a Sjællands Odde em meia hora. A luz pálida de uma nave espacial. Suave, majestosa, quase arrogante no seu modo monótono de deslizar. Ela a reconheceu. ISS. A Estação Espacial Internacional, que tinha sido posta em órbita em 1998 a uma distância de cerca de quatrocentos quilômetros da Terra. A estação não tardaria a atingir sua inclinação máxima, ou seja, vinte e seis graus abaixo do horizonte. Sim, ela estava no seu ponto máximo. Portanto não eram 22h12, mas um pouquinho mais tarde. Provavelmente 22h20. A não ser que eles tivessem rodado menos do que ela imaginava. *Passos.* Hannah ouviu estalar um galhinho logo atrás de si. Não, ela não queria desperdiçar preciosos segundos tentando avaliar a que distância dela ele estava. A apenas alguns metros, de qualquer maneira. Pense, disse ela para si mesma. É conta de criança. Quantas luas cheias podemos colocar entre a Lua e o horizonte? Quantos diâmetros lunares? Um? Um e meio, talvez? Não, somente um. Mas sei que a Lua preenche meio grau. E sei também que em Copenhague ela está exatamente um diâmetro e meio acima do horizonte. Assim, é preciso...

De repente ele se inclinou sobre ela. Agarrou-a com um braço e puxou-a para levantá-la. Sem brutalidade.

– Venha, você precisa...

Então devo estar meio grau ao norte de Copenhague, disse Hannah para si mesma. Sim, é isso, certamente. Meio grau. E como Copenhague se situa a uma latitude de cinquenta e cinco graus e quarenta e um décimos...

– Você pode andar sozinha? – indagou ele, ajeitando a venda nos seus olhos.

9

Rua Sølvgade – 22h20

Niels olhou em torno de si. O alarme tinha finalmente deixado de soar. Sem dúvida ele não demoraria a ver um ou dois vigias aparecerem. Supondo-se que o alarme estivesse ligado a uma central de segurança. Quase sempre se tratava de modelos básicos destinados a pôr em fuga os ladrões fazendo um alarde dos diabos.

– Continue, Casper – murmurou Niels, abrindo a porta da sala de Adam Bergman.

Escura e vazia. Tinha sido ali que, algumas horas antes, ele havia servido sua mulher numa bandeja.

Casper pigarreou e prosseguiu:

– O agressor tinha deixado impressões digitais e... É isso mesmo. Esperma.

– E nunca desconfiaram dele?

– De quem? De Bergman?

– É. De Bergman.

– Não sei. Quer que eu pesquise?

– Adam Bergman entra em casa. Descobre que a mulher tem um amante. Num acesso de raiva a degola e...

Niels abriu prudentemente a porta do fundo da sala. Outro cômodo. Duas camas. Vazias. Ao telefone, Casper disse:

– Quando a polícia encerrou o caso, ele contratou um exército de detetives particulares.

– Como é que você sabe disso?

– Eles pediram para ter acesso aos arquivos.

– Talvez fosse uma estratégia para que acreditassem na sua inocência – sugeriu Niels. – Quer dizer, ele finge que está procurando o assassino.

– No início o caso estava nas mãos da polícia de Lyngby...

– Da polícia de Lyngby?

– Sim. Era lá que os Bergman moravam quando aconteceu o caso.

– E onde eles moram hoje?

Niels ouviu os dedos de Casper se deslocarem no teclado. Durante esse tempo ele abriu as gavetas da sala de Bergman. Dicionários sobre a pesquisa do sono. Um título lhe chamou particularmente a atenção: *As ondas cerebrais durante o sono paradoxal.* Dossiês. Mas nada sobre Hannah.

– Eu não entendo...

Casper se calou.

– O que é que você não entende, Casper?

– Por que ele sequestrou a sua mulher?

– Ele nunca deixou de procurar o assassino.

– E o que é que a sua mulher tem a ver com o caso?

– Ele precisa dela – disse Niels.

– Precisa dela?

– Quer que ela o ajude a encontrá-lo.

– Continuo sem entender nada.

– Você encontrou o endereço atual dele?

363

10

Algum lugar ao norte de Copenhague – 22h29

Ele pegou o braço dela por trás. Com firmeza. Ele tem força, constatou Hannah. O homem respirava ruidosamente e parecia ofegante. Um pensamento lhe veio à mente: ele também estava com medo. Ela ignorava o que a tinha deixado com a pulga atrás da orelha; talvez a respiração dele, seus movimentos nervosos. Em todo caso, ela quase tinha certeza: ele estava tão aterrorizado quanto ela. Essa ideia lhe restituiu a esperança.

O homem a empurrou, pondo-a diante de si, e a fez transpor a porta. Eles entraram num lugar onde ela percebeu outro cheiro. Um cheiro de lugar fechado, de luz artificial, de calor.

– Aqui há degraus, atenção. Bem à sua frente. Vamos descer uma escada.

Mas essa recomendação chegou tarde demais. De súbito o solo fugiu dos seus pés e ela começou a tombar para a frente. Por sorte, conseguiu se reequilibrar apoiando-se na parede.

Então ela desceu.

Ele caminhava ao seu lado. Sempre segurando-a com um pulso forte. Quase a puxava. O cérebro de Hannah estava paralisado de terror.

Calma, disse ela para si mesma. Nós estamos ao norte de Copenhague. Talvez eu até possa determinar as nossas coordenadas.

Novamente degraus. Ele apertou um pouco mais o seu braço. Como se tivesse adivinhado que ela faria uma última tentativa desesperada de se libertar. Ele tinha razão. Ela tentou se soltar dele. Com um movimento tão súbito quanto desajeitado, que por um instante pareceu ter atingido o seu fim. Ela estava livre. Imediatamente depois caiu. Talvez com a ajuda dele, talvez sozinha. Ela pulou alguns degraus sem nenhuma possibilidade de se proteger, bateu a cabeça e as costas na escada e acabou aterrissando num chão duro, cercada de frio, escuridão e sangue.

11

Algum lugar ao norte de Copenhague – 22h31

Não havia nenhum veículo estacionado diante da casa dos Bergman. Essa foi a primeira coisa que Niels observou. A casa limitava com um parque. O jardim quase se fundia com a floresta. Niels penetrou no terreno. A grama estava alta e lhe subia quase até os joelhos. No terraço estavam empilhados móveis de jardim deteriorados. O poleiro estava em ruínas. Por que eles não tinham se mudado depois do assassinato de Maria? Como fora possível continuar vivendo na casa onde havia ocorrido uma tragédia tão abominável? Não havia luz nas janelas. O que não significava que não era para ali que ele tinha levado Hannah. Niels notou respiradouros. Ocultos. De qualquer forma, para onde ele teria podido levá-la, se não fosse para ali? Niels se perguntou o que ele teria feito se estivesse no lugar dele. Sem dúvida ele a teria levado para a sua casa, no meio da floresta. Depois a teria levado para o interior dela. Não teria estacionado na rua. Isso seria muito arriscado. Não, ele teria estacionado lateralmente, no caminho, e teria passado pelo jardim. Havia pegadas na grama? Talvez. Era difícil ver apenas com a claridade da lua. Ele foi até a casa. Se Bergman mantinha Hannah sequestrada no subsolo, era preciso ser discreto. Pegá-lo de surpresa. Do contrário esse idiota se entrincheiraria no interior da casa e a faria de refém. Não. Era preciso a qualquer preço evitar que isso acontecesse. Ele precisava deixar Bergman fora de ação. Espancá-lo sem parar, até ele perder a consciência. Não seria mais sensato ligar para Leon? Pedir reforços? Nesse caso, uns vinte veículos chegariam com sirenes berrando. Não. Ao longo da sua carreira, Niels nunca tinha visto vantagem nessa mobilização de forças. Pelo contrário. Isso só contribuía para aumentar a pressão sobre as vítimas e os que as mantinham como reféns. Era uma das primeiras regras do ofício de negociador. A base da sua missão. Proceder de modo a fazer o maluco esquecer os quarenta policiais dispostos a atirar nele.

Niels estava no terraço, diante da porta-janela do jardim de inverno, quando encerrou seu devaneio e passou a se concentrar na tarefa que tinha pela frente: entrar na casa sem fazer barulho, sem dar sinal da sua chegada. Agarrou a maçaneta da porta. Fechada a chave. Mas ela se moveu. As madeiras do velho jardim de inverno estavam suavizadas. A pintura já se descolara há anos. Niels puxou de mansinho a porta. Talvez conseguisse introduzir um objeto entre o ferrolho e a madeira. Tirou do bolso o seu distintivo. De repente um barulho repercutiu na casa. Ele se agachou. Durante alguns segundos ouviu apenas a sua respiração. Levantou a cabeça e deu uma olhada no interior. Ninguém à vista. De novo ele forçou a porta, com todo o seu peso, e deslizou o distintivo entre o ferrolho e a madeira porosa.

12

Algum lugar ao norte de Copenhague – 22h32

Adam Bergman se entristeceu ao vê-la daquele jeito. Ficara mais afetado que nos outros casos. A humilhação a que ele a expunha, aquele aviltamento. Tinha a impressão de ser um torturador sádico. Felizmente eles agora haviam chegado, e ele ia poder começar a trabalhar. Cumprir a sua missão. Era a sua última chance, ele sabia disso. Não sobreviveria por muito mais tempo. A falta que ele sentia era grande demais, como também a sua dor. E Silke, naquilo tudo? Ela era o que de mais precioso existia. Não havia nada além dela. Tudo o que ele fazia era para lhe permitir sair da prisão em que ela se encerrara. Ele se debruçou sobre Hannah e tentou levantá-la. Ela estava inerte nos seus braços, e por um momento ele temeu que ela tivesse quebrado a nuca. Mas ela estava consciente; apenas se abandonava como uma pessoa condenada que renunciara a lutar e só esperava a chegada da morte.

– Devagarzinho – murmurou ele. – Só preciso que você me ajude. Preciso de você.

Finalmente ela caminhou sozinha e ele se limitou a ampará-la. A pele dela estava gelada; seu corpo, agitado por estremecimentos. Ela estava aterrorizada.

Assim como ele. Ele estava aterrorizado pela ideia de malograr. Dessa vez as consequências seriam catastróficas.

Relaxe.

Durante todo o tempo ele tinha dito a si mesmo que aquele era o local ideal. Que ele estaria no seu território, que teria todo o tempo. Ninguém iria perturbá-lo ali. Mas era longe, e havia uma grande chance de que as coisas se complicassem durante o transporte.

– Não se inquiete. Vai dar tudo certo.

Mas as suas palavras soavam ocas, ele sabia disso. Talvez fosse melhor tirar a venda dos olhos dela. Ela não tinha a menor ideia do lugar onde estava, de qualquer maneira, e isso talvez contribuísse para tranquilizá-la. Não; desse modo ele podia controlá-la com mais facilidade. Dominar a situação. Agir de modo que tudo decorresse como previsto. Assim era mais garantido.

Ela já não oferecia nenhuma resistência. O que era um bom sinal. Teria renunciado de uma vez por todas? De qualquer forma, era preciso ficar alerta. Tinha de evitar a qualquer custo o excesso de confiança. Ele já havia cometido esse erro com Dicte. Hannah talvez estivesse apenas tentando amansá-lo. Fazendo-o acreditar que tinha aceitado a sua sorte. E quando ele relaxasse a vigilância, quando relaxasse a guarda, ela aproveitaria a ocasião para fugir. Não, ali era impossível fugir. Essa ideia o reconfortou. Ele resolveu se tranquilizar.

– Você não tem nada a temer – disse ele. – Eu prometo. Limite-se a me seguir e fazer o que eu lhe digo.

Ela começou a chorar em silêncio, e mais uma vez ele se compadeceu da mulher. Mas esforçou-se para afastar esse sentimento.

– Você precisa me ajudar – murmurou Bergman. – Eu só lhe peço isso.

13

Algum lugar ao norte de Copenhague – 22h34

Nenhum barulho. Mas cheiros. De lixo, umidade, mofo e outra coisa... Óleo? Estranho. Niels entrou discretamente no jardim de inverno. Passou o dedo pela mesa. Uma camada espessa de poeira. Era aquele o local do crime. Fora ali que a mulher de Bergman tinha sido assassinada a sangue-frio alguns anos antes. O relato de Casper despertara lembranças em Niels. A menina que encontra a mãe quando ela ainda luta para sobreviver. A mãe que entra no banheiro. Talvez esperando encontrar ali uma faixa para deter a hemorragia. Ela enrola uma toalha em torno da garganta e depois pede socorro. A menina grita. Niels e seus colegas tinham ouvido a gravação na chefatura de polícia. A coisa mais terrível que ele já ouvira. A mãe tentando desesperadamente dizer que precisa de uma ambulância. Mas suas palavras se afogam. No seu terror. E no seu sangue. A filha, atrás dela, grita: "Mamãe!" Sem parar. O aparelho cai. A gravação continua. A garotinha chorando. Ela tinha apenas cinco anos quando o fato acontecera.

Niels atravessa a sala de estar. Na cozinha, descobre sinais de ocupação. Havia gotas de água na pia e uma caixa de pizza na mesa. E pensar que eles continuaram vivendo ali... Depois ele passou para o corredor. Um paletó estava jogado num baú. Mais acima, na parede, fotos da família. Da filha deles. Todas antigas. De antes da tragédia. O mar Egeu. Uma ilha montanhosa e ensolarada. Outra foto, tirada na Dinamarca, num dia de chuva, mostrava Bergman de uniforme. "Exército de Reserva de Nordsjœlland" estava escrito em letras vermelhas no canto inferior direito. Bergman tinha um ar orgulhoso; posava diante de uma fileira de veículos militares.

Niels ficou imóvel por um instante e apurou o ouvido. Como se podia chegar ao subsolo? Se a escada não estava no corredor de entrada, onde estaria? Ele tentou imaginar a planta da casa. Os respiradouros do lado da empena. Ele teria passado sem notá-la quando estava fora? Talvez. Mas de qualquer forma tinha de ser possível chegar lá a partir do interior. Ele voltou para a sala de estar. Fora lá que a mulher morrera, se sua lembrança era correta. Deitada perto do telefone. Agora havia uma camada de poeira no chão. Enquanto, sem fazer ruídos, explorava a casa, Niels voltou a pensar em Bergman. O homenzinho detalhista e cansado que ele havia encontrado no consultório. A clínica era limpa, bem-arrumada, agradável. E atrás dessa fachada impecável se ocultava um pântano.

Ele atravessou a sala e chegou a um escritório. De lá, um corredor estreito levava a uma lavanderia. E ali, finalmente, estava a porta para o subsolo.

14

Algum lugar ao norte de Copenhague – 22h36

Hannah ouviu a porta bater e ser fechada a chave.

Depois, nada. Com exceção da sua própria respiração, frenética e sibilante.

Pense, disse ela para si mesma. Pense, pense, pense. Tem de haver uma solução. Ela precisava se concentrar e encontrá-la.

Mas o pânico estava voltando. Hannah sentia o cérebro prestes a pegar fogo sob o efeito do medo. Ela estava trancada. E logo ele voltaria, e embora tivesse lhe prometido não lhe fazer mal, ela sabia que aquilo era mentira. Ele tencionava matá-la. Disso ela não tinha a menor dúvida. Dentro de alguns minutos tudo estaria terminado. No tempo que ainda lhe restava, talvez fosse melhor se preparar. Para pensar nos melhores momentos da sua vida. Em Niels. Sobretudo em Johannes. Nas boas lembranças que ela havia guardado dele. Seu primeiro sorriso. Suas primeiras palavras. Seus dedos minúsculos quando ele lhe dava a mão. Seus olhos cheios de curiosidade quando ele lhe perguntava onde estava a Lua durante o dia e por que as estrelas não caíam do céu. Sua sede de saber. Eram essas as imagens que ela queria ter na mente no momento em que deixasse o mundo.

Você não deve se entregar.

Hannah arquejava e puxava as tiras que a prendiam. Sua impressão era de que a tira estava ligeiramente distendida. Em compensação, a venda nos olhos estava mais apertada que nunca. A ponto de se poder dizer que um torno comprimia a sua cabeça. Ela adivinhava que a sala em que estava era exígua. O som da sua respiração lhe dizia isso. Era apenas uma sensação, já que não podia se basear na visão. Ela explorou a sala tanto quanto pôde. Havia ali uma mesa, uma cadeira e...

Ela tropeçou.

Em alguma coisa.

Seu queixo e sua face doíam, mas a fita em torno das suas mãos tinha se distendido mais um pouco, talvez por ela ter torcido o braço na queda.

Vamos. Force.

Ela puxou as mãos. Com toda a força. A fita estava distendida mas recusava-se a ceder.

Ela ouviu uma porta abrir, um pouco mais longe. Passos na escada? Ele estava voltando.

Vamos. Vamos.

Mas a fita plástica resistia, e seu pulso não chegava a passar.

Passos rápidos. A apenas alguns metros. Ou então o barulho viria de cima? Alguém a estava procurando? Niels? Não, isso era impossível. Em todo caso, ele faria tudo para encontrá-la. Ela sabia disso. Se ela, por seu lado, também fizesse tudo o que estava ao seu alcance, talvez eles dois conseguissem realizar o impossível. Não era isso que eles tinham jurado um para o outro?

Meu polegar está quebrado. Ele deve conseguir passar.

Ela se deitou sobre o polegar quebrado. Contorcendo-se, pôs todo o peso sobre ele. Todo o seu corpo gritava que ela devia se entregar, mas...

Ele estava exatamente diante da porta. Ela ouviu a mão dele na maçaneta.

Agora!

Enfim a fita deslizou sobre a articulação do seu dedo. Suas mãos estavam livres. Ela quis retirar a venda que a cegava, mas preferiu esperar. Esperar o momento propício. Fazer de conta que nada tinha acontecido.

Hannah juntou as mãos nas costas no momento em que ele entrou na sala.

15

Algum lugar ao norte de Copenhague – 22h37

A porta estava fechada a chave. Se eles estivessem lá embaixo ouviriam-no arrombá-la. E ele perderia o efeito da surpresa. Bergman se prepararia para recebê-lo. Com a ajuda da luz do visor do celular, ele deu uma olhada pelo buraco da fechadura. A porta era forte. Teriam acrescentado uma placa suplementar? Uma espécie de camada de isolamento acústico? Bergman teria construído uma cela secreta no subsolo? Como aquele austríaco maluco que mantivera uma garota sequestrada durante anos? A chave estava na fechadura, do outro lado da porta. Eles certamente estavam lá. Do contrário a porta não estaria fechada por dentro.

Ele olhou em torno de si. Havia sapatos ali. Uma montanha de sapatos encaixados uns nos outros. Tamancos de madeira e botas. Um cabo de vassoura. Devia haver também ferramentas. Sim; no armário ele viu uma caixa. Um martelo e um buril? Poderiam fazer muito barulho. Ele remexeu na caixa e pegou uma chave de fenda enferrujada. Talvez conseguisse descolar a guarnição. Ao deslizar a ferramenta entre a parede e a madeira, viu que a argamassa porosa não oferecia a menor resistência. Mas quando quis alavancá-la, a chave de fenda se enterrou na parede, no cimento arruinado pela umidade. Seria preciso utilizar um objeto maior. Não. Não havia tempo a perder. Ele enterrou mais fundo a chave de fenda e puxou. Dessa vez a moldura cedeu. E com relativa discrição. Niels mudou de posição. Colocou a chave de fenda no rodapé e puxou novamente. Depois repetiu a operação no canto superior. Uma aranha em pânico abandonou o ninho úmido acima da porta. Niels deitou a madeira sem fazer o menor ruído. Apurou o ouvido. Ele estava desarmado. Bom, havia a chave de fenda. Era melhor que nada.

16

Algum lugar ao norte de Copenhague – 22h39

Sobretudo não deixar nada ao acaso, pensou Adam Bergman. O ideal seria utilizar uma solução salina isotônica a uma taxa de dissolução de nove décimos por cento. Com água doce ou água salgada comum, a reanimação seria mais difícil. Mas ela precisava morrer em condições ótimas. As melhores possíveis. Sua parada cardíaca devia durar o tempo suficiente para lhe permitir reencontrar Maria no além e falar com ela. Hannah Lund era a pessoa indicada para essa missão, pois já estivera no além por um tempo excepcional. Ela seria a sua mensageira.

Bergman verteu o líquido na bacia. Quatro a cinco centímetros eram o suficiente. Parece que podemos nos afogar até num pires. Hannah estava estendida no chão, com o corpo contorcido e o rosto contra o solo de concreto. Talvez ela tivesse caído. Ele a contemplou e subitamente sentiu afeição por ela. Gratidão. Ela ia ajudá-lo. Era a única pessoa capaz disso. Ela poria fim ao pesadelo deles e salvaria Silke, tirando-a das trevas. A morte de Hannah Lund não seria em vão. Pelo contrário. Ela emitiu um gemido de medo ou de dor. Isso o contrariou. Ele não queria que ela tivesse medo. Queria vê-la alegre. Ela se preparava para realizar um ato extraordinário. Tinha um dom. Ela não compreendia isso? Bergman abriu a maleta e tirou de dentro dela o desfibrilador.

Depois preparou a seringa de adrenalina. Suas mãos tremiam, e ele precisou recomeçar duas vezes a tarefa. Agora podia se concentrar no essencial: afogar Hannah Lund, enviá-la para o além, reanimá-la e receber a sua mensagem.

Ele a faria dormir e acordar apenas para mergulhar sua cabeça na água – depois de lhe ter explicado o que esperava dela. Era algo muito simples. A maioria dos indivíduos que tiveram experiências de morte iminente tinham encontrado pessoas desaparecidas da sua família. Tinham até mesmo falado com elas. Às vezes também os mortos encontrados eram parentes das pessoas presentes no lugar onde os indivíduos estavam, principalmente das pessoas que cuidavam deles. Havia muitos exemplos de pacientes que, depois de voltarem à vida, tinham revelado ao médico que haviam falado com a mãe dele, já falecida. E que ela lhes confiara uma mensagem. De amor, quase sempre.

Subitamente Bergman recebeu nas costas um golpe tão violento quanto inesperado. Ele foi projetado para a frente, e sua cabeça bateu na parede. Uma dor terrível atravessou-lhe o crânio e a nuca, e então um véu escuro desceu sobre os seus olhos. Então ele ouviu os passos de Hannah ressoarem no corredor. Ela tinha fugido.

17

Algum lugar ao norte de Copenhague – 22h40

O plano de Niels consistia em se introduzir discretamente no porão. Em pegar Bergman de surpresa. Mas já no primeiro degrau seu pé bateu num objeto que começou a descer ruidosamente a escada. Um objeto oco de metal. Sem dúvida um pote de latão ou uma lata velha de conserva. Agora Bergman tinha sido alertado. Não havia a menor dúvida disso. Então Niels resolveu optar por outra tática. Ele desceu no escuro os degraus e depois foi tateando ao longo da parede, à procura de um interruptor.

– Hannah? – chamou ele.

E acendeu o celular para clarear.

– Hannah? – chamou novamente.

Ele ficou ao pé da escada, à espera de uma resposta que não chegou. Na parede atrás de si viu um espelho de luz. Um modelo antigo, escuro, com o interruptor projetado. Niels abaixou essa peça. A luz de neon levou um certo tempo para acender. Piscou várias vezes antes de acender de fato.

Niels estava sozinho no porão. Acompanhado apenas por sete anos de sofrimento. Sete anos passados buscando em vão um culpado. Sete anos trágicos. Nas paredes ele descobriu três painéis de avisos. Minuciosamente dependurados, de forma que as extremidades se tocassem. Cobertos de fotos de homens. Suspeitos. Possíveis assassinos. Bergman estava obcecado. Niels se aproximou. Leu a anotação sob a foto de um dos suspeitos. "Ole Lorentzen. Na escola. Muitos álibis. Seguia cursos no Spar. Mesmo supermercado. Provavelmente se conheciam." Em outro: "David Munk. Na universidade. Muitos álibis. Provavelmente frequentaram o mesmo curso no primeiro semestre". Niels balançou a cabeça. Na mesa havia dossiês abertos. Cópias de relatórios da polícia. Fotos de homens, muitas e muitas. De velhos colegas de classe. De vizinhos e outras pessoas com quem ela podia ter cruzado. Um bibliotecário. O universo transtornado de Bergman era povoado de suspeitos.

– Casper?

Sem se dar conta, Niels havia ligado para ele.

– Você encontrou os dois? – indagou seu jovem colega.

– Não. Ele não está em casa. Você tem alguma outra coisa para mim? Uma casa de campo? Um terreno alugado? Me ajude, Casper. Onde é que ele pode estar?

– A casa de campo deles foi vendida.

– Droga! – gritou Niels dando um pontapé na porta do jardim. Ele subiu a escadinha pulando quatro degraus, recolhendo de passagem algumas teias de aranha. Estava de novo na grama alta e seca.

– Me dê alguma coisa, Casper!

– Ele é médico do exército de reserva.

– Isso eu sei. O que mais?

– Mais nada. E a filha dele?

– O que é que tem a filha dele?

– Não sei, mas pode ser que... – disse Casper, porém sua voz falhou e a frase acabou ficando em suspenso.

– Onde é que ela está?

Um barulho de teclado. Desesperado.

– Casper?

– Um segundo. Preciso verificar uma coisa num outro dossiê. Pronto. Hospital de Bispebjerg. Serviço de Psiquiatria Infantil.

Niels se imobilizou diante do carro.

– Ela está internada?

– Desde a morte da mãe. Houve várias entradas e saídas. Pelo que eu estou vendo.

Niels pensou. Na distância que o separava do hospital de Bispebjerg. No tempo que estava passando como num relógio de areia.

18

Algum lugar ao norte de Copenhague – 22h47

Uma viagem ao passado. Era o que Hannah tinha a impressão de estar fazendo. Num mundo que já não existia mais, era onde ela estava. Havia tirado a mordaça da boca e a venda dos olhos, e podia agora ver que estava dentro de uma máquina do tempo que a levara para quarenta ou cinquenta anos atrás. Tudo eram apenas nuances de cinza e marrom naquela confusão de cores sem fim. Mobiliário dos anos 1960 e 1970. De Arne Jacobsen. De Verner Panton. Havia um telefone dependurado na parede, uma peça de museu escura com um dial enorme. Ela pensou em parar para tentar pedir socorro, mas não ousou fazer isso, temendo que ele a pegasse. Ela devia fugir, se esconder, pensar num plano para escapar dali. "Ministério do Exterior", estava escrito numa porta. "Ministério da Justiça", em outra. Enquanto fugia, Hannah olhou para uma das salas; embora furtivo, esse olhar lhe permitiu ver uma cama superposta e uma pequena escrivaninha no puro estilo dos anos 1960. Uma mesa, cadeiras, abajures de arquiteto.

A Guerra Fria.

Essas palavras ressoaram na sua cabeça. Eis-me aqui em plena Guerra Fria. Na época dos soviéticos. Da República Democrática Alemã. Da Cortina de Ferro. Da Stasi. Da corrida armamentista. Do pavor de um holocausto nuclear. Essas palavras giravam na sua cabeça, se entrechocavam. Seu cérebro estava tomado pelo caos; seu corpo, cheio de medo. No entanto, ela não devia estar longe da realidade. Numa espécie de *bunker* subterrâneo da época da Guerra Fria. Era onde ela estava. Mas havia instalações desse tipo na Dinamarca? Hannah nunca ouvira falar disso, em todo caso. Ela nunca se perguntara isso. Mas claro que devia existir. Certamente havia *bunkers* no país. A época em que se vivia o temor de um conflito nuclear não estava tão distante assim. Ela a havia conhecido na infância. Os exercícios na escola; a conduta a observar em caso de ataque dos russos – "Abriguem-se sob as mesas, crianças. E fiquem calmas" –, os livros na biblioteca da escola que descreviam em detalhe como Copenhague desapareceria do mapa sob o ataque de bombas atômicas: primeiro a onda de choque e depois o clarão. Ela pensou nas fotos, verdadeiros pesadelos, de Hiroshima e Nagasaki – prédios pulverizados, esqueletos de crianças, rostos deformados – e se lembrou das palavras lúgubres dos professores explicando-lhes que as bombas de então não eram nada em comparação com as bombas de que as grandes potências de agora dispunham nos seus arsenais. De repente todas essas lembranças lhe vieram à memória. O mundo em torno dela a fizera voltar no tempo.

"Gabinete do Primeiro-Ministro", Hannah leu numa placa. Na sala ao lado descobriu uma mesa oval grande o suficiente para que nela se sentassem os membros do governo, e um mapa-múndi suspenso na parede. Aquele lugar muito provavelmente havia sido construído para abrigar o governo dinamarquês em caso de guerra nuclear. Imaginava-se que dali ele dirigiria o país. Na companhia de altos funcionários, da família real, do estado-maior militar. E era ali – bem no meio daquele vestígio da Guerra Fria, daquela arca de Noé sem homens nem animais – que ela tentava fugir de um louco.

– Você não pode fugir.

A voz dele ressoou. Ela ouvia seus passos aproximando-se. De modo lento mas seguro, ele ganhava terreno sobre ela. Havia portas por toda parte. Marrons, frias e hostis. Ela entrou em outro corredor e abriu a terceira porta do lado esquerdo. Aleatoriamente. A porta não estava trancada. Ela a fechou atrás de si o mais discretamente possível. Não ousou acender a luz, temendo ser denunciada. À volta dela a escuridão era quase absoluta. Hannah o ouviu passar diante da porta, seguir no seu caminho. Mas ela sabia que aquilo era apenas um descanso. Que ele voltaria, evidentemente; ele conhecia o *bunker*, conhecia todos os esconderijos possíveis. A luz do corredor passava sob a porta. Era suficiente para lhe permitir distinguir os contornos de uma cama superposta, uma mesa, duas cadeiras, um abajur. Onde ela estava? Como se chamava aquele lugar? Ela abriu as gavetas da escrivaninha. Alguns lápis, uma caderneta em branco. Nada que pudesse dar uma pista. O telefone! O velho telefone com dial pelo qual ela havia passado no corredor. Talvez aquela fosse a sua única chance. Contanto que ele ainda funcionasse. Mas é claro que ele funciona, pensou ela. Era preciso voltar lá sem falta. O lugar tinha eletricidade e aquecimento, o que significava que não fora totalmente abandonado. Talvez os políticos imaginassem que poderia servir no caso de uma ameaça terrorista. Ou de alguma catástrofe natural. Por outras palavras: o telefone devia funcionar. Outra possibilidade lhe veio à mente: o alarme. Ela havia notado um grande relógio na parede, perto da escada; aquilo devia ser uma espécie de alarme. Sem dúvida um alarme de incêndio. Talvez fosse possível acioná-lo. Em todo caso, ela não podia ficar ali. Mais cedo ou mais tarde ele a encontraria. Na verdade, isso não devia demorar. E então ela não poderia escapar. Hannah se aproximou da porta e apurou o ouvido. Nada. Ela agarrou a maçaneta com precaução. Deu uma olhada no corredor.

19

Hospital de Bispebjerg, Serviço de Psiquiatria Infantil – 22h49

A lua, ou mais exatamente um pedaço de lua, flutuava sobre o Hospital de Bispebjerg. Vendo-a, Niels pensou em Hannah. Ela se alegrava tanto quando falava em lhe mostrar o eclipse daquela noite! Quase como se ela tivesse organizado esse acontecimento para ele. Como uma criança que exibe seu desenho a um adulto.

Niels estacionou o carro bem em frente da entrada principal, num local reservado, bateu a porta e subiu apressadamente os cinco degraus da escada externa. Ninguém à vista. Nem crianças, nem pacientes, nem funcionários. Ele se precipitou pelo corredor e passou diante de um quadro de avisos que continha "Informações destinadas aos pais" e estava decorado com o desenho de um sorriso.

– Posso ajudá-lo?

O funcionário tinha surgido atrás de Niels.

– Onde está o médico de plantão?

– Se o senhor está procurando as urgências psiquiátricas, é...

– Preciso ver o médico de plantão. Imediatamente.

– Do que se trata?

– Trata-se de uma das pacientes. Preciso falar com ela.

– OK. Quem é...

Niels brandiu seu distintivo bem diante do nariz do funcionário.

– Com quem o senhor quer falar?

– Com Silke. Silke Bergman.

– Tudo bem. Mas isso pode ser complicado.

– Por quê? Ela não está internada aqui?

– Está. O problema é que Silke não fala.

Noites de verão, pensou Niels. As noites mais bonitas da Dinamarca. Com sua luz doce num céu não totalmente negro e sua brisa que espalha um perfume de coníferas, resina e gramíneas. O médico de plantão estava no meio do jardim, acompanhado de um grupo de crianças e de duas enfermeiras. Todos tinham o rosto voltado para o céu, onde as nuvens deslizavam diante da Lua desenhada com os contornos da Terra. Nosso espelho cósmico – era como Hannah se referia a ela.

– Schultz? – chamou o funcionário.

O médico se voltou.

– Um policial quer falar com você.

– Não dá para esperar cinco minutos?

– Não – respondeu Niels.

Schultz deu um tapinha no ombro de uma das crianças. Quase todas elas eram atrozmente magras. E enquanto o médico falava com elas, Niels pensou em Dicte. Uma primeira bailarina. Tinha sido assim que Leon e Sommersted a haviam descrito. Uma pessoa que prefere trabalhar sozinha, que confia apenas no próprio talento. Como Niels, que pensava que os colegas eram incapazes de agir tão bem quanto ele.

– Fiquem aqui para ver o que vai acontecer. A Lua não vai demorar a sair da sombra da Terra – disse o médico, indo ao encontro de Niels. – É para um internamento de urgência? Normalmente a direção psiquiátrica regional nos telefona...

– Não é um internamento.

– Então o que acontece de tão urgente?

– Preciso falar com uma das suas pacientes. Silke Bergman.

– Sobre o quê?

– Sobre o pai dela.

– Adam? Aconteceu alguma coisa com ele?

– Ele é suspeito de envolvimento num crime.

– Que crime?

– Você o conhece?

– Ele é médico. Já conversei várias vezes com ele sobre o caso de Silke.

– Fora isso você não sabe nada sobre ele?

– Eu sei que faz pesquisas sobre o sono. Parece inclusive que é um dos melhores nesse campo.

– Mais alguma coisa?

Nervoso, Schultz passou de um pé para o outro o apoio do corpo.

– Perguntei o que você sabe sobre ele.

– O que é que eu posso saber? Só sei o que preciso saber.

– Ou seja...

– Para cuidar da filha de... – Schultz parou no meio da frase. – Para ser franco com você, essa conversa não me agrada nem um pouco. Aliás, tenho de obedecer ao sigilo médico – disse ele com voz nervosa.

Esse detalhe não escapou a Niels. Perfeito, pensou ele. O médico havia entendido qual era o seu lugar.

– Preciso falar com a filha dele.

– Silke não fala.

– Não fala?

– Ela deixou progressivamente de falar depois da morte da mãe. Você a interrogou... – Ele se empertigou. – Seus colegas policiais a ouviram várias vezes. Até que um dia ela se calou.

– Por causa do choque?

– Não se sabe exatamente. Uma psicose, um estresse pós-traumático agudo. Ela não é a primeira a quem isso acontece. Acolhemos regularmente crianças que se fecham como ostras depois de terem visto, por exemplo, o pai matar a mãe diante delas. Podem levar anos para...

Niels o interrompeu:

– Mas quando lhe fazemos uma pergunta ela compreende o que lhe dizemos?

Schultz examinou Niels por um instante antes de responder:

– Quanto a isso não há consenso entre os psiquiatras.

– Mas você, o que acha?

– Para mim não há nenhuma dúvida. Silke entende.

20

Algum lugar ao norte de Copenhague – 22h50

– Onde ela está?

Adam Bergman sentia uma dor no rosto. Devia estar com um corte acima do olhos. Porque um filete de sangue corria pelo seu rosto. Pelo nariz, pelos lábios e o queixo. Onde é que ela se escondeu, droga?! Bergman sentia que o pânico o invadia. Calma. Calma. Ela não podia fugir. Ele foi procurar um par de algemas na maleta. Elas estavam acolchoadas de tecido cor-de-rosa. Ele as comprara numa *sex shop*. Não importava. Funcionavam perfeitamente. Ainda faltava colocá-las nos pulsos dela. A única saída estava fechada a chave, e não havia nenhuma outra abertura. Além disso, ela ainda devia estar sentindo os efeitos do anestésico. Ela estava numa armadilha e não demoraria a perceber isso. Ele conhecia o lugar como a palma da sua mão. Sabia onde estava cada sala, cada esconderijo, cada porta, cada corredor. Tinha participado de um grande número de exercícios ali. Ela era o rato, e ele o gato. Era assim que ele via a situação.

– Calma – murmurou Adam Bergman.

Era inútil se precipitar. Ele parou diante da sala técnica, abriu a porta e entrou. Um leve zumbido dos geradores. Um cheiro de poeira. Seria conveniente desligar a eletricidade? Mergulhar na escuridão os corredores e as salas? Não; ela poderia se esconder com mais facilidade. Pelo contrário, o melhor seria ligar a iluminação de segurança. Todas as luzes. Em seguida ele cuidou de desligar o telefone. Não sem dificuldade, pois o plugue estava quase fundido à tomada. Por medida de precaução ele inutilizou a peça, para que fosse impossível religá-la. Depois disso saiu para o corredor e apurou o ouvido por um instante. Deu-se também um tempo para seus olhos se acostumarem à luz ofuscante, amarela e impiedosa. Ali. Desta vez ele a viu. Ela lhe virava as costas e se afastava, cambaleante. Ele pensou no telefone. Ela não é idiota, quanto a isso não há dúvida. Ele sabia tudo o que é possível saber sobre Hannah. Tinha lido muitos artigos sobre ela. Sobre a sua carreira de pesquisadora. Sobre a sua reputação. Ela era considerada um dos cérebros mais brilhantes do planeta. Até o dia em que o suicídio do filho tinha feito tudo desabar. Talvez ele até tivesse tido oportunidade de cruzar com o ex-marido dela, não menos célebre, durante uma festa universitária. Ele se chamava Gustav. Um homem mundano e sedutor, cheio de si. Um personagem carismático, uma espécie de Hemingway dos matemáticos, segundo um artigo que lera num jornal. Ela deu uma olhada sobre o ombro. Sem vê-lo. À distância ele a viu fazer isso. Ela tirou o fone do aparelho, quis discar um número, mas precisou tentar várias vezes, pois suas mãos tremiam muito. Ele se aproximou sem nenhum ruído. Quando estava atrás dela, agarrou-a pela garganta e pelos braços e apertou-a.

Ela gritou, tentou se libertar.

– Inútil resistir – disse ele com voz calma.

Ela conseguiu se virar, apesar de tudo. Seus olhos se arregalaram de terror.

– Me largue! O que é que você quer? Onde é que eu estou? O que...

– Agora me escute, Hannah. – Ele pôs a mão sobre a sua boca. Por um instante achou que ela ia mordê-lo. – Não tente escapar. Você precisa me ajudar.

Não, ela não o morderia. Estava paralisada. Vendo-o tão de perto a olhá-la nos olhos. Sentindo no rosto a sua respiração, o pouco de determinação que lhe restava se esgotou. Ela estava desistindo. Estava quase...

De repente ela o golpeou. Com uma força que ele não esperava. Violentamente. De modo repentino. Ela lançou o punho diretamente no seu rosto. Sob o efeito da surpresa e da dor, ele a largou, e ela aproveitou para se libertar, mas antes que tivesse tido tempo de fugir ele a pegou de novo.

– Miserável! – gritou ela.

Dessa vez Bergman a arrastou pelo corredor até a porta mais próxima, que ele abriu com o pé, e a atirou no chão. Havia sangue nos olhos dele. Seria preciso suturar o corte antes de continuar. Pelo menos deter a hemorragia. Ele lhe cravou um joelho nas costas. Ela gemeu alto, e por isso não ouviu o ruído das algemas quando estas se fecharam nos seus pulsos.

– Socorro! Socorro!

– Ninguém vai ouvir você. Estamos muito abaixo da superfície da terra – replicou ele puxando-a pelo chão até um cano de água, onde prendeu as algemas com a ajuda de uma corrente.

– O que é que você quer de mim?

Adam Bergman saiu para o corredor e fechou a porta a chave.

21

Algum lugar ao norte de Copenhague – 22h53

Hannah forçou o máximo que pôde as algemas, mas logo viu que seus esforços seriam inúteis. Cada tentativa lhe arrancava mais lágrimas. De qualquer forma, aquilo não adiantava nada. A porta estava fechada a chave, e bastava dar uma olhada nela para perceber que não era uma porta comum, e sim um modelo concebido para resistir aos mísseis nucleares do Exército Vermelho e de Brejnev. Forçá-la estava fora de questão. Ela estava algemada, presa a um cano. Trancada. A sala era banhada por uma luz amarela. Teria provavelmente doze metros quadrados. Havia nela uma mesa, uma cadeira, quatro paredes de concreto. Como numa cela de prisão. Como sempre, o mapa-múndi dependurado na parede lhe emprestava um aspecto de sala de aula. No alto estavam a Tchecoslováquia, a União Soviética, a Iugoslávia. Era como se as últimas décadas não tivessem existido ali. Foi somente nessa hora que ela notou o aparelhinho na mesa, a dois metros dela. Com um botão negro no meio. Um telégrafo. Até então Hannah nunca havia visto um telégrafo de verdade, mas ela sabia qual era o seu aspecto. O telégrafo. Claro! Quando um exército moderno se prepara para passar ao ataque, o que ele destrói primeiro? Os meios de comunicação do inimigo: seus satélites, suas emissoras de televisão, suas transmissões telefônicas – coisas desse tipo. Eles são bombardeados, arrasados. Antes mesmo do início efetivo das hostilidades, já não há mais rádio, internet e telefone. Então, para as comunicações, recorre-se aos velhos emissores de ondas curtas. E à telegrafia. Os últimos sinais que os homens podem enviar uns aos outros são, assim, pequenos *bips*. Coaxos. Como animais inofensivos. Hannah se perguntou se ainda haveria pessoas que utilizavam a radiotelegrafia.

Ela pensou. Claro que continuava havendo. Nos navios recorriam a ela quando os emissores modernos entravam em pane. Os sinais do código Morse eram simples demais para serem destruídos por uma bomba.

Talvez aquele aparelho ainda funcionasse. Certamente funcionava. O lugar tinha permanecido intacto. Se ela conhecesse o alfabeto Morse... Se pelo menos...

Ela afastou essa ideia da mente. De qualquer forma, o aparelho estava fora do seu alcance. A menos que...

Ela se virou de costas, estendeu ao máximo os braços e as pernas, e com o pé conseguiu tocar a cadeira. O chão estava gelado. Depois puxou a cadeira para perto de si. Ela fez um barulho apavorante. Hannah seguiu com o olhar o traçado do cano. Primeiro horizontal, ele formava um cotovelo a cerca de um metro da mesa e então subia verticalmente ao longo da parede, até o teto, que em seguida ele percorria até a outra extremidade da sala. Hannah deslizou as algemas pelo cano e contornou o cotovelo. Depois subiu na cadeira. Um joelho depois do outro, ela se endireitou. Seu pulso entortou no momento em que ela se levantou, e o dedo quebrado, mesmo frio e insensível, a fez sofrer atrozmente. Morto. Agora ela estava de pé na cadeira. Mas a mesa continuava inacessível. Então ela puxou o cano para tentar descolá-lo da parede, mas ele estava solidamente fixado. Outra ideia lhe veio à mente: caso se agarrasse ao cano, ela poderia balançar as pernas e alcançar a mesa. Seu polegar e os pulsos lhe doíam tanto que gotas de suor frio começaram a descer pela sua testa, e ela se sentiu enjoada.

De repente ouviu passos no corredor. Em algum lugar. Ele devia estar voltando. Agarrando o cano do teto, fechou os olhos, tirou os pés da cadeira e atirou as pernas para a frente na direção da mesa.

22

Hospital de Bispebjerg, Serviço de Psiquiatria Infantil – 22h55

Schultz não precisou acordá-la. Ela ainda não estava dormindo. Niels viu isso nos seus olhos quando ela se levantou.

– Silke. Tem um senhor que quer falar com você.

Schultz se sentou na beirada da cama.

– Ele é policial. Gostaria de lhe fazer umas perguntas.

Silke olhou primeiro para Niels. Depois para o médico. Schultz tomou a sua mão. Ela não se esquivou. Não manifestava a menor veleidade de resistência.

– Cinco minutos – disse Schultz dirigindo-se a Niels.

– Me deixe sozinho com ela.

O psiquiatra protestou imediatamente, mas Niels se afastou e abriu a porta.

– Agora.

Schultz se dirigiu à sua paciente:

– Estou logo atrás da porta, Silke.

– Perfeito. Você não precisa me fazer passar por um sujeito perigoso. Eu sou policial. Estou aqui para velar por ela.

O médico acabou se levantando e a contragosto saiu para o corredor. Então Niels fechou a porta e foi se sentar na cama. Silke baixou os olhos. Ela começou a roer as unhas, depois mudou de ideia e escondeu as mãos na coberta. Ela era bonita. Seus olhos escuros pareciam ter se refugiado no fundo das órbitas. Havia algo no seu olhar que o fazia pensar num animal aterrorizado.

– Silke. Acho que o seu pai fez uma grande bobagem.

Ela não reagiu.

– Acho que ele sequestrou a minha mulher. Porque, por uma razão que eu ignoro, ele acha que ela pode ajudá-lo. – Niels tentou captar o olhar dela. – Você sabe o que ele espera dela, Silke?

Ele pegou a mão da menina. Era a mão de uma boneca. Macia.

– Você sabe onde ele poderia ter levado a minha mulher? Você pode me ajudar? Mesmo se eu precisar adivinhar as suas respostas. Você poderia, por exemplo, apertar a minha mão quando eu estiver perto de acertar. Você quer experimentar? – murmurou Niels.

23

Algum lugar ao norte de Copenhague – 22h56

O código Morse estava pendurado na parede, acima da mesa. Pronto, pensou Hannah. Tudo fora previsto. Foi aqui que um dia um homem ou uma mulher de uniforme se sentou para mandar uma última mensagem de adeus ao mundo. Recorrendo apenas a sinais curtos e sinais longos. Pontos e traços representam vinte e nove letras. A combinação CH tinha seu lugar próprio no alfabeto. Quatro traços. Por quê? Para poder escrever "Churchill" mais rapidamente? Não, pensou Hannah. Talvez porque o inventor desse código fosse um anglófono. Samuel Morse. Americano ou inglês? Ela não sabia muita coisa sobre ele. Sim, um detalhe: ele era inventor e também um talentoso retratista, uma combinação espantosa. Balançando a cabeça, Hannah examinou o manipulador. Um aparelho elementar para um modo de comunicação primitivo. Parecia um desses objetos antigos com função desconhecida que às vezes encontramos nos antiquários. Um instrumento obsoleto. Naquele lugar, no entanto, ele tinha uma utilidade. Como em preparação para um tempo em que as bombas progressivamente levariam a humanidade para o passado, em que a civilização moderna seria varrida por um adversário de formidável poder de destruição. Um asteroide. Um vírus. Uma arma química. Somente vinte anos atrás, para começar: desaparecimento da internet. Depois, oitenta anos atrás: nada de televisão e nada de telefone. Então, mais longe ainda: uma época em que a sociedade não passaria de uma vaga lembrança, em que os homens voltariam a viver da caça e da colheita e passariam as noites em torno de uma fogueira da qual cuidariam atentamente por temerem morrer de frio durante o sono.

Sobre a mesa havia um segundo manipulador que, como o primeiro, estava dentro da embalagem. A versão moderna é de uso bem mais simples, porque bastava digitar o texto escolhido, e este era automaticamente convertido em código Morse. Infelizmente, haviam instalado o modelo antigo. Certamente para fazer exercícios com o código. Acima do código Morse, Hannah observou um bilhete escrito a lápis que dizia: "Novo caractere acrescentado em 2004: arroba". Essa descoberta a deixou esperançosa. Se eles se davam ao trabalho de agregar novos símbolos, era porque esse sistema de comunicação ainda estava em uso. Do contrário, por que atualizar o código?

Hannah apurou o ouvido. Tudo estava calmo. Mas ela precisava se apressar.

Como se liga esse aparelho? Um interruptor simples e na parede um botão de regulagem de volume. Ela conseguiu tocar com o pé o interruptor. Acionou-o com o dedão. Clique. De repente aconteceu alguma coisa. Ela percebeu um zumbido vago, que talvez só existisse na sua cabeça. Sim, aí está. Um *bip*. Quase inaudível. Mas muito real. Se pelo menos ela pudesse aumentar um pouquinho o volume... Não. Naquela altura estava perfeito. Não perca tempo, Hannah, disse uma voz na sua mente. Subitamente ela ouviu impulsos. Curtos e longos. Quatro curtos? Dois longos. Ela consultou o código e tentou decifrar os sinais. Isso, pelo menos, estava ao seu alcance. Combinações numéricas. Ela leu as instruções indicadas no cartaz de recapitulação: "Entre cada palavra observe uma pausa três vezes maior que um traço". Tudo bem. Ela escutou. Esperou uma pausa entre dois sinais. Agora. Ponto. Traço. Ponto. Ponto. Ponto. Fácil. Era um o. Coisa de criança. E antes era um L. Depois três pontos e um traço. "LOV." Depois um ponto simples? Isso. Uma longa pausa depois do último ponto. Seus olhos percorreram o código afixado na parede. Pronto. Um ponto correspondia à letra E. Ela acabara de captar a seguinte mensagem: *"LOVE"*.

24

Hospital de Bispebjerg, Serviço de Psiquiatria Infantil – 22h58

Niels ouvia Schultz andando de um lado para o outro no corredor. Respirou fundo e pensou na menina muda. Depois prosseguiu. Sem esperança de que ela abrisse a boca. Mas atento aos eventuais sinaizinhos que ela poderia lhe comunicar. Reflexos e oscilações corporais involuntárias. Era isso que ele vigiava.

– Talvez vocês tenham uma casa de campo antiga. Você acha que o seu pai poderia levar a minha mulher para algum lugar onde vocês costumavam passar as férias juntos?

A mão de Niels estava imóvel. Ele não tinha pressa. A mão de Silke repousava na sua. Era preciso ganhar a confiança da menina. Esse era o único meio de levar o corpo dela a se manifestar.

– Entendo perfeitamente que você não tenha vontade de falar do seu pai comigo. – Ele tentou captar o olhar dela. – Mas você precisa saber que eu não tenho nada contra o seu pai.

Mentira. Não se esqueça, Niels. Você deve falar a verdade. Somente a verdade.

Ela ergueu a cabeça. Seu olhar deslizou por Niels antes de se fixar na parede.

– Claro, estou furioso porque ele sequestrou a minha mulher.

Inspiração profunda.

– Ela está grávida. Você entende? E não quero que lhe aconteça nada de ruim.

Niels lançou um olhar sobre o ombro. Schultz estava atrás da porta e os observava.

– Sei que você viveu um drama horrível, Silke. Você me ouve?

Niels olhou a mão da menina. Estava inerte. Ele a apertou. Forte. Tentou forçá-la a reagir.

– Me dê um sinal, Silke. Senão eu não vou poder salvar o seu pai.

Schultz passou a cabeça pela abertura.

– Acho que já é hora de deixar a menina.

– Uma cabana, num lugar qualquer? Um terreno alugado ou...

– Você ouviu o que acabei de dizer?

Niels se voltou.

– Só mais um minuto.

– Não, não, não! Fora de cogitação.

Niels elevou a voz.

– Chega! Você está querendo que eu lhe ponha algemas e o prenda por estar obstruindo uma investigação criminal?

– Não interessa – protestou Schultz. – Essa menina tem graves perturbações psíquicas; você se comporta como um cara do mato...

Uma enfermeira entrou no quarto. No mesmo instante Niels sentiu que Silke lhe apertava a mão. Ele a olhou com atenção. Ela havia acabado de lhe fazer um sinal? De entrar em contato com ele?

– O que foi? – indagou ele. – O que fez você reagir? As algemas?

Ele olhou para a sua mão. Nada. O que ele havia dito? Ou seria algo que Schultz tinha dito?

– Eu disse alguma coisa?

Nenhuma reação.

– Foi Schultz que disse?

Agora. Uma pressão. Leve. Quase imperceptível.

– Ele disse que você estava doente?

Nada.

– Não...

Niels pensou. Era difícil, com Schultz atrás das suas costas. O médico estava furibundo e falava com a enfermeira.

– Precisamos alertar os seus superiores. Polícia ou não, está fora de questão tolerar um comportamento desses.

Niels se debruçou sobre Silke. Ficou bem perto do rosto dela. E murmurou:

– Foi alguma coisa que o Schultz disse?

Outra pressão.

– Ele disse que eu parecia um cara do mato. Foi isso?

Niels sentiu outra pressão, depois a mão de Schultz desceu sobre o seu ombro.

25

Algum lugar ao norte de Copenhague – 22h59

Um traço e dois pontos. D. Ela pôs as letras umas ao lado das outras. *"Love to the world."* Como era possível escrever tão depressa? Talvez eles utilizassem um manipulador moderno. Como o que estava na mesa. Agora era a vez dela. Suas mãos continuavam presas ao cano do aquecedor. Em pé na mesa, sua única alternativa era enviar os sinais com o pé. Ela começou. S.O.S. Três impulsos curtos. Três longos. Três curtos. Aquilo estaria sendo muito precipitado? Ela pensou em recomeçar. Não. Não havia tempo. Ruído de passos. Outros sinais. Três longos. Um longo e um curto. Seus olhos passearam pelo código Morse, com vivacidade e concentração: "O N T H E S E A".

On the sea, pensou Hannah. Ele está no mar? Não. Talvez ela. Claro, era isso. Ele lhe perguntava se ela estava no mar.

"N O", respondeu ela. Escolha uma palavra, Hannah; reflita bem. *Imprisoned?* Longa demais. O que, então? *Hostage?* Não. Agora ela sabia. Traço, ponto, traço, ponto. Uma pausa curta. Pouco mais longa que um traço. Depois um A. E um U. O G era simples. Dois traços e um ponto. Estava indo bem. Se pelo menos ele lhe desse tempo... Ruídos metálicos no corredor. Esqueça, Hannah. Concentre-se. É a sua última chance. Terminado. *"Caught"*, presa.

Ela se imobilizou. Pelo espaço de um instante cedeu ao derrotismo. Aquilo não daria certo. De que adiantaria mandar para uma pessoa provavelmente a dez mil quilômetros de distância uma mensagem em código Morse dizendo que a mantinham presa numa casa cuja localização ela ignorava? Suas chances de sucesso não seriam maiores do que se estivesse num navio perdido no meio do oceano e jogasse no mar uma garrafa com a mensagem "Socorro". Depois de alguns segundos, *Love to the world* respondeu. Com uma única palavra. *"Where."* A voz de Bergman bradou no corredor. Ignore-o.

E agora?, perguntou-se Hannah. Ela devia se comunicar do modo mais simples e com a maior rapidez possível. Explicar onde ela estava presa. Respirando fundo, ela começou.

26

Hospital de Bispebjerg – 23h02

Num bosque. Niels desceu correndo os degraus. Ligou para Casper. Ele havia desligado o telefone. Niels não perdeu tempo: mandou-lhe uma mensagem de voz.

– Casper. Tem algo a ver com uma floresta. Uma casa de campo. Eles devem ter tido uma casa no bosque. Ou então os pais. Os dela ou os dele. Veja o que você pode encontrar. Uma cabana de caça. O que mais se pode fazer numa floresta, além de caçar?

Depois de desligar, Niels hesitou em voltar ao carro. Para ir aonde? Sentiu os olhos cheios de lágrimas. Lágrimas de desespero.

Ele teve um sobressalto quando o telefone soou no seu bolso.

– Casper. Você ouviu a minha mensagem?

Silêncio.

– Alô?

Silêncio, ainda. Mas Niels sabia que havia alguém do outro lado da linha. Então falou mais alto.

– Niels Bentzon falando. Quem é?

Uma voz longínqua lhe respondeu, a voz de um jovem que falava inglês com sotaque americano.

– Olá?

– Niels falando. Quem fala?

– Niels? Você fala inglês? – indagou a voz.

– Sim – respondeu Niels e prosseguiu em inglês: – Com quem estou falando? Quem é você?

– Anthony. Anthony Gibson. Estou ligando de Coldwell, em Idaho. Onde você está?

Niels ficou tentado a desligar. Mas sentia uma certa angústia na voz do americano.

– Na Dinamarca. Na Europa. O que você quer?

– Eu não sei exatamente. Mas a nossa classe está trabalhando num projeto. No curso de física. Temos de fabricar o nosso próprio manipulador de telégrafo. Você entende?

O que ele entendia? Ele entendia que estava lidando com um adolescente. Um garoto que ligava para ele da escola, em algum lugar dos Estados Unidos, onde trabalhava no projeto de um manipulador de telégrafo. Ele ouvia vozes atrás da do seu interlocutor. Outros alunos? Um professor, ruídos, zombarias.

– Alô?

– Estou aqui – respondeu Niels. – Mas por que você me ligou?

– Acabei de receber um pedido de socorro. Um s.o.s.

– Como?

– Enfim: alguém acaba de lançar um s.o.s. e...

– Você recebeu uma ligação?

– Não. Foi uma mensagem em código Morse.

– Em código Morse?

– Isso. Eu a captei no meu rádio.

– Uma mensagem com o meu número?

– Com o número que eu usei para falar com você, sim. Primeiro um s.o.s. Depois esse número. E depois outro.

– Foi tudo o que ela escreveu?

– "Ela"? A mensagem dizia apenas: "*caught*".

– E o outro número? Você o anotou?

– Um instante – disse o garoto.

Houve uma pausa. Um alarido e depois a voz, novamente.

– Você pode anotar?

– Sim – confirmou Niels.

– OK. O número que eu recebi é 5611. Depois a letra N.

Niels não tinha papel para anotar. Estava sozinho na rua. No escuro. Desesperado. A chave do seu carro?

– Você pode repetir, por favor?

Niels enterrou a ponta da chave na pintura da carroceria, no teto.

– 5611, N.

Ele gravou os números e a letra na pintura.

– OK, e depois?

– Não, é só isso.

– Mas...

– Sinto muito. Depois disso perdi o contato.

– Tente novamente.

– Mas...

– Anthony! Tente outra vez. E me ligue se conseguir.

Silêncio na linha. Niels ouviu um adulto falar com o garoto. E lhe dizer algo do tipo: "É assim na comunicação telegráfica; temos responsabilidades".

– Anthony?

– Sim.

– Obrigado.

Niels desligou. Ele transpirava. Hannah. Ele ignorava o que ela havia feito para conseguir aquilo, mas a sua mulher acabara de lhe enviar uma mensagem com uma sequência de números. Isso não era nada surpreendente. Os números eram o seu universo, a sua linguagem. Ele os examinou. Pareciam coordenadas de GPS. Uma longitude ou uma latitude? Um pedido de socorro. *"Caught."* De onde ainda se enviariam mensagens por telégrafo?

27

Algum lugar ao norte de Copenhague – 23h04

Hannah o ouvia aproximar-se. Idaho, pensou ela. Acabei de colocar minhas últimas esperanças nas mãos de um total desconhecido que mora em Idaho. O que a fazia achar que se tratava de um homem? Por que ela iria acreditar no que quer que fosse? Eu nem sei onde fica o estado de Idaho. Vizinho ao Colorado? Às montanhas Rochosas? Ou é um estado desértico? *My Own Private Idaho.* Esse não era o nome de um filme que ela tinha visto com Gustav? Era. Com deserto por toda parte e aquele ator que morreu muito jovem. Jovem demais. Como Johannes. A quem ela não mais iria demorar a se juntar, agora.

Ele estava muito perto da porta. Dentro de segundos entraria na sala. Ela puxou mais uma vez as algemas. Mas sem estar efetivamente convencida. De repente a porta se abriu.

– O que foi que você fez?

Ele observou o manipulador. E o alto-falante que emitia sinais. Sinais vindos do outro lado do Atlântico. Durante alguns segundos ele ficou imóvel. Embaraçado. Confuso. Pensava nas possíveis consequências.

– Lancei um pedido de socorro – anunciou Hannah esforçando-se para parecer convincente.

Bergman olhou para o aparelhinho na mesa. Depois para o código Morse na parede. E para o alto-falante de onde continuavam escapando sinais.

– A minha mensagem foi captada. Eles já estão a caminho. Seria melhor você relaxar.

Bergman caminhou até a mesa e desligou o aparelho.

– Eles não vão conseguir nos encontrar.

– Vão. Eu expliquei onde nós...

Bergman a interrompeu:

– Explicou o quê? Você não tem a menor ideia de onde nós estamos!

– Eu vi a Lua. Sei qual é a nossa latitude. Quanto tempo eles vão levar para nos localizar, você acha? Me solte. Não piore a sua situação.

Hannah sentia o seu hálito na orelha dele. Ela falava impetuosamente.

– A minha situação não tem nenhuma importância. Nós não estamos aqui por minha causa, mas para encontrar o assassino da minha mulher. E já passa da hora de começarmos o nosso trabalho.

28

A caminho do norte – 23h08

O volante havia começado a trepidar quando ele passou de duzentos quilômetros por hora. O motor, em compensação, estava silencioso.

– O último número era um 2?

– Não, 1 – retificou Niels apertando com mais força o volante.

– Então, 5611 N?

– Isso – respondeu ele num tom rude. – Isso corresponde a uma latitude?

– Deve ser em alguma parte de Nordsjælland, bem perto da latitude 56º 11'N.

– Hellebæk.

– O que é isso?

– Uma aldeia. Bem perto dela há uma floresta.

Niels refletiu. Ele pensou em Silke. Na floresta. Na leve pressão na sua mão quando o psiquiatra falara de "mato". Talvez fosse uma casualidade. Uma dessas pistas falsas com as quais a polícia perde tanto tempo. Mas tempo era algo que Niels não tinha. Ele precisava tomar uma decisão e agir. Rápido.

Casper encerrou bruscamente as suas reflexões.

– Você me disse que ela mandou uma mensagem telegráfica?

– Pelo menos foi um sinal em código Morse que foi captado.

– Nos dias atuais, quem ainda utiliza o telégrafo?

– Sim, quem?

– Os marinheiros?

– Talvez.

– O problema é que nós só temos a latitude. Ela poderia estar em qualquer lugar ao longo...

– Da floresta! Concentre-se na floresta, Casper. Verifique o que existe nas imediações. Encontre uma ligação entre Adam Bergman e...

– E o quê?

Niels foi para o acostamento. Por desespero. E para poder pensar corretamente. Ele desceu do carro. Estava numa estrada, na entrada de uma aldeia de Nordsjælland. Mosquitos apáticos zumbiam à volta dele e flutuava no ar um cheiro de estrume.

– E agora? – perguntou ele em voz alta para si mesmo. Ele ouvia Casper do outro lado da linha. Seus dedos tocando o teclado a uma velocidade louca.

– No que é que você está pensando? – indagou Casper.

– Estou pensando no telégrafo. E na floresta.

– Na floresta?

– Seria muito demorado explicar. Mas é realmente uma pista. Embora não necessariamente da mais alta confiabilidade.

– Tá bem.

Niels se esforçou para ordenar as ideias.

– O que é que se sabe sobre ele? – perguntou Casper.

– Sobre Bergman? É um pesquisador, especialista em sono.

– E pai.

– E a mulher dele foi assassinada – acrescentou Niels.

Houve um breve silêncio.

– O que é que você pode me dizer sobre esse lugar? – indagou Niels.

– Latitude 56º 11' – disse Casper voltando a digitar. – Nas imediações tem uma velha fábrica. Hammermøllen. Usada no passado para a produção de armas...

– Produção de armas? Pode ser...

– Mas foi transformada em museu.

– Não, me dê outra coisa – berrou Niels.

– A região é muito procurada por ornitólogos. A região de Hellebæk.

– Outra coisa.

– Particularmente pela sua produção de aves de rapina. O lugar é conhecido por abrigar muitas espécies desses pássaros. Há também muitos cabritos-monteses.

– Caçadores?

– Não sei.

– Armas, caçadores, cabritos-monteses e aves de rapina – recapitulou Niels. – O que é que um sujeito que realiza pesquisas sobre o sono pode vir fazer aqui?

Silêncio. Talvez Niels refletisse. Ou talvez tivesse desistido.

– Vamos, Casper. E a costa? A aldeia está no Øresund.

– Navios, frete, pesca, portos de recreação – resmungou Casper antes de se interromper. – Nesses barcos ainda se utiliza o telégrafo.

– Neste lugar há crimes não elucidados?

Pausa. Ruído de teclado. Estática.

– Um assalto no ano passado.

– Continue.

– E também um estupro não elucidado, no ano passado. Uma adolescente que voltava da equitação.

– Não, Casper.

– Motorista alcoolizado. Dois casos.

– Não.

Casper ignorou a reprovação de Niels e continuou lendo.

– Um reservista que foi atropelado por um carro. Teve apenas um braço quebrado.

– Um reservista?

– É. O coitado caiu sobre um grupo de soldados do exército de reserva. Sem dúvida durante um exercício. Eles estão por toda parte.

– Sempre há manobras militares por aqui?

– Um instante.

– Há uma caserna em Elseneur?

– Em Birkerød.

– Nada para os lados de Hellebæk? Ele é médico do exército de reserva.

– Quem?

– Adam Bergman é médico do exército de reserva. Você não encontra essa informação quando faz uma pesquisa sobre ele?

– Não. Mas...

– Mas o quê?

– Um segundo.

– Vamos, Casper.

– Eu encontrei uma porção de fotos.

– Onde?

– Na internet, digitando o nome dele.

– Que tipo de fotos?

– Fotos do exército. Feitas por pessoas da região. Espere um pouco. Ouça isto, que está numa conta do Facebook: "O acesso à floresta foi novamente interditado.

Por causa das manobras secretas, como se nós não soubéssemos onde fica o abrigo antiatômico".

– O quê?

– O abrigo antiatômico. Um instante. Pronto.

Silêncio na linha. Até Casper rompê-lo.

– Regan Øst.

Niels o ouviu sem entender o sentido das suas palavras.

– Regan Øst – repetiu Casper. – Fica perto de Hellebæk. As coordenadas não correspondem perfeitamente, mas...

– Talvez ela não as soubesse precisamente – pensou Niels em voz alta. – Regan Øst... É o nome do abrigo antiatômico?

– Exatamente. É um *bunker* subterrâneo. Na Jutlândia existe outro. Regan Vest. Mas esse está sendo desmantelado. E Regan Øst continua lá. Um vestígio da Guerra Fria. Oculto profundamente sob a terra. Construído para acolher o governo e a família real em caso de ataque nuclear ou catástrofe natural.

Niels já havia dado partida no carro.

– É possível que ele tenha acesso ao abrigo? – indagou Casper.

– Se ele é médico de reserva, por que não?

– Isso também explicaria ela ter mandado uma mensagem por telégrafo.

– Você sabe exatamente onde fica isso?

29

Regan Øst – 23h09

Adam Bergman ligou os monitores. Eles acenderam lentamente. Como se tivessem sido acordados de um sono profundo. Material moderno. Olhos na noite. Imagens em preto e branco da floresta diante da entrada de Regan Øst. O sistema de vigilância tinha sido instalado durante os grandes trabalhos de renovação realizados dois anos antes, dos quais ele próprio tinha participado. Ele havia mandado substituir todo o material médico. Até as mesas de operação cujas rodas começavam a ser atacadas pela ferrugem tinham sido trocadas por outras, novas e mais modernas. Ele supervisionava também o estoque de remédios. E outros supervisionavam o vultoso estoque de alimentos. Leite em pó e conservas. Havia o suficiente para nutrir cento e cinquenta pessoas durante seis meses. *Seis meses.* Supostamente o tempo que se poderia resistir num *bunker* profundamente enterrado no solo dinamarquês.

Adam Bergman observou Hannah. Ela continuava tentando libertar as mãos. Ele se perguntou quanto tempo ainda duraria aquela luta.

– Eu achava que seria mais fácil com você – disse ele. – Você já passou por isso.

Ela o olhou. Respirava pelo nariz, tendo a boca ainda fechada por uma fita adesiva preta.

– Não entendo por que tanto medo. Você sabe que há vida depois da morte.

Ela balançou a cabeça. Ele se voltou para os monitores. Ia precisar de algumas horas. Pelo menos uma. E se ela tivesse realmente conseguido mandar uma mensagem, conforme dizia? O furgão. Talvez o melhor fosse tirá-lo dali. Para o caso de alguém passar por lá... Somente o exército sabia a localização precisa do

Regan Øst. No entanto ele havia estacionado o seu furgão bem diante da entrada. Ele deu uma olhada nos monitores. Nada.

– Já volto – disse ele.

Dessa vez Bergman se certificou de que Hannah não pudesse fugir nem deslizar as algemas pelo cano do aquecimento. Ela resmungou algo por trás da fita adesiva negra.

– Não vou demorar. Quando voltar, começamos.

Ele partiu correndo para a escada; seus passos ressoavam pelos corredores vazios. Talvez não passasse de um ataque de paranoia. Provavelmente. Mas, de qualquer forma, era melhor ser prudente. Evitar que alguém notasse o furgão e chamasse a polícia, pensando que havia algo errado. O que um furgão estaria fazendo no fundo do bosque numa hora tão tardia? O risco era mínimo, ele sabia. Mas eram os pequenos detalhes que faziam a diferença. Os pequenos detalhes em que não pensamos, por serem tão anódinos. Por que não agir de forma a eliminar esse risco? Ele não levaria mais que cinco minutos. O tempo de voltar à superfície, estacionar o furgão num lugar discreto, a algumas centenas de metros, e então voltar correndo. Era o mais sensato a fazer. E isso também no interesse de Silke. O que contava era apenas ela. Ele precisava obter a resposta à sua pergunta e lhe dar a paz.

– Vamos – disse ele motivando-se.

A escada foi rapidamente vencida. Ele transbordava de energia. Era a adrenalina, sem dúvida. Ou mais exatamente: a adrenalina junto com a carência de sono e os estimulantes. Ele tinha igualmente a impressão de que sua visão estava mais aguçada, mais clara que o normal. Como se ele distinguisse mais detalhes. Apesar disso, uma dúvida o assaltou. E se mudasse de plano? Se abandonasse tudo? Se voltasse para o hospital, pegasse Silke e fugisse com ela? Mas para onde? Para o mais longe possível. Um lugar onde fizesse calor. Onde haveria praias. Na Sicília. Com seus vulcões e suas laranjas. Não. Ele precisava se recompor e se concentrar na sua tarefa. Em Hannah. No seu plano. Naquele momento ele não devia pensar em Silke. Nem nos médicos dela, com seus olhares compadecidos. Nem nas outras crianças sem futuro que também estavam no hospital. Ao chegar ao alto da escada abriu a porta, fechou-a a chave, saiu para o ar livre e foi até o furgão. Onde seria conveniente estacioná-lo? Ligou o motor. Os mosquitos da floresta fervilhavam no facho de luz dos faróis. Havia seringas e ampolas no assento do passageiro. Ele começava a dar sinais de imprudência. Se os policiais tivessem visto... Não importava. Eles não tinham visto nada. E agora tudo estava chegando ao fim.

Enquanto dirigia entre as árvores, Bergman percebeu pelo retrovisor faróis de um outro veículo. Ao longe. O clarão poderia vir da Guarda Nacional? Não. Ele não estava sozinho na floresta. Desligou o motor.

30

Hellebœk – 23h18

Niels estacionou na clareira. Era o lugar certo? As coordenadas correspondiam às comunicadas por Casper. Ele desceu do carro e pôs os pés no solo da floresta. Foi então que distinguiu a porta. Ela parecia sair da terra. Perfeitamente camuflada, fundida na natureza. Grama e galhos haviam crescido em torno do bloco de concreto. Ele ficou em dúvida. Seria possível que aquela simples porta fosse a entrada de um imenso complexo subterrâneo capaz de abrigar centenas de pessoas? Niels pegou na maçaneta de aço. Estava gelada. Ele a abaixou. A porta não se moveu um milímetro. Em compensação, suas pernas tremiam. Ele estava tremendo de frio. E se o lugar não for aqui? E se você chegar tarde demais?, pensou ele. Talvez isso não passe de um simples gerador. Não há nenhuma janela. Um sistema de ventilação? De aeração? Se Regan Øst era realmente ali, teria de haver entradas de ar em algum lugar. Mas onde? Talvez tivesse chegado o momento de pedir reforços? Niels olhou para o celular. Sem sinal. Revolveu o solo com os sapatos, prudentemente. Precisava pedir ajuda. E logo. Voltou ao carro, ligou o motor e acendeu os faróis. Continuava sem sinal.

Ele contornou a construção de concreto em busca de outra entrada e de sinal. Mas não encontrou nem a primeira nem o último. Nada. Mais adiante a vegetação parecia particularmente densa. Como se as árvores e a mata de corte tivessem sido plantadas muito cerradas para dissimular alguma coisa. Niels se aproximou. Galhos e raminhos se quebravam sob seus pés. Havia um veículo estacionado. Um furgão branco. Sem dúvida o que havia servido para levar Hannah até ali. Ela estaria fechada lá dentro? Não, agora ela devia estar no *bunker*. E tinha sido de lá que havia enviado a sua mensagem em Morse. Ela estava viva. Pelo menos até pouco tempo atrás ainda estava. Niels contornou o veículo. Pelo vidro traseiro deu uma olhada no interior. Nada, fora os ruídos da floresta. Então onde?

O golpe tinha sido dado por um amador. Violento demais, demasiadamente mal localizado, na têmpora e não na parte de trás do crânio, que é onde qualquer policial sabe que se deve bater. Que depois vem o véu negro e nosso cérebro apaga como um aparelho elétrico que desligamos; e não ficamos urrando de dor como Niels estava então, com a vista turvada e espasmos de dor nas pernas.

– Bergman. Espere!

Niels tentou se endireitar firmando-se nos joelhos. Agitou os braços na direção do seu agressor, mas conseguiu apenas abraçar o ar. Ele tinha na boca um perfume de verão, um gosto ácido e de terra seca pelo sol.

– Hannah! – gritou ele.

Niels se levantou, mas logo caiu novamente. Quando se virou, tinha à sua frente Adam Bergman. Este deu um passo à frente para bater em Niels, que tentou evitar o golpe com o braço. Em vão. Depois veio o segundo golpe. Milhares de pensamentos se agitaram na sua mente. Ele pensou em Hannah, em Leon, em Casper, nos gêmeos, mas nenhum deles o ajudou a se pôr de pé novamente. Então sentiu uma picada no ombro. Uma abelha, concluiu seu cérebro enevoado. Quando ergueu os olhos, Bergman tinha uma seringa na mão.

– Onde ela está? Onde está a minha mulher?

Niels esfregou a nuca.

Bergman tinha um ar triunfante. Ele recuou.

– O que foi que você fez?

A dor se dissipou rapidamente. Rápido demais. Qualquer que tivesse sido o produto injetado por Bergman, o efeito era impressionante.

Niels se ajoelhou. Depois se levantou. Deu um passo na direção de Bergman, estendeu os braços para o seu rosto. Bergman o afastou, calmamente, com paciência. Como se soubesse que ele não demoraria a adormecer. Ou a sucumbir. Essa ideia atravessou a mente de Niels no momento em que ele desmoronou e começou a se contorcer no chão da floresta. Estes são os últimos instantes da minha vida, pensou ele. De repente teve um grande alívio. Sentiu a terra seca entre os seus dedos. Você voltará ao pó. Não, esse sentimento de bem-estar era provocado pela substância que se espalhava pelo seu organismo. Recomponha-se, Bentzon. Você não pode abandonar Hannah. Suas pálpebras estavam pesadas; ele tentou ativar todos os músculos da testa, forçá-las no sentido contrário, para o alto. Seu cérebro, num último sobressalto, o preparou para a questão fatal:

você já não pode fazer mais nada. Acabou. Não! Seus filhos. Pense neles. Você devia ter pedido reforços. Decididamente, você nunca vai mudar. Sempre acha que pode se virar sozinho.

– Daqui a alguns segundos você estará dormindo – disse uma voz.

Era a voz de Bergman? Niels abriu os olhos por um breve instante e distinguiu pés em calçados sem meias. Mocassins marrons, pensou ele. Vamos. Recomponha-se.

– Me ajudem – murmurou ele quando sua intenção tinha sido gritar.

Impossível. Telefone. Peça socorro. Ele sentiu que afastavam suas pupilas e punham uma lanterna diante dos seus olhos. Tudo ficou branco. À custa de grande esforço ele conseguiu restabelecer contato com sua mão esquerda, ordenar-lhe um mergulho no bolso. Se pelo menos pudesse fazer uma ligação... Mas Bergman perceberia isso e lhe confiscaria o celular. Um simples toque e ele poderia escrever uma mensagem. Se houvesse sinal. Niels ouvia Bergman andar à sua volta, impaciente como um predador diante da presa, enquanto esperava que ele finalmente perdesse a consciência. Sim, se pressionasse alguns botões poderia mandar um sms. Havia nove teclas, o teclado inteligente do seu celular se encarregaria de escolher para ele as palavras. O mais simples pedido de socorro imaginável, pensou Niels. Qual é? s.o.s.? Como fez Hannah. Ela havia emitido um s.o.s. Sim. s.o.s. Como ele iria fazer? Nove teclas, nove pequenos toques. Ora, você já enviou um milhão de smss. Deixe seus dedos se lembrarem. Niels confiou no seu dedo, pressionou três vezes. Agora, enviar. Mas para quem? Bergman voltou a pôr a lanterna diante dos seus olhos.

– Já passou da hora – declarou ele agarrando Niels pelo pé.

Bentzon sentiu a terra esfregando-se contra as suas costas. Não; devia ser o contrário. Vamos, Bentzon, reflita. Para quem você vai enviá-lo? Para Leon. Seu dedo encontrou a tecla do meio. L. Depois a que estava acima à direita. E. Isso era o suficiente para que seu telefone encontrasse Leon no seu repertório? A sexta tecla a partir do alto. O. Depois "Enviar".

31

Valby – 23h21

Thirty Love. O torneio feminino de Wimbledon. Talvez ele estivesse assistindo ao repeteco de um jogo de um ano atrás. Leon ignorava isso, e é preciso dizer que para ele tanto fazia. Ele adorava tênis feminino. Agressividade, mulheres, pernas bem-torneadas, uma perdedora e uma vencedora. Esses eram os pilares do seu universo. A mulher dele estava pondo na cama o caçula do casal. Vantagem para *Miss* Kvitová. À noite Leon adorava se deitar no chão com uma almofada sob a cabeça para alongar a coluna, que tanto o fazia sofrer, e olhar as tenistas sendo filmadas num plano inferior a elas. Sonhava que um dia seria possível mudar o ângulo de visão que tinha a partir daquele lugar onde assistia à televisão. Já inventaram tantos aparelhos de alta tecnologia nos últimos anos... Assim, enquanto fazia seus alongamentos, ele poderia ver debaixo dos saiotes de Caroline Wozniacki e Maria Sharapova. Nada mal. Seu telefone bipou. De jeito nenhum, pensou ele. Ele não se mexeria nem mesmo se Osama Bin Laden tivesse voltado de entre os mortos e estivesse agora no aeroporto de Kastrup com uma poderosa carga de explosivos ao redor da cintura.

– Não dá para relaxar! – vociferou Leon virando-se de lado para se levantar sem forçar demais as costas. Depois foi mancando até a mesa. Havia recebido uma mensagem.

– Bentzon?

Ele a abriu e leu.

– "Pop." Que diabo é isso?

Deuce. Quiet, please. Leon sentiu o calor da cólera. *Pop.* Era típico do Bentzon. Insinuante, misterioso, abstrato. *Pop?* Como uma bolha que estoura? Como um *popstar*?

– Vá tomar no cu, Bentzon – resmungou Leon voltando a se deitar.

Miss Kvitová ganhou o jogo.

32

Regan Øst – 23h26

Os pés nus de Hannah. Foi a primeira coisa que Niels viu ao abrir os olhos. Sua primeira reação: acariciá-los; deixar a palma da mão deslizar lentamente pelos seus dedos, nos calcanhares e na barriga da perna. Mas ele tinha as mãos amarradas às costas; e seus pés estavam presos em algo que ele não podia ver. Deitado no chão, era incapaz de se mexer.

– Hannah?

Ela tentou se mexer, mas também estava presa. A um trilho metálico.

– Niels? – Um homem limpou a garganta em algum lugar da sala. – Vocês estão voltando a si – disse ele. – Eu os anestesiei.

Niels reconheceu a voz. Não era a voz de um assassino; nenhum sinal de alerta havia soado na sua cabeça na primeira vez em que o havia encontrado. Pelo contrário, até o achara com um aspecto confiável. Aquela voz cheia de solicitude, o olhar vivo e pesaroso.

– O efeito vai durar ainda alguns instantes. É normal que as suas ideias fiquem confusas.

– Hannah?

– Sua mulher está aqui. Nós não o esperávamos.

Hannah o interrompeu:

– Niels? Está tudo bem?

– Mal posso ver você. Onde nós estamos?

– Embaixo da terra – respondeu Bergman. – Ninguém pode ouvir vocês aqui.

No lugar em que estava, Niels distinguia o teto e as paredes. Bergman continuava fazendo a sua descrição monótona do local como um guia turístico entediado.

– Esta construção é de cimento armado – explicou ele. – O teto, as paredes, o chão. Até a porta foi reforçada por uma placa de chumbo de cinco centímetros de espessura.

Niels entendeu o recado: inútil pedir ajuda.

– Posso me sentar? Estou com as costas doendo.

O pesquisador se levantou, e então Niels pôde finalmente vê-lo. O rosto estava inchado, e ele se perguntou se finalmente um dos seus golpes o havia atingido.

– Vou ajudá-lo a se sentar. Isso deve favorecer a circulação sanguínea – disse Bergman, pegando Niels embaixo do braço.

Ele o endireitou com dificuldade e o encostou na parede.

– Assim está melhor?

Nem um pouco, pensou Niels. Aquela posição era ainda mais desconfortável. Seus pulsos estavam espremidos contra a parede. Mas pelo menos ele podia ver Hannah e...

– Não! – escapou de sua boca ao vê-la. As lágrimas começaram a correr, e seu coração disparou. Ela estava estendida numa grade metálica. Cada parte do seu corpo estava presa: os pés, os joelhos, as coxas e, mais acima, a bacia e os braços. Mas isso não era o pior. Sua cabeça pendia a cinquenta centímetros do chão, e sob o seu rosto esperava um aquário cheio de uma água azul-clara, límpida e cintilante. A grade metálica era móvel e podia se deslocar para cima ou para baixo.

– Niels?

A voz de Hannah era fraca e resignada. Ela não o via, não podia virar a cabeça por causa do dispositivo que cercava o seu crânio.

– Sei que isso pode parecer um pouco bárbaro – disse Bergman. – Mas é um instrumento utilizado para as operações do cérebro.

– Estou bem, Niels – disse Hannah sem a menor convicção.

– Eu lhe suplico. Não faça isso – implorou Niels enquanto seu ritmo cardíaco se acelerava.

– Na verdade não há nenhuma razão para ter medo. Todas as pessoas com quem conversei contam a mesma história. Parece que a nossa consciência deixa o corpo e se eleva no ar.

– Você não vai sair disso com tanta facilidade – disse Niels num tom ameaçador.

Suas ideias não estavam claras. Ele devia mudar de tática. Seria melhor conversar com ele em vez de ameaçá-lo, murmurou o policial ao marido aterrorizado.

Isso, converse com ele. Leve-o a entender que ele não é obrigado a fazer isso, que há outras soluções. Pense nele como um pobre-coitado desesperado, um tipo que fez um refém.

– Sair disso com facilidade – repetiu Bergman como se pesasse aquelas palavras. – Sair. Nossa alma sai do nosso corpo – sussurrou ele.

– Sim. Todos nós morremos um dia – observou Niels. – Mas por que agora?

– Preciso encontrar a minha mulher. Sei que ela está lá.

– Sua mulher morreu. Ela foi assassinada.

Bergman ergueu os olhos. Pela primeira vez o olhar de Niels encontrou o dele.

– Como é que você sabe?

– Isso não importa. Eu sei e pronto. Assim como sabia que o encontraria aqui. E como sei que nada do que acontecerá nesta sala ficará impune.

Bergman balançou a cabeça.

– Se seus colegas soubessem onde você está, já estariam aqui há muito tempo.

– Pode ser. É verdade. Talvez o esquadrão não apareça. Mas e amanhã? Quando eles perceberem que nós desaparecemos?

– Eles vão pensar em suicídio.

– Verdade? Nós descobrimos a razão pela qual Dicte van Hauen se matou. Foi você que a levou a se suicidar.

Bergman balançou novamente a cabeça.

– Mas por que você faz isso? – indagou Niels.

– Para saber. Para que a minha filha saiba quem matou a mãe dela e que finalmente se faça justiça.

– E é por isso que a minha mulher precisa morrer? Isso não é um raciocínio muito lógico. Onde fica a justiça nesse caso?

– Ela não vai morrer. Eu sou médico e vou reanimá-la.

– E se as coisas não acontecerem de acordo com o previsto?

– Não há nenhuma razão para que dê errado. Já fiz isso muitas vezes.

– E Dicte?

– Ela pulou sozinha.

– E Peter Jensen?

– Se você coopera, tudo dá certo. Peter se recusou a cooperar.

– Minha mulher está grávida. De gêmeos.

Bergman examinou Niels com um olhar pasmo. Niels o viu calcular mentalmente as consequências do seu gesto: sem oxigênio durante cinco minutos, os fetos seriam gravemente lesados. Era provável até mesmo que sucumbissem.

– Você está grávida de quantas semanas?

– Nove – respondeu Hannah. – Os fetos sofreram a anestesia?

– Não. Mas um feto não pode sobreviver a cinco minutos sem oxigênio. Considere isso um aborto – disse Bergman antes de acrescentar: – Você sabe, só na Dinamarca há milhares de abortos anualmente.

– Você não entende – murmurou ela. – Nós não podemos ter filhos.

– É um verdadeiro milagre ela ter engravidado – acrescentou Niels.

– Você tem certeza de que é o pai?

– Idiota – sibilou Hannah.

– Nunca se tem certeza, com uma mulher. Elas não são confiáveis, elas...

Bergman parou no meio da frase. Começou a arquejar. Era um homem reservado, pouco afeito a externar seus sentimentos.

– Sua mulher. Fale sobre ela – disse Niels.

– Ela... Ela...

– Ela tinha um amante?

– Ela tinha um amante – repetiu Bergman antes de se calar novamente.

Niels havia resolvido não relaxar a pressão. O único meio de reconduzir Bergman à razão era forçá-lo a exprimir pelo menos em parte a dor e a cólera que o castigavam.

– Sua mulher tinha um amante. Mas você não sabia disso.

– Pois é.

– Você a amava.

– Eu a amava.

– E então?

Niels o observou. Quem devia contar a história era ele. Do contrário a coisa não funcionaria.

O pesquisador tinha uma crescente dificuldade de respirar. Estava sofrendo de verdade. Houve momentos em que Niels chegou a se esquecer de Hannah. Ele esqueceu que suas mãos estavam atadas nas costas e que eles provavelmente não sairiam vivos daquele lugar sinistro. Agora estava concentrado na sua tarefa; atento ao menor sinal da parte do sequestrador, à sua respiração, às suas pupilas, às suas mãos, ao seu pomo de Adão, aos seus tremores nervosos. Enquanto ele mostrasse sinais de agitação, a negociação seria possível. Quando a respiração voltasse ao normal, quando suas mãos deixassem de tremer, quando seu olhar se acalmasse, isso significava que para o negociador chegara o momento de se afastar.

– A sua mulher – insistiu Niels.

– Ela tinha um.

– Sim. Ela tinha um.

– Muito frequentemente as pessoas têm necessidade de ir dar uma olhada por aí depois de alguns anos de casamento – disse Bergman mecanicamente; ele devia repetir para si mesmo aquela frase para se tranquilizar, para conseguir se levantar de manhã e sobretudo para evitar dar cabo à vida.

– Todos os casais atravessam períodos difíceis – admitiu Niels com sinceridade.

– Todos os casais – repetiu Bergman.

Niels esperava conseguir ver Hannah um pouco melhor, pelo menos distinguir seus olhos.

– Mas o problema não foi a infidelidade dela?

– Ele a matou.

– O amante dela.

– Sim. Ela o conhecia. Foi ela que o deixou entrar na nossa casa. A minha filha...

Adam Bergman balançou a cabeça. Há anos ele não falava naquilo. Tinha enterrado o fato bem dentro de si. E quando coisas assim acabam por ser externadas, nem sempre isso acontece de um modo bom. Ninguém estava em melhor situação do que Niels para saber disso. Mas era preciso deixar sair. Niels pensou numa frase que ouvira durante a sua formação. "A derrota só é amarga se a tragamos." Fora dita por um general ou um político, ele já não se lembrava bem. O certo era que Bergman tinha tragado a sua dor, sua derrota, seus desejos de vingança; que ele os tinha mordido, mastigado e depois engolido; e que eles tinham ficado revirando no seu estômago até assumirem proporções monstruosas.

– A sua filha?

– Ela estava dormindo.

Ele deu uma olhada furtiva para Hannah. Viu uma gota correr da ponta do nariz dela e cair no aquário. Nesse momento Niels entendeu que ela devia ver seu rosto refletido na água. Era uma lágrima? Ou suor? Ele preferiu pensar que era uma gota de suor.

– Ela estava dormindo enquanto eles...

– A sua filha estava dormindo?

– Sim. Ela estava dormindo. No cômodo ao lado. No quarto dela.

Bergman continuava balançando a cabeça.

– E a sua mulher e o amante? Eles estavam no quarto ao lado?

– Não encontraram nenhum indício de que a relação não tenha sido consentida – precisou Bergman num tom distanciado, como se estivesse lendo o relatório da polícia.

Ele ergueu o olhar para Niels.

– Eles se conheciam. Ela o convidou para entrar. E em agradecimento, ele lhe tirou a vida. Com um simples corte – disse Bergman mostrando com um gesto profissional onde o corte fora feito. Na carótida. – Apenas o mínimo necessário. Como antigamente se matava o gado. Secionando a artéria. Quem é capaz de fazer uma coisa dessas?

– Um doente – respondeu Niels.

O pesquisador balançou a cabeça. Isso não era suficiente. A medicina sozinha não podia explicar esse crime monstruoso.

– Eles haviam combinado de se ver – prosseguiu ele. – Minha mulher tinha dado à nossa filha uma dose leve de sonífero, misturada ao seu leite com chocolate. Para evitar que ela acordasse enquanto eles estivessem juntos. Mas ela acordou. Ah, meu Deus! – suspirou Bergman cobrindo o rosto com as mãos.

Ele começou a soluçar. Sem fazer nenhum ruído, apenas sacudindo os ombros. Niels olhou para Hannah e para o aquário.

– Bergman. Não é assim que você vai resolver o problema. Estou disposto a ajudá-lo a encontrar o assassino.

O médico balançou a cabeça.

– Me escute, Bergman. Prometo que vou dedicar a isso todas as horas do meu tempo livre.

– O que o leva a acreditar que você terá sucesso num caso em que os melhores investigadores da polícia de Copenhague malograram? Eles passaram mais de um ano ocupados com esse assassinato. Recuaram até a infância dela e interrogaram todas as pessoas que ela conheceu desde o curso primário. Todas as pessoas que...

– Mas desse jeito você também não vai conseguir nada – disse Niels interrompendo-o num tom rude.

– Vou. Sei que é possível. Com Dicte eu estava muito perto do fim. Uma única pessoa conhece a identidade do assassino. A minha mulher. Na verdade, eu tinha perdido totalmente a esperança... Até ela ir me ver.

Bergman se levantou. A conversa começava a aborrecê-lo, e Niels estava perdendo o controle.

– Quem foi ver você?

– A ideia não foi minha. Se Dicte não tivesse me falado das suas experiências, isso não teria passado pela minha cabeça – explicou Bergman rindo nervosamente. – Eu já tinha desistido. Então, um belo dia, uma bailarina chega à clínica. Me diz que tem graves perturbações do sono. Suas noites são um inferno. Pouco a pouco eu a levo a falar, e ela me conta que teve várias paradas cardíacas, e que em cada uma delas foi reanimada.

Bergman tirou do bolso traseiro da calça uma folha. Desdobrou-a. Niels reconheceu imediatamente a página retirada de *Fédon*.

– Julgue por você mesmo. Eis as passagens que Dicte havia sublinhado: "Você não afirma que a morte é o contrário da vida?" – Bergman olhou para Niels. – É Sócrates que fala. Seu aluno lhe responde: "Sim, é o que eu afirmo".

Ele prosseguiu a leitura em voz alta:

"– E que elas nascem uma da outra? – indagou Sócrates.

"– Sim.

"– Nesse caso, o que nasce da vida?

"– A morte – respondeu ele.

"– E da morte? – prosseguiu Sócrates.

"– Preciso admitir, é a vida.

"– Então é da morte que nascem todas as coisas vivas, e portanto os seres humanos?

"– Aparentemente – disse ele."

Niels o interrompeu:

– Um filósofo morto há dois mil anos, Bergman. Isso não são provas. Você é médico!

– É verdade. Sou médico. No mundo inteiro meus colegas declaram: nossa consciência é independente do nosso corpo. Isso é um fato. As provas são numerosas demais. Todo dia pessoas reanimadas confirmam isso. – Bergman elevou a voz. – E eu escuto meus pacientes. Tudo o que Dicte viveu...

Niels se surpreendeu com a calma de Hannah quando ela interveio. Como se tivesse aceitado a ideia da viagem que ele queria fazê-la empreender. Como um astronauta apertado na sua cabine com os propulsores funcionando.

– O que foi que ela viveu? – perguntou Hannah.

– A mesma coisa que você, imagino. – Bergman se obstinava em olhar somente para Niels. – O que quase todos vocês contam. O filete que circunda a Terra. A luz. As fronteiras que desaparecem. Entre o corpo e a alma. A perda da noção de tempo. O encontro com pessoas mortas há muito tempo. Pessoas que elas conheceram. Às vezes pessoas que elas não conheceram e cuja consciência flutua no mesmo lugar.

– Você acha que a sua mulher está nesse lugar? – indagou Niels num tom sarcástico.

– Sei que isso é possível. Eu li.

– Você leu?

Niels balançou a cabeça.

– Recentemente as experiências de morte iminente foram tema de um estudo científico muito sério. Realizado com o apoio da ONU. No início eu pensava como todas as pessoas sensatas, que isso não passava de fantasia. Bobagens – explicou Bergman, aproximando-se de Hannah. Ele ficou bem perto dela. Dirigiu-se a ela como um cientista a uma colega. – Até liguei para o grande especialista americano.

– Bruce Greyson – disse Hannah.

– Isso. Nós conversamos longamente. Várias vezes.

– E o que foi que ele disse?

– Que do ponto de vista científico não há nenhuma dúvida de que nós ignoramos totalmente alguns aspectos da nossa consciência. Ou preferimos ignorar. Os diferentes estudos realizados no mundo inteiro demonstram a mesma coisa. A nossa consciência continua vivendo até bem depois de terem cessado os batimentos cardíacos. Mesmo na total ausência de atividade cerebral. E nós podemos nos comunicar com os mortos. Porque eles estão à nossa volta. – Bergman deu um riso curto e se voltou para Niels. – E quando os pacientes são reanimados... Você sabe o que eles dizem?

– Não.

– Que eles têm uma mensagem da mãe ou do pai do médico, ambos mortos. Os casos divulgados são numerosos. Então por que isso não seria possível?

– Não seria possível fazer o quê? – perguntou Niels.

– Falar com ela. Falar com Maria. Perguntar a ela quem foi que fez isso.

A voz de Bergman falhou mais de uma vez. Era uma voz que Niels conhecia bem. A de um homem que tinha desistido de tudo. De um homem que se preparava para agir. A discussão estava encerrada.

Preciso fazer alguma coisa inesperada, pensou Niels. Surpreendê-lo, levá-lo a raciocinar de outro modo.

– Você não passa de um leviano, Bergman! – exclamou ele de repente. – Está fazendo mal à sua filha! Como é que você acha que isso vai acabar? Você vai ser preso, e a sua filha será privada do pai depois de já ter perdido a mãe.

A cólera de Bergman se inflamou tão rapidamente quanto pólvora seca. Ele se arrojou na direção Niels e se ajoelhou diante dele:

– Vou lhe dizer como é que isto vai acabar – murmurou o médico. – Nós vamos identificar o assassino dela. A sua mulher vai perguntar à minha quem foi.

– E depois?

– Depois a minha filha vai encontrar a paz. Ela vai poder viver. Estou disposto a me sacrificar por ela.

– E ao mesmo tempo a sacrificar inocentes? Minha mulher? Eu? Dicte? Quantas pessoas você está disposto a sacrificar?

Bergman se levantou e voltou-se para Hannah. Ele retomou o controle da respiração.

– Você já esteve no além, não é mesmo?

Hannah pigarreou. Niels ficou mais uma vez espantado com a sua calma:

– Sim, tive uma parada cardíaca durante muitos minutos – disse ela. – Você sabe disso. Aliás, é por essa razão que estamos aqui.

– Então você vai fazer essa viagem mais uma vez.

– Não, Bergman. Eu lhe suplico – murmurou Niels tentando soltar as mãos. Os nós estavam bem apertados. Se pelo menos ele pudesse livrar os pulsos...

– Quanto tempo você pretende que dure a minha parada cardíaca? – indagou Hannah.

– Dez minutos. Dicte teve direito a oito. Mas você é forte. O líquido em que você será afogada é uma...

– Solução salina – disse Hannah interrompendo-o secamente.

– Você conhece as propriedades dessa solução?

– Ela favorece a reanimação.

– Na verdade ela oferece condições ótimas – acrescentou o pesquisador.

Niels escutava Bergman descrever o seu processo nos mínimos detalhes. O médico era regularmente interrompido por Hannah, que friamente lhe apresentava comentários e perguntas. Uma conversa de pesquisador com pesquisador. Só que um deles estava preso a uma grade metálica, enquanto o outro havia perdido todo o contato com a realidade. Não fora isso, tudo estaria normal.

– É importante que você não se volte para a luz – avisou Bergman. – Dicte estava muito perto. Ela viu o seu rosto. Era um rosto radiante.

– E se eu vir a mesma coisa que ela? – perguntou Hannah.

– Nesse caso você precisa ir encontrá-la. Aproximar-se dela o máximo possível. Diga a ela que quem a mandou fui eu. Que eu sei que ela continua me amando. Depois você pergunta quem foi que a matou.

33

Valby – 23h28

Pop. Leon tinha ido para a cama. Mas não conseguia conciliar o sono. Estava agitado demais e sentia um desconforto nas pernas. Acabou por desistir e se sentar na beirada da cama. *Pop.*

– Algum problema? – indagou sua mulher.

– Estou nervoso – respondeu ele.

Ela sabia perfeitamente que de nada adiantava pôr a mão nas costas dele para tentar acalmá-lo. Com Leon, o nervosismo era em geral a primeira fase de uma tomada de consciência. Ele se levantou. Pegou o celular no criado-mudo. Nenhuma mensagem, nenhuma chamada não atendida. Abrindo o sms que Niels lhe enviara durante a partida de tênis, ele viu a mensagem que anteriormente havia resolvido ignorar. *Pop.* Aquilo era típico do Bentzon; censurá-lo porque ele tentava ser *pop.* Popular? Ele sabia exatamente o que Bentzon pensava dele. Que era um oportunista para quem agradar a seus superiores e lamber Sommersted num certo lugar era mais importante que se comportar como um bom agente da polícia. *Agente.* Até essa palavra o desgostava. Ele a achava muito ridícula e anacrônica – como Bentzon, esse policial que não percebia que os tempos mudam. *Pop.*

– Está melhor? – indagou com prudência sua mulher.

– Nós ainda temos aqui em casa um celular antigo?

– Um celular antigo?

– Daqueles que tinham um teclado. Com teclas de verdade.

– Pode ser que ainda tenha um jogado no quarto dos meninos.

Sua mulher seguiu atrás dele, irritada com o fato de no meio da noite Leon ter decidido procurar um telefone com teclas. Eles entraram cada um num quarto e começaram a remexer nas gavetas dos filhos. Leon se lembrava de ter lido em algum lugar que uma família dinamarquesa comum guardava em casa entre quatro e doze celulares velhos e entre três e cinco computadores. Mas eles provavelmente não eram uma família dinamarquesa típica.

– Que bagunça! – resmungou Leon enquanto esvaziava a primeira gaveta.

Havia ali medalhas de futebol, cartas de Pokémon, piões e oito carregadores diferentes, mas nenhum celular.

– O que é que você está fazendo, papai? – perguntou-lhe o filho atrás dele.

Leon continuou sem se voltar.

– Preciso de um celular antigo.

– Agora?

– É, agora, seu idiota. Senão eu não incomodaria você no meio da noite.

– Gaveta de baixo – indicou a vozinha amedrontada e meio adormecida.

Leon tirou a gaveta da cômoda e despejou no chão o conteúdo. Pronto! Um Nokia. Um telefone fabricado numa época em que ainda se sabia produzir material de qualidade, uma época em que os finlandeses, que tinham inventado o SMS, estavam em vantagem. Sua mulher estava parada na moldura da porta na companhia do filho mais velho, que também tinha acordado.

– O que é que está acontecendo, papai?

– Chegue mais perto, Einstein. Dê uma olhada nisto – ordenou Leon acendendo a luz.

Toda a família, com exceção de Leon, apertou os olhos enquanto ele apontava as teclas 7 e 6.

– *Pqrs* e *mno* – disse ele.

– O que é que é?

– As duas teclas usadas para escrever *pop*.

– *Pop*?

Sua mulher não via aonde ele queria chegar. O filho mais velho foi mais ágil mentalmente.

– Você quer saber o que se pode escrever com essas duas teclas?

– Isso, exatamente.

– "Sós" – propôs a mãe.

– E "pós" – sugeriu o filho.

– O que mais?

– "Sop" – disse o mais novo, sentado na beirada da cama e debruçado sobre o pai.

– Não! – exclamou o mais velho. – Eu sei: "sos."

Milhares de ideias se fundiam no cérebro de Leon quando ele entrou precipitadamente no quarto para pegar seu celular: era tarde demais, ele devia ter pensado nisso mais cedo. Agora Bentzon já devia estar morto. Ele digitou rapidamente o número do colega, mas recebeu uma sugestão para que deixasse uma mensagem de voz. Era o que ele temia: o celular estava desligado ou sem bateria. Nesse meio-tempo sua mulher tinha ido buscar o paletó e as chaves do carro e estava diante da porta. Leon saiu em disparada. E sua família o ouviu berrar no telefone enquanto ele rumava para o carro.

– Não estou nem aí para quem você vai ter de acordar! Preciso saber quais são as últimas coordenadas de Bentzon. E também preciso saber com quem ele falou nas duas últimas horas. E que o grupo de intervenção fique a postos... O quê? Não, então chame a seção antiterrorista, para mim tanto faz, desde que você me dê rapidamente essas malditas coordenadas. Entendeu? Senão eu garanto que a partir de amanhã você vai passar a controlar passaportes! – gritou ele ao celular quando chegava diante do carro.

Ele bateu a porta e saiu cantando pneus.

O filho mais velho sorriu.

– Mamãe? – disse o mais novo.

– Diga.

– Eu acho que o papai é muito legal.

34

Regan Øst – 23h30

Adam Bergman soltou a corrente que ligava a grade a um anel no teto e que permitia regular a sua inclinação. Niels não sabia se aquela instalação fora providenciada pelo médico especialmente para a ocasião ou se ela já estaria ali antes. Desde os anos 1950, época em que se temia que o inverno nuclear nos eliminaria da superfície da Terra.

– Vou fazer você descer lentamente.

– Não, Bergman! Solte-a – gritou Niels.

– Você não poderia pelo menos me anestesiar? – perguntou Hannah.

Niels percebeu soluços na voz dela, embora não pudesse ver o seu rosto.

– Não, você precisa estar com as ideias claras. Isso só leva um minuto.

– Não faça isso, Bergman. Me escute. Me dê mais um instante – implorou Niels sem saber que palavras empregar para detê-lo.

As lágrimas lhe inundavam as faces e a boca.

– Ela não vai morrer.

– Pode ser que não. Mas nossos filhos sim.

– Não passam de embriões. Juridicamente falando, não são ainda seres humanos.

– Não são seres humanos? – repetiu Niels.

– Controle-se – gritou de repente o médico. – Não exagere! Isso não é nada mais que um aborto. Você sabe quantos milhares de abortos são praticados todo ano no mundo? Estou tentando salvar a minha filha! Desmascarar um assassino. – Ele sibilava as palavras. – Ele pode cometer outros crimes, quem sabe? O que é que você prefere? Impedir um aborto legal ou prender um assassino?

– Você não está entendendo! – protestou Niels.

Ele disse isso como se aquelas devessem ser as suas últimas palavras. Quem sabe se não eram mesmo? Suas últimas palavras para Hannah.

Bergman inclinou a grade para a superfície da água. Lentamente.

– Hannah. Você está me ouvindo? – chamou Niels.

– Estou – respondeu ela com voz resignada.

– Eu amo você. Você está ouvindo?

– Estou.

Ele ouviu na sua voz que ela se conformara, que ela havia renunciado a viver. Ela ia perder seu segundo filho. E o terceiro. Nada poderia levá-la de volta à vida quando o pesquisador tivesse mergulhado sua cabeça na solução salgada.

– Você vai voltar? – gritou Niels. – Hein?

Ela não respondeu. Bergman inclinou mais a grade. Os cabelos soltos de Hannah tocaram a superfície da água.

– Deixe que eu vá no lugar dela – irrompeu Niels. Por que eu não pensei nisso antes? – Reflita. Seja racional. Quem é mais apto para resolver um crime? Uma astrofísica ou um policial experiente?

Enfim um contato visual.

– Por que você acha que teria mais chance de encontrá-la?

– Eu encontrei você. É ou não é?

Hannah interveio:

– Niels...

– Não, não fale nada, Hannah. Deixe os profissionais agirem. Se alguém deve ir para o além procurar o que quer que seja, esse alguém sou eu. Todas as informações que consegui investigando esses assassinatos...

Niels lamentou essa palavra. *Assassinatos.* Bergman estava prestes a ceder; não era o momento de contrariá-lo.

– Escute pelo menos o que vou lhe dizer. Sei onde procurar. Já visitei o Aqueronte. Você rodou para mim a gravação da sua conversa com Dicte. Sei como ela raciocinava.

O médico permaneceu em silêncio.

– Fique tranquilo. Vou encontrar a sua mulher. Vou lhe fazer a pergunta cuja resposta você quer saber.

Bergman pensou.

– Pode ser. Mas a sua mulher tem mais experiência. Ela já fez essa viagem – objetou ele.

– Quantas vezes você tentou com a Dicte? Oito vezes?

– Seis.

– Me deixe ir lá. Se eu fracassar, você ainda terá a possibilidade de mandar em seguida a minha mulher.

– Posso também mandar você depois dela – disse ele secamente.

– Não. Se você me deixar ir primeiro, poderá contar com a minha motivação. Quero tentar. Vou dar o melhor de mim, eu lhe garanto. Me escute. Conheço a minha mulher. Se você mandar Hannah para lá, não vai conseguir fazê-la voltar. Ela vai se deixar morrer. Mas eu não. Vou encontrar a sua mulher. Se é que há alguma verdade no que você fala.

– É a verdade! – indignou-se Bergman.

– Nesse caso, o melhor que você tem a fazer é mandar a mim. Eu sou policial. Sou capaz de elucidar um crime. Além do mais, vou partir por vontade própria. Ao contrário dos outros. Estou disposto a me sacrificar. Vamos, Bergman. Você sabe que esta é a melhor solução.

Bergman ainda ficou pensando por mais alguns segundos. Então se levantou com ar resoluto, soltou a cabeça de Hannah e pôs a grade no chão. Pela primeira vez Niels pôde olhá-la nos olhos. Eles diziam: você não devia ter feito isso, Niels. Ele se esforçou para sorrir.

– Não vou soltar as suas mãos – avisou o médico arrastando-o no tapete.

Niels se viu cara a cara com Hannah. Ela continuava presa na grade.

– Eu amo você. Você sabe? – perguntou ele.

Ela não podia se mexer um milímetro. Logo Niels seria estendido no lugar dela no aparelho mecânico que os médicos utilizavam para operações do cérebro. Ele estava prestes a ser enviado para as trevas, para o desconhecido. Como dissera Dicte: "É isso que devem ter sentido os primeiros astronautas". Sim, era assim que ele devia ver as coisas. Esse pensamento até lhe proporcionou um pouco de conforto. Ele era um astronauta em viagem para o desconhecido, um explorador, um Cristóvão Colombo dos tempos modernos.

– Agora eu vou soltar a cabeça – anunciou Bergman. – Você não deve se mexer enquanto eu não o tiver autorizado a fazer isso.

35

Na autoestrada – 23h40

– Numa floresta? – Leon balançou a cabeça. – Droga, o que é que o Bentzon foi fazer no meio da floresta?

– O último sinal recebido vinha de lá – disse o policial que dirigia a viatura.

Uma vez que os veículos eram raros na autoestrada, eles tinham apagado a sirene. Somente o giroflex brilhava na noite de verão. Azul sobre azul, pensou Leon, uma consideração incomumente poética para ele.

– A polícia de Nordsjælland está de prontidão?

– Com vinte homens. Como você pediu.

– E cachorros.

– Duas patrulhas. Eles estão nos esperando.

– Não dá para ir mais rápido?

O policial deu uma olhada rápida para o seu superior. Estaria falando sério?

– Já estamos a duzentos e dez – observou ele.

Leon saltou do veículo antes que parasse. Os vinte policiais de Nordsjælland estavam espalhados; uns fumavam, outros conversavam. Leon estava louco de raiva.

– Ouçam! – esganiçou-se ele.

Os cigarros foram apagados, as conversas cessaram. Leon, que tinha fama de durão, não precisou se apresentar.

– Temos um colega em maus lençóis – berrou ele. – Sua última localização conhecida é a dois quilômetros daqui, no meio do bosque. Vocês receberam co-ordenadas precisas. Ele enviou um S.O.S. às 23h20, hora local.

– E por que é que nós estamos reagindo só agora? – perguntou uma voz jovem.

Leon procurou o rosto do insolente. Queria saber qual era a aparência do idiota.

– Porque não foi fácil decodificar o pedido de socorro de Bentzon – sibilou ele. – Vamos, chega de conversa! Patrulha canina?

Dois "sim" diligentes ressoaram na escuridão.

– Trouxemos para vocês o colete à prova de balas de Bentzon e outros objetos encontrados no armário dele. Façam os cães cheirarem esse material e se ponham a caminho com um intervalo de cem metros. Entendido?

– Entendido.

– Nós vamos rapidamente com a viatura até as coordenadas exatas e veremos o que a noite nos reserva. Agora!

– Entendido.

– Ninguém conhece a noite – resmungou Leon instalando-se no assento do passageiro.

Ele ligou o GPS enquanto seu subordinado se acomodava no lugar do motorista.

– O senhor disse alguma coisa, chefe?

– Eu disse: "Chispa!"

36

Regan Øst – 23h55

Niels estava imobilizado numa posição desconfortável. Suas mãos doíam. Continuavam amarradas nas costas. Bergman não ousara correr o risco de soltá-las para depois prendê-lo corretamente na grade metálica. E tinha razão. Pois Niels não teria sido dócil. Hannah estava no lugar que ele havia ocupado antes: contra a parede. Ele sentia o cheiro da solução salina, colocada alguns centímetros abaixo da sua cabeça. Ela lhe lembrava o mar. O mar do Norte. O rosto de Hannah sob o sol de verão. A areia...

– Você está pronto? – indagou Bergman, apresentando-lhe uma foto antiga. – O mais importante é não ter medo. Eu vou reanimá-lo.

– Niels – disse Hannah. – Tente abstrair o temor da morte. – Ela chorava quando concluiu a frase: – Você terá mais chance de sucesso.

– Ela se chama Maria – repetiu Bergman. – Muitas vezes as pessoas mortas que nós amamos ficam à nossa volta. Elas nos observam.

– Maria – repetiu Niels.

– Vamos começar.

– Não – murmurou Hannah.

Niels tentou captar o olhar dela, mas não podia mover a cabeça.

– Quero falar uma coisa – interveio ela.

Eles esperaram alguns segundos enquanto ela escolhia as palavras.

– Volte, Niels! – ela acabou por articular entre dois soluços. – Você me ouve?

– Agora vamos! – ordenou Niels.

Hannah deu um grito. O pesquisador liberou o mecanismo. Niels pensou no modo como reagimos quando sabemos que vamos morrer. As pessoas podem ser classificadas em três categorias: as que desfalecem, perdendo a consciência. As que ficam histéricas, tentam negociar, suplicam para que salvem sua vida. E por fim as que encaram a coisa com uma calma absoluta, com fatalismo: se é isso que deve acontecer, que seja; de qualquer maneira, todos têm de morrer um dia.

Bergman fez Niels se inclinar lentamente em direção ao aquário. Hannah começou a gemer quando o nariz dele desapareceu. Se pelo menos ela pudesse se calar, pensou Niels. Quando seus olhos chegaram à superfície da água ele os fechou instintivamente, mas logo voltou a abri-los. Teria preferido que Bergman utilizasse uma bacia mais funda, capaz de conter a sua cabeça inteira, e não apenas o rosto. Pelo menos ele não teria de suportar os gritos dilacerantes de Hannah. Ele reteve a respiração.

– Niels! Não! – gritou ela com voz rouca.

Ela deve estar vendo o meu rosto agora, deve estar vendo que eu estou com a respiração retida, pensou Niels. O que ele devia fazer para tornar a cena o menos chocante possível para ela? Limitar ao máximo o próprio sofrimento. Sim, era o que ele tinha de fazer. Para isso ele precisava abrir a boca e deixar entrar o líquido, deixá-lo entrar livremente e invadir os seus pulmões, pois assim aquilo acabaria depressa. De repente ele teve uma ideia maluca. Ele poderia tentar beber a água. Niels sentia os seus latejamentos de vida, sobretudo nos pulsos.

– Niels? Você está me ouvindo?

Agora. Era agora que ele precisava de ar. Sua boca se abriu para exigir o que lhe era devido. A água invadiu sua traqueia, que reagiu vomitando-a. Niels podia ouvir os sons desesperados que emitia. O coração batia forte. A visão se enevoava, a água não estava mais tão límpida. Estava turva. Talvez por isso ele pensou no fiorde de Roskilde. E na sua mãe. No dia em que os dois deveriam ter ido de ônibus para a Alemanha, mas ele havia ficado doente e fora preciso desistir quando estavam perto da fronteira. Ele pensou na sua mãe...

– Niels! Você está me ouvindo?

– Deixe ele tranquilo.

Ele pensou na sua mãe. Nas mãos dela...

– Niels!

Hannah deu um grito penetrante, mas desta vez seus ouvidos não doeram.

Ele pensou na rua da sua infância. Em Valby. Sua mãe estava na calçada oposta. No ponto de ônibus. Ela chamava: "Venha!"

Eu não sinto mais o pulso.

Ela era tão bonita! E jovem. Ele não se lembrava de tê-la conhecido tão jovem.

Daqui a alguns segundos tudo estará acabado.

Alguém passou diante dele com um pão debaixo do braço. Ele se voltou e descobriu diante de si a velha padaria. Aquela onde eles costumavam comprar guloseimas na quarta-feira. Bolinhos Napoleão. Ou o seu preferido: peito de ganso. Ele não gostava dessas palavras, por isso era a mãe que pedia para ele.

– Niels!

Chamavam-no. Ele se virou. O trânsito estava parado. Sua mãe lhe fazia um sinal para que ele fosse até ela.

37

Hellebæk – 23h57

Leon se esfalfava:

– Quem é?

– Você quer saber com quem Niels falou?

– Quero! Com quem?

Leon não estava com paciência para esperar. Ele se inclinou para o lado e arrancou o telefone das mãos do motorista. Lá fora: o crepúsculo, o asfalto, linhas brancas, uma floresta fechada.

– Alô – disse ele num tom rude. – Quem fala?

– Casper. Do serviço de informática.

– Bentzon ligou para você – grunhiu Leon no aparelho. – Nesta noite.

– Aconteceu alguma coisa com ele?

– Limite-se a responder às minhas perguntas, Casper. Por que ele ligou para você?

– Ele estava procurando a mulher dele. Hannah. Acha que ela foi feita prisioneira num *bunker* velho, em alguma parte de Nordsjælland.

– Um *bunker*?

– Isso. Regan Øst. Você conhece?

– Claro. A Guerra Fria e toda aquela confusão.

– Eu não tenho certeza. Mas em todo caso sei que ele tinha resolvido ir para lá, e agora não consigo encontrar...

– Você consegue uma planta do *bunker*? – disse Leon interrompendo-o.

– Pode ser. No Ministério da Defesa.

– Então se apresse – concluiu Leon antes de gritar para o motorista: – Regan Øst. O *bunker* de Hellebæk.

38

No além – oh

Inicialmente a escuridão. Vozes. Ele ouviu Hannah gritar um nome. Niels. Era ele. Niels não sentiu medo. Era como se o medo tivesse ficado abandonado no seu corpo, com todos os outros sentimentos. O que aconteceu com o meu amor por Hannah?, perguntou-se no momento em que uma luz prateada passou rodopiando diante dos seus olhos. Ele baixou o olhar e constatou que a luz era emitida por um longo filamento, uma espécie de corda de prata, e só então percebeu que estava ligado a esse filamento. Ele o observou durante um instante. Era poroso, fino. Poderia rompê-lo com os dedos. Mas não via seus dedos. Não sentia o seu corpo. Por que não sentia nada além de uma curiosidade sem fim? Para onde tinham ido todos os sentimentos que ao longo da vida o haviam guiado?

A sua memória, em compensação, estava intacta. Agora ele se lembrava: Hannah, a mulher de Bergman, o assassino. Não, isso não era problema dele. No final das contas, a morte não tem nada de aterrorizante. Sócrates estava com a razão. Pelo contrário: ele nunca havia se sentido tão bem, tão leve. Aliviado. Suas preocupações, suas ambições, seus desejos e seu ódio o haviam deixado. Todas essas coisas residem no nosso corpo, disse ele para si mesmo. Não na nossa alma. De repente seus pensamentos foram interrompidos pelo surgimento de um espectro luminoso. Nuances fantásticas de vermelho e verde que até então ele nunca tinha visto. Seus olhos estavam lhe pregando uma peça? Luzes cintilantes vinham ao seu encontro. Eram vivas e pareciam avaliá-lo, sondá-lo. Era como se elas penetrassem nele e o atraíssem, o cercassem.

– Niels!

Ele ouviu um grito que vinha de outro mundo. Um grito de mulher. Ele se virou. Isso. As pessoas estavam logo ali, abaixo dele. Mas não significavam mais nada. A dor que elas sentiam não o comovia mais. Por que será que alguém teve a ideia absurda de nos fazer permanecer num corpo humano?

– Niels!

Agora ele distinguia um caminho. Ou uma via. Essa via era ele. Ele era ao mesmo tempo a estrada e o viajante que a percorria. A via fixava o seu passo. Ela o guiava. Conduzia o viajante para o interior. Para o que talvez fosse uma sala. Em todo caso, havia ali quatro paredes. E sobre essas paredes, a Terra. Fervilhante de vida. Todo um universo contido num espaço minúsculo.

– Niels!

Niels a via. Hannah. Seus olhos exprimiam uma tristeza infinita. E seu coração brilhava. Ele foi tocado de leve por um sentimento desconhecido e ao mesmo tempo familiar. O amor.

Niels flutuava sobre uma sala sem teto. Subitamente foi cercado por uma onda de luz que o levantou e o conduziu pelo espaço. Foi então que notou a teia. Ela circundava a Terra. Era ali que nascia o seu filamento. Ali ele se misturava a outros filamentos semelhantes que, todos juntos, formavam uma espécie de teia de aranha gigantesca feita de luz e vida.

Ele estava novamente entre as quatro paredes. Então viu um corpo. Niels Bentzon.

– Niels!

Agora ela gritava.

Ele notou um movimento um pouco mais distante, ao lado do homem que se debruçava sobre Niels Bentzon. Uma silhueta estava se escondendo curvada sobre si mesma. Estava de costas para ele. Tinha os ombros nus. Ele não conseguia distingui-la. Para além das quatro paredes, em compensação, no corredor, viu homens de roupa preta que corriam na escuridão. E reconheceu um deles. Eles haviam se conhecido numa vida anterior. Leon. O homem caminhava à frente do grupo. Sozinho.

Sozinho.

Nós não estamos sós. Nunca estamos sós. Então Leon bateu a cabeça numa placa. Ele se virou. Na escuridão, os homens que o seguiam não tinham visto nada. Leon lhes fez sinal para que o seguissem. Eles se reuniram diante da porta da sala de quatro paredes.

– Niels!

A sala de quatro paredes. O homem que tentava reanimar Niels Bentzon. E as duas mulheres. Hannah. E a que estava ao lado de Bergman. Transbordando de amor. E de misericórdia.

39

Regan Øst – 0h01

Como cães cegos que guiavam seus passos no escuro, os fachos das lanternas examinavam o chão e as paredes enquanto eles passavam diante das salas destinadas aos membros do governo: o ministro da Justiça, o primeiro-ministro. Nem sombra do ministro da Cultura, observou Leon antes de fazer sinal para que seus homens avançassem. Era ele que abria o caminho. Isso implicava vantagens, mas também alguns inconvenientes. Como quando ele bateu violentamente a cabeça numa placa que a escuridão não lhe permitira ver. Isso era uma vantagem ou um inconveniente? Se não tivesse acontecido com ele, seria com um dos seus homens. Mas quem é o melhor para receber golpes?

Leon murmurou:

– Placa!

Então iluminou o obstáculo com sua lanterna.

– Tem dois corredores – disse logo atrás o seu primeiro subordinado.

Ele falava baixo. Num tom agressivo. A adrenalina os estava submergindo. Era exatamente do que eles precisavam.

– Que levam a...?

– O corredor 1 leva às salas comuns. O refeitório. A cozinha...

Leon o interrompeu:

– Primeira seção, me siga. A segunda, com Michael.

Ele apontou o corredor que conduzia às salas comuns.

O grupo se dividiu.

– Avançar – sussurrou Leon.

Eles se protegiam mutuamente e não tinham necessidade de se falar para saber o que tinham de fazer. Toda vez que Leon chegava diante de uma porta ou de uma abertura capaz de abrigar o inimigo, ele parava. Os dois homens que estavam bem atrás dele se dispunham de um lado e de outro da porta enquanto outros dois se aproximavam. E o que estava perto de Leon lhe passava as informações de que precisava.

– Quantas salas são?

– Sessenta, no total.

– E quantas saídas?

– Só uma. Por onde nós entramos.

– Os túneis de aeração?

– Lacrados em tempos de paz.

Leon se dirigiu aos policiais que esperavam as suas ordens:

– Vamos continuar.

Ele foi o primeiro a transpor a porta e se enterrou no corredor. Nas profundezas da terra. Eu já chego, Bentzon, pensou ele. Sou eu, o bom e velho Leon. Sei que você me detesta, mas, droga, nem por isso vou deixar de salvar você, acredite.

40

No além – 0h03

Ele sentiu dor.

Pela primeira vez em muito tempo. No peito. Pareceu-lhe distante. Não tinha certeza de que era a sua dor. Podia ser de outra pessoa. Sem dúvida era de outro.

– Niels!

Outro grito. Fragmentos de madeira voaram do batente da porta quando ela foi arrombada.

Outras dores, vivas, medonhas; uma brutalidade espantosa. As trevas se iluminaram. Houve uma explosão de luz. A sensação de um mundo que desmorona. O universo que o cercava desapareceu numa fração de segundo e foi substituído por outro. Estou morrendo, pensou Niels. Dessa vez estou morrendo de verdade. É isso que se sente quando se morre.

A morte.

Ele viu novamente aquela mulher. Ela estava diante dele. E um homem. A dor tinha desaparecido. Não voltaria mais. Não era dele. Do seu esconderijo distante ele viu Leon derrubar o homem no chão e algemá-lo.

A mulher gritou:

– Não! Não faça isso!

Leon se voltou.

– Vamos, Bentzon.

– Solte ele. É o único que pode fazer Niels voltar.

– Vamos buscar os médicos – berrou Leon.

Niels os observava.

– Solte ele – implorou Hannah.

Furioso, com um olhar desvairado, Leon retirou as algemas de Bergman. O pesquisador se endireitou.

As dores, ainda. E um grito. Dores no peito. Um véu negro.

– Bentzon! Você está me ouvindo?

Mais. Um clarão. Um inferno. Eu não quero.

– Niels. Vamos, Niels.

Era uma voz feminina. De Hannah? Ou da outra mulher? A que estava lá desde o início. Um clarão de dor. Seu rosto estava bem perto de Niels. Pavorosamente perto. Seu olhar era desesperado.

As dores eram cada vez mais vivas; os gritos, cada vez mais ensurdecedores.

– Niels?

Ele não estava em condição de responder àquelas vozes. Não tinha certeza de que era a ele que elas chamavam.

Um grito ressoou ainda mais forte que os outros:

– Niels!

Uma parede negra se elevou lentamente diante dele. A escuridão o engolfou como um maremoto, lançando um véu doloroso diante dos seus olhos. Ele tinha a impressão de que sua garganta estava prestes a implodir por falta de oxigênio. Que o mundo estava prestes a desaparecer.

Uma sensação úmida no seu rosto. Lágrimas.

– Niels. Niels.

Desaparecer. Afogar-se no sofrimento.

– Niels! Vamos, meu velho. Você consegue.

Uma voz ainda mais distante.

Afogar-se... A vida declinando... A luz se esgotando...

Ele desistiu. Foi uma decisão consciente. Não tinha mais forças. Não tinha mais vontade. Não havia mais esperança. Sempre mais escuro. Os sons começaram a se dissipar.

Depois voltaram subitamente.

Muitos. Vozes que enchiam a sala. Gritos.

– Estou sentindo o pulso!

Alguém começou a chorar.

A primeira coisa que ele reconheceu foi o hálito de Leon. Característico. Metálico.

– Seja bem-vindo entre nós, Niels.

E depois o seu rosto. As marcas de varíola, os olhos azuis, o maxilar quadrado.

Um desconhecido. Ele ergueu o olhar para aquele rosto. Do seu nariz saíam pelos.

– Você está bem? Os médicos estão chegando.

E agora, Hannah. Ela estava debruçada sobre ele. Os olhos cheios de lágrimas. Lágrimas que caíam no rosto dele, quentes.

– Foi por pouco – disse alguém.

Os médicos tinham chegado.

Talvez quando Leon o levantou, ou então no momento em que Hannah pôs a mão frágil no seu peito nu, no lugar onde o desfibrilador tinha sido enterrado na sua pele para reativar o coração, ou talvez somente quando eles saíram para o corredor, Niels cruzou seu olhar com o de Bergman. Furtivamente. Pelo espaço de um segundo. Ou pouco mais. De qualquer forma, pelo tempo suficiente para constatar que o médico sabia, e que talvez tivesse sabido desde sempre.

O que não o impediu de lhe fazer a pergunta:

– Quem?

Niels desviou o olhar. Bergman estava deitado no chão, de barriga para baixo, algemado, com as mãos nas costas. Cercado por oito policiais, um dos quais tinha enterrado o joelho entre as suas omoplatas.

– Quem?

– Me leve para fora – murmurou Niels a Leon.

– Fique tranquilo, Leon vai te tirar daqui. Só estamos esperando a maca.

– Eu não posso...

– O que é que você disse, Bentzon? – Leon se debruçou sobre ele. Aproximou a orelha da boca de Niels. – Repita.

– Eu não posso ficar aqui nem mais um segundo – quis dizer Niels.

Mas o grito de Bergman cobriu o som da sua voz, assim como a de todos os demais. Era o grito de uma alma prestes a entrar em decomposição. Seguido de um segundo. Um "não!" dilacerante. Um gemido.

41

Imediações de Regan Øst – 0h25

Hannah ergueu os olhos para o céu enquanto o médico fazia um curativo na sua mão. Ela olhou as estrelas, que logo desapareceram atrás das nuvens.

Então foi se juntar aos policiais. Niels e ela se enlaçavam pela cintura. Mas era impossível saber qual dos dois sustinha o outro.

– Vamos rápido – disse Leon. – Um cardiologista está esperando vocês no Hospital de Elseneur...

Niels atropelou a sua frase:

– Não vou para o hospital, Leon.

– Quando no meio da madrugada se tira da cama o melhor cardiologista do país, o mínimo que...

– Vou para casa. Com a minha mulher. Não vou morrer. Não nesta noite.

Não é que Leon não tivesse vontade de forçá-lo a subir na ambulância. Niels via isso nos olhos dele. Mas ele expeliu sua contrariedade suspirando longamente pelo nariz. Talvez tenha até balançado a cabeça; no escuro era difícil ver.

– Não, Bentzon. Você não vai morrer pela segunda vez nesta noite. Mas antes de ir embora, deixe pelo menos que um médico o examine.

– Você também precisa ser examinado – retorquiu Niels.

Leon olhou para ele estupefato.

– Você bateu a cabeça. Na placa. Logo antes de entrar no corredor. Não se lembra?

Leon ficou estático.

– Como? – Foi isso que ele quis dizer, mas a palavra ficou presa na sua garganta.

Niels adivinhou o que ele estava pensando. Ninguém o tinha visto na escuridão. Todos os seus homens esperavam muitos metros atrás. Como era possível que ele soubesse o que tinha acontecido?

Hannah seguia os dois homens. Ela não deixou de perceber a reação de Leon. Uma reação de admiração, inicialmente, e depois de rejeição. Era impossível Niels ter visto. Hannah sorriu para ele. É sempre a mesma coisa, pensou ela. As pessoas reagem sempre do mesmo modo quando são testemunhas de um acontecimento que questiona a sua concepção da vida; cedo ou tarde elas acabam por negar, por repelir. Agem como se aquilo nunca tivesse acontecido. E talvez seja essa, no fundo, a melhor atitude a adotar. Talvez algumas verdades nos ultrapassem de tal forma que é melhor que não sejam reveladas.

– Por que é que você está rindo? – indagou Leon.

– Estou sorrindo, só isso – retorquiu Hannah.

Leon deu um tapa no ombro de Niels.

– Entre na ambulância – disse ele e se afastou em seguida, antes que Niels tivesse tempo de protestar.

– Vamos. Serão só alguns minutos – murmurou Hannah.

Aquele hálito quente na sua orelha, a mão que estreitava a sua. A vida. Cheia de perfumes, sensações, impressões. Como o húmus, pensou Niels. E o murmúrio das folhas. De agora em diante ele saberia apreciá-lo no seu justo valor. Niels ia fazer um comentário sobre a beleza da vida. E também do seu contrário. Como chamá-lo? A morte. Mas sentiu de repente a mão de Hannah se crispar na sua.

Bergman tinha surgido no alto da escada. Enquadrado por seis policiais.

– Não olhe.

Mas Hannah não pôde deixar de olhar. Foi mais forte que ela. Niels desviou os olhos. Ele já havia assistido àquela cena um número incalculável de vezes. O final de uma história. Um indivíduo brutalmente privado do seu futuro. Um destino rompido. Sim, ele já vira isso muitas vezes. Sabia que se ela olhasse, aquela figura ficaria gravada para sempre na sua memória.

– Você não deve olhar – repetiu ele.

– Por que ele gritou "não"?

Niels ignorou a pergunta e foi se sentar na ambulância, onde deixou o médico examiná-lo. Hannah se encarregou de responder no lugar dele:

– Ele percebeu alguma coisa. Nos seus olhos. Ele leu o que você... o que você viu no além.

– Hannah...

– Não. Eu quero saber.

Niels hesitou. Já ia ceder, mas mudou de ideia.

– Podemos combinar uma coisa?

– Podemos.

– Eu respondo a uma pergunta. Somente uma. Depois não falamos nunca mais sobre isso.

– Por quê?

– Essa é a sua pergunta?

Hannah refletiu.

– Como você é cabeçudo, Niels! Você tem consciência disso?

– Essa é a sua pergunta?

– Não.

– Então o que é que você quer perguntar?

– O que foi que você viu para ele ter reagido daquele jeito?

– Eu vi o que ele sempre soube.

– E o que é que ele sempre soube?

Niels estendeu o braço para que o médico medisse a sua pressão.

– Para um gênio da matemática, você é uma decepção quando se trata de contar até um.

Segunda-feira, 20 de junho de 2011

42

Central da polícia de Nordsjœlland, Gentofte – 10h

Houve muita curiosidade a respeito do que Niels havia experimentado durante os minutos em que seu coração deixou de bater. Para tentar fazê-lo falar, uma das secretárias da delegacia lhe mostrou artigos sobre o além. Ela queria saber o que ele tinha visto. Até mesmo Sommersted não conseguiu deixar de lhe perguntar:

– Como é?

– Como é o quê?

– Merda, Bentzon! O grande mistério. O momento que todos nós tememos.

Niels deu de ombros e foi para a sua escrivaninha. Comentários murmurados às suas costas. Que ele não era o mesmo de antes. Que ele tinha ficado em estado de morte clínica durante cinco minutos. E que depois ele não dissera nenhuma palavra. Que ele havia se fechado. Mas eram bobagens. Niels Bentzon sempre fora taciturno. Era a sua natureza.

Hannah gostava de importuná-lo. Dizia que ele assumia um ar misterioso para chamar atenção. Então Niels sorria e balançava a cabeça, cantando uma música do Elvis para os dois pequenos seres que cresciam no ventre de sua mulher.

Sommersted, Leon e Niels foram convidados a participar da reunião que ia encerrar o caso Adam Bergman. Leon e Niels porque tinham sido diretamente envolvidos, e Sommersted em razão do caráter delicado do dossiê. A ruptura de alguns segredos militares, as tentativas de homicídio e o duplo assassinato tinham tido por efeito tornar aquele caso altamente delicado. Um oficial representando o Ministério da Defesa também estava presente. Niels não gostava nada dele. Ele se esforçava para fazer sua arrogância passar por cortesia, mas isso só o tornava mais antipático. Em compensação, o policial aposentado que tinha investigado na época o assassinato de Maria Bergman não dissimulava nada; era um homem autêntico, um policial tenaz. Esse crime não elucidado tinha sido o caso da sua vida. Quase todos os policiais têm um caso que os marca particularmente. Eles se lembram desse caso até o dia da sua morte. Não raramente até lhe consagram um livro quando aposentados, como uma forma de passar o tempo. E ele, sobre que caso ia escrever? Niels foi arrancado do seu devaneio por um dos oficiais locais.

– Bentzon. Como foi... – Ele se calou, limpou a garganta e retomou: – Ao ler o relatório, concluí que Bergman teve uma crise de nervos depois de reanimar você. Está certo?

Niels concordou. Ele passeou o olhar pelo local despojado que normalmente servia de sala de interrogatório. Uma mesa de madeira envernizada. Cadeiras muito simples. Rangidos agudos de freios ressoaram na estação ferroviária ali perto. Um trem chegando, pensou Niels. Dicte van Hauen atirando-se nos trilhos. O caso está encerrado. Ele ergueu os olhos. Uma meia dúzia de rostos o observava, esperando a sua resposta.

– A situação era muito confusa – esquivou-se ele. – Além disso, minha mente não estava em sua plena capacidade.

O oficial não quis parar por ali.

– Entendo bem. Mas, de acordo com o senhor, o que foi que aconteceu com ele? Ou o que foi que deu nele?

Niels deu de ombros e se voltou para Leon, que pigarreou.

– Ele não estava muito feliz – disse, baixando o olhar para a mesa.

O chefe da polícia local insistiu:

– Ouvi dizer que Bergman olhou Bentzon nos olhos e que então compreendeu subitamente quem era o assassino da esposa.

Leon ergueu sua sobrancelha.

– Você ouviu dizer?

– Ouvi dos jovens agentes que estavam presentes naquela noite.

Niels olhou para Sommersted, que logo entendeu a mensagem.

– Isso são especulações. Se vocês não têm nada mais consistente, sugiro que um de vocês me pague o café da manhã.

Com isso ele se levantou.

Risos na sala.

Leon deu um risinho anasalado e também se levantou. O oficial do Ministério de Defesa hesitou um instante, mas acabou imitando-os. Para Sommersted e Leon, o caso estava encerrado, e era hora de passar para outra coisa. De voltar às reuniões com o ministro e às suas mesas-redondas para um, de se meter em novas cenas de crime para o outro. Niels se perguntou como ele fazia para gostar do seu trabalho. O policial aposentado se levantou e veio se sentar ao seu lado. Eles estavam a sós na sala.

– Eu vou entender perfeitamente se você não quiser falar no assunto – começou ele.

Niels pensou em ajudá-lo. Queria lhe dizer que a morte não era tão terrível, mas achou que esse comentário seria fora de propósito. E que além disso talvez não fosse verdadeiro. Ele o ignorou. Sentia dificuldade de pôr em palavras o que tinha vivido. Talvez as línguas que nós desenvolvemos só permitam descrever o que nós vivemos na Terra. Talvez seja preciso inventar outra linguagem para descrever o que há no além.

– Na época em que eu investigava esse caso...

Niels olhou para o velho. As rugas do seu rosto tinham se congelado numa expressão preocupada.

– Na época em que eu investigava esse caso – recomeçou o policial –, meu interesse inicial foi pelos membros do seu círculo próximo.

– Claro – comentou Niels.

– Ou seja, Bergman e...

Ele olhou para Niels como se quisesse lhe pedir autorização para continuar.

– E?

– A filha dele.

Niels meneou a cabeça.

– É um ponto de partida natural.

– Bergman foi logo descartado. Então passei para a menina fechada no quarto. Vou lhe revelar uma teoria que ronda a minha cabeça há muito tempo. A mãe dela lhe leva, como sempre, um leite com chocolate em que diluiu soníferos. Mas a menina esvazia a xícara num vaso de flores e assim está totalmente desperta quando o amante visita a mãe. Ela os vigia e assiste a uma briga. Ouve gritos.

– Qual foi o motivo da briga? – indagou Niels.

O aposentado ergueu uma sobrancelha.

– Pode-se pensar em muitas razões. Talvez ele esperasse que ela deixasse o marido. Talvez ela tivesse acabado de lhe dizer que eles não deviam mais se ver. Ou talvez tenha sido ele que disse isso. De qualquer forma, começa uma briga. A mulher grita várias vezes. Talvez o homem dê uns safanões nela antes de ir embora.

Niels sente na boca um gosto desagradável. Como se a solução salina de Bergman lhe subisse pela garganta.

– Ele sai da casa, batendo a porta. O vizinho o vê entrar no carro e ir embora em disparada, e depois sumir. Para sempre.

Niels olhou o velho bem nos olhos.

– Então a menina consegue abrir a porta.

– Como?

O policial dá de ombros.

– Talvez a mãe simplesmente tenha se esquecido de fechá-la a chave naquele dia. O senhor quer que eu continue?

Nenhuma reação da parte de Niels.

– A menina vai até a mãe. Está cheia de... o que dizer? Mágoa? Cólera? Os dois? Ou talvez ela tenha ido diretamente para a cozinha. Maria Bergman talvez tivesse voltado para o quarto. Já fazia um certo tempo que o amante tinha ido embora. Uns vinte minutos. Pode-se perfeitamente imaginar que ela esteve chorando na cama e que adormecera. Sua filha vai procurar alguma coisa na cozinha. Uma faca. A maior da casa, a mais cortante. Nós sabemos que muitas vezes ela havia visto o pai, que ela admirava imensamente, degolar frangos no jardim da casa. Está acostumada a ver a morte. Familiarizou-se com ela. E de repente ela se vê submersa numa onda de emoções que a deixa aturdida. Ela sabe que basta um simples corte para matar o frango, embora ele se debata, embora ele ainda consiga correr um pouco. E depois ele é comido. Todo mundo fica contente. Tudo muito simples. Quem sabe se isso não pode provocar uma certa confusão na mente de uma criança? O aborto, os animais que matamos, os assassinatos, as guerras. E se fosse a mesma coisa? Talvez seja por essa razão que ela não tem consciência da gravidade do seu gesto quando corta a carótida da mãe adormecida. A faca é tão pesada e tão afiada que ela nem precisa fazer muita força. Talvez sua mãe tenha acordado. Talvez ela tenha tido tempo de correr em círculos pela casa antes de sucumbir à hemorragia. O que você acha, Bentzon? Foi isso que você viu no além?

Niels sentiu um leve tremor na mão. Como se fosse ele que estivesse segurando a faca.

– Quem lhe disse que vi alguma coisa?

– Bergman. Ele viu isso no seu olhar.

Niels queria ajudar o velho policial a encontrar a paz. Limpou a garganta.

– Vamos imaginar por um instante que haja um além.

– Sim.

– Isso significa que há um sentido em tudo. O senhor concorda?

– Sim.

– Então há também uma razão para a vida e a morte serem separadas por paredes herméticas. Enquanto estamos na terra, devemos nos preocupar com o que acontece aqui, e não com o que acontece depois.

Silêncio na sala. O barulho de um trem ressoou. O velho sorriu, levantou-se e pegou seu guarda-chuva no espaldar da cadeira. Então lhe estendeu a mão para se despedir.

– Mas talvez o senhor tenha explicado corretamente – observou Niels, apertando a mão do aposentado. – Isso poderia ser a razão de a menina ter se refugiado no mutismo.

O velho policial o olhou nos olhos.

– Para não denunciar o assassino – concluiu Niels.

O barulho de um trem que entra na estação.

Um mês depois

43

Hospital de Bispebjerg, Serviço de Psiquiatria Infantil – 9h50

Dentro de meia hora Hannah estará à sua espera com as malas diante do Museu Thorvaldsen. Como ele lhe tinha pedido. Mas antes disso Niels tinha um último detalhe a acertar. Levar uma mensagem a Silke. Da parte de sua mãe. Chegara o momento de transmiti-la.

– Com licença. Quero falar com Silke Bergman – disse Niels a um homem de jaleco branco. – Você sabe se ela está no quarto?

– Do que se trata?

– É uma visita, só isso – esquivou-se ele mostrando o distintivo.

– Silke está sempre no seu quarto.

Niels entrou no corredor, seguiu até a porta e bateu.

Do que se trata?

Ele esperou alguns segundos antes de empurrar a porta entreaberta. Silke estava sentada na cama. Olhava para o parque, o olhar preso a um ponto, algum lugar entre o balanço e os dois carvalhos centenários. Seus cabelos estavam úmidos, penteados para trás; ela havia acabado de tomar banho. Flutuava no ar um perfume de abeto e mel.

– Bom dia, Silke. – Niels se encostou na borda da mesa, diante dela. – Você me reconhece? Fui eu quem...

Ele precisou mudar de lugar para captar o seu olhar e acabou se sentando ao lado dela na cama.

– Sei que vieram aqui para lhe falar do seu pai e explicar que você vai poder voltar a vê-lo. Ele poderá vir aqui visitar você.

Niels hesitou. O que dizer depois disso? Qual seria o melhor modo de falar? Ele resolveu finalmente continuar. Não pensar muito. Ter confiança no poder das palavras.

– O que o seu pai fez – ele começou. – Me mandar ao além para falar com a sua mãe. Foi ruim. Muito ruim. Você sabe disso.

Niels percebeu uma reação. Embora ínfima. Um tremor nervoso. Um movimento da mão. Mais nada.

– Tenho uma mensagem para você, Silke. Mandada pela sua mãe. Ela sente a sua falta. E quer que você saiba que ela não está com raiva e continua amando você. Apesar do que aconteceu naquele dia. Apesar...

Niels percebeu que tinha pegado a mão dela. Ou foi o contrário?

– O que quer que tenha acontecido naquele dia – prosseguiu ele. – O que quer que você tenha feito. Ela não lhe quer mal. Ela perdoa você. E ela ama você. Você entende, Silke?

Nenhuma reação.

– Você é a sua filhinha querida. E vai continuar sendo sempre.

Niels olhou para Silke. Sondou os olhos dela. Um sinal qualquer indicando que ela havia entendido. Que ela havia compreendido. Em vão. Ele acabou desistindo. Então apertou a mão dela para ir embora. No momento em que ia transpor a porta, ele se voltou e deu uma última olhada para a menina sentada na cama, que examinava obstinadamente alguma coisa que só ela podia ver.

44

Museu Thorvaldsen – 10h30

– Por que você quis que a gente se encontrasse aqui?

Como fora combinado, Hannah o esperava com as duas malinhas diante da entrada do museu. Parecia uma turista perdida.

– Queria lhe mostrar uma coisa – respondeu ele abraçando-a rapidamente.

– Você tem certeza de que nós temos tempo?

– O avião só decola daqui a duas horas.

– Tudo bem, mas...

Hannah lhe falou do registro de chegada, das lojas *duty free* e das informações sobre como iriam do aeroporto de Veneza até a cidade. Ela estava impaciente para partir.

O museu. Quase não havia mais ninguém lá além deles. Num dia magnífico como aquele, com o sol brilhando no céu tão azul, quem iria querer admirar as obras de um escultor morto há muito tempo?

– Só um instante – insistiu Niels puxando-a pela mão. – É logo ali, no fundo.

Eles penetraram na sala onde estava exposta *A Noite*. Não havia ninguém além deles.

– Thorvaldsen fez esse relevo sob encomenda – explicou Niels. – Mas ele se inspirou na morte do filho.

Hannah lançou primeiro um olhar para Niels. Depois examinou o relevo. Comovida, mas também atemorizada.

– Por que você quis me mostrar essa escultura? – perguntou Hannah. – Para me ajudar no luto de Johannes?

– Não é exatamente o que eu queria lhe mostrar. – Niels enlaçou seus ombros e a fez dar meia-volta. Lentamente. – O que eu queria que você visse é isto.

Na parede oposta havia outro relevo. O que Thorvaldsen tinha realizado logo depois.

– Chama-se *O Dia* – disse Niels.

Hannah continuou muda. Contemplou em silêncio o anjo que tinha nas costas o filho da luz. Acordado. De olhos abertos. Radiante. *A vida.* Ela passou o braço em torno de Niels e o puxou para si, enquanto seu coração se enchia de esperança.

Agradecimentos

Por nos ter novamente guiado no caminho das estrelas: Anja C. Andersen, astrofísica, do Instituto Niels Bohr.

Por uma apresentação completa da arte da anestesia: Lars Kjeldsen, médico-chefe do Hospital de Amager.

Por discussões bem despertas sobre o sono: Søren Berg, pesquisador especialista em sono e médico-chefe da Clínica de Sono Scansleep.

Por nos ter feito descobrir os lugares mais secretos do Teatro Real: David Drachmann, pintor de teatro, e Camilla Høy-Jensen, responsável pela Comunicação.

Por nos ter feito compartilhar sua vida fantástica, fascinante e dolorosa de bailarina: Amy Watson, primeira bailarina do Balé Real.

Por conversas sobre a autópsia: Hans Petter Hougen, médico-legista do Instituto Médico-Legal.

Por nos ter generosamente orientado para usarmos suas pesquisas sobre a origem da vida: Eske Willerslev, pesquisador especialista em DNA e professor do Departamento de Geogenética da Universidade de Copenhague.

Por nos ter feito descobrir os recônditos mais obscuros do cérebro humano: Anne Hørup, do Serviço de Psiquiatria Infantil do Hospital de Bispebjerg.

E um grande obrigado a Anne-Marie Christensen, a Lene Juul, a Charlotte Weiss e a todos os demais integrantes da editora Politikens. Onde estaríamos nós sem vocês?

Este livro, composto com tipografia Garamond
e diagramado pela Alaúde Editorial Limitada,
foi impresso em papel Norbrite sessenta e seis
gramas pela Bartira Gráfica no décimo terceiro
ano da publicação de *Assassinos sem rosto*,
de Henning Mankell. São Paulo, março de 2014.